庚子文集

比較文学をめぐる研究と回想

劉岸偉 著

白帝社

庚子文集—比較文学をめぐる研究と回想

目次

一、私の比較文学修行

「沈黙の塔」前後の森鷗外

一　周氏兄弟の鷗外論

老いても意気盛ん

どこの国、いつの世でも、新しい道を歩いていく人の背後には、必ず反動者の群れがゐて、隙を窺ってゐる。そして或る機会に起つて迫害を加へる。只口実丈が国により時代によつて変わる。

これは鷗外の小説「沈黙の塔」（明治四十三年十一月）の終わりにある一節だが、ところがそれを魯迅の文章だと思い込んでいる中国人が少なからずいるようだ。魯迅を論じる文章の多くは何のことわりもなくこの一節を引用しているから、読者にそう錯覚させたに違いない。「沈黙の塔」は魯迅の手によって中国語に訳されたのは一九二一年四月のことだった。四月十一日の魯迅日記によると

「沈黙の塔」訳了。約四千字。

とある。（1）そして訳文は同じ月の二十一日から二十四日まで「晨報」第七面に発表された。ここでは鷗外の原文と魯迅の訳文を読み比べるだけの余裕がないが、一つだけ言えることは、魯迅の訳文の文体といい、言葉遣いといい、あるいはその口ぶりなどがいかにも魯迅らしいということ。だからこそ先に述べたような「錯覚」が生じるわけである。それだけ魯迅が「沈黙の塔」に深く共感を覚えたのであろう。

魯迅は若い頃日本に留学し、日本文学に接し、その影響も受けた人である。しかしそれに関しては、彼は弟の周作人と違って多くは語らなかった。意図的にそれを避けようとするふしさえある。だが一つ例外がある。一九三三年三月五日に

書いた「わたしはどのようにして、小説を書きはじめたか」という文章に、自分の創作家として歩んだ道を顧みて、愛読した文学者の名をあげた。ロシアのゴーゴリとポーランドのシェンキェヴイッチと、そして夏目漱石と森鷗外だった。(2)

一九三四年七月二十三日日本の歌人山本初枝（一八九八―一九六六）に宛てた手紙に、魯迅はこんなことを書いている。

『陣中の竪琴』は注文したのですから一週間前に到着しました、立派な本ですがもし私が歌をよくわかるならもう一層面白いだろうと思います。こんな軍医様は今では日本にもう少ないでしょう。(3)

ご承知のように、『陣中の竪琴』は佐藤春夫が鷗外の『うた日記』を批評した評論集で、昭和九年（一九三四）六月東京昭和書房から刊行された。魯迅の手紙の日付をみると、佐藤春夫の本が出版されてまもなく注文を出し、取り寄せたものと思われる。そして佐藤春夫の評論や作品の歌よりも、その作者森鷗外に触れたくだり、「こんな軍医様は今日では日本にもう少ないでしょう」からは鷗外に対する魯迅の敬重の気持が窺われる。(4)

ところで、鷗外の文学と思想について、魯迅の所感あるいは評価をもっとも具体的な形で伝えているのは、やはりあの「沈黙の塔」訳者付記ではないかと思う。それは「沈黙の塔」の翻訳を終えてその翌日――一九二一年四月十二日に執筆したもので、訳文の最終回とともに同じ『晨報』の第七面に発表された。短い文章なので、その全文を引用させていただく。

森氏、号は鷗外、医学者であり、文壇の長老でもある。だが、何人かの批評家はそう考えていない。これはたぶん彼の著作が余りに奔放なうえ、かなり「老いても意気盛んな」ところがあるからだろう。この一篇は『ツァラトゥストラはかく語りき』の訳本の序で、風刺が重々しい中にもユーモラスなところがあり、軽妙かつ深刻で、なかなかに彼の特色が窺える。文中で拝火教の信者を取り上げたのは、火と太陽とが同類だから、仮託して彼の祖国をあてこすったものと思われる。だが、我々がこれを中国にあてはめてみれば、たちまちふきだしてしまうであろう。ただ、中国で使っているのは過激主義という符牒だけで、危険の意味もパアシイ族のようにははっきりとしていないだけなのである。(5)

森鴎外を文壇の長老として当時の批評家がそう考えていないのは、鴎外をめぐる文壇の状況、とりわけ自然主義グループによる悪評を一瞥すればわかるように、彼が独自の道を歩き、時流に迎合しなかったからであろう。「老いても意気盛ん」という魯迅の批評はこの「永遠なる不平家」の真骨頂にいいあてたものと思う。

透明な理智

鴎外のもう一人の紹介者は魯迅の弟周作人である。鴎外に言及したもっとも早い時期の文字は一九一八年四月十九日、北京大学文学研究所で行った講演「日本近三十年小説の発達」である。彼はまず鴎外の文学観を「遺興」(興のおもむくままにまかせる主義)と名づけ、短篇「あそび」を引きあいに出し、具体的に説明をする。「此男は著作をするときも、子供が好きな遊びをするやうな心持になってゐる」という主人公木村の人生観を告白する一節を引用した後、周作人は次のように鴎外を批評している。

この一節から彼の態度を見ることができる。彼は理知の人間であるため、如何なることに対しても消極的態度をとり、興奮したためしがない。頗る現代の虚無思想の傾向がある。(6)

一九二二年七月、森鴎外が萎縮腎で不帰の人となった二週間後の七月二十六日、周作人は「森鵜外博士」と題する文章を草し、「晨報副刊」に発表した。鴎外の死を「東アジア文壇の極めて惜しむべきことだ」といい、鴎外の文学生涯と業績を簡略に紹介した後、一九一〇年十月新潮社から刊行された鴎外の小説集『涓滴』の中の「杯」と「あそび」をとりあげ、この二篇は最も注目に値すると指摘した。なぜなら「彼の創作態度と風格はこの中にもっとも鮮やかに表れているからである。火山の溶岩のような色をした杯を手にもった第八の少女は〝自然〟という二字が彫られた銀の杯を他人から借りるのを潔しとせず、こう言った。「わたくしの杯は大きくはございません。それでもわたくしはわたくしの杯で戴きます」。これが即ち彼の姿である」と周作人は言っている。(7)

周作人の鴎外像と魯迅のそれとを読み比べてみれば、両者の視点のずれに気づくであろう。魯迅は「余りに奔放なうえ、老いても意気盛んなところがある」と、鴎外の姿勢をこう捉えているのに対し、周作人は独自の道を切り開く透明な理智の人間、冷徹な観察者の中に鴎外文学の本質を見ている。この見方のずれはある程度、周氏兄弟自身の文学姿勢の相違によるものと思われる。水に落ちた犬も徹底的に打ちのめしてしまう魯迅と、草木虫魚の趣味の世界に傾いていく周作人は、それぞれの「鴎外」を見出そうとしているようにも見受けられる。彼らの評は対照的のように見えるけれども、それぞれ鴎外文学の本質の一端に触れていて、しかもある興味深い事実を示唆している。

二　鴎外の思索と努力

「豊熟時代」の作品群

「テエベス百門の大都」といわれる鴎外の世界。そのメーンストリートとして、周氏兄弟が中国の読者に紹介し、高く評価したものは「舞姫」などの初期代表作でもなければ、鴎外文学の醍醐味をしめす晩年の歴史物でもない。「沈黙の塔」「杯」「あそび」「ヰタ・セクスアリス」「妄想」「食堂」などがそれで、いずれも明治期最後の数年間、いわゆる鴎外創作の「豊熟の時代」に書かれたものである。

明治四十二年は鴎外にとって、特記すべき年だった。長い間の「沈黙」を破り、「鴎外陣亡の後」の文壇に彼が再び蘇ったのである。小説「半日」を皮切りに、次から次へと旺盛な創作活動を続けた。だが、数年後の大正元年から、歴史小説の第一作の「興津弥五右衛門の遺書」を発表した鴎外の創作軌跡に異変が起こったらしい。その間の事情について、鴎外自身の述懐によれば、「其文章の題材を、種々の周囲の状況のために、過去に求めるやうになつてから、わたくしは徳川時代の事跡を捜つた」という。(8)

明治期の最後の数年間、鴎外をめぐる「種々の周囲の状況」とは何を意味しているだろうか。歴史小説の創作意図を解明する手段、あるいは、その成立の背景資料として、「種々の周囲の状況」をさぐるのが文学史家によく見られる方法である。だが、もし歴史小説・史伝への転回は鴎外文学の必然の帰着ではなく、「種々の周囲の状況のために」とらざるを得なかった転換であったというならば、「種々の周囲の状況」の中に続けられた思索と努力こそ、作家森鴎外についてより多くのことを語ってくれるのではなかろうか。その思索と努力の結晶ともいうべきこの時期の作品群について、従来は個別な作品論として、「ヰタ・セクスアリス」「普請中」「あそび」「青年」「妄想」「灰燼」などが多く論じられてきたが、作品ジャンルの転換と創作意図の推移との相関関係についての議論が必ずしも十分に行われたとは思えない。とくにこの間の機微を伝える作品で、いままでほとんど取り上げられなかった一篇がある。「日露戦争餘聞」として、明治四十五年四月に書かれた小説「鼠坂」がそれである。

「鼠坂」の意味

「鼠坂」はこの時期の作品にしては珍しく、いわゆる小説らしい小説である。それ以前発表された作品の多くは、ほとんどと言っていいぐらい、いわば「分身物」である。つまり小説の中には、作者鴎外の分身、あるいは代弁者と思われる人物が登場する。例えば「ヰタ・セクスアリス」の金井君、「鶏」の石田、「独身」の大野、「普請中」の渡辺、「あそび」「食堂」の木村、「妄想」の主人公、「かのように」「吃逆」「藤棚」の五条秀麿などはいずれもそうである。それに、作中人物のモデルについて、はっきりと鴎外と断定できない作品にも時には、鴎外の肉声が漏れ聞こえる場合がある。

こういった作品の共通点あるいはその特徴は、作者が分身の口を借りる形ではあるが、率直に自らの感情―喜び、悲しみ、怒り、皮肉を表現するところにある。一応小説の形をとるが、作者鴎外が盛んに議論をする。「あそび」の主人公木村が言うように「前半世では盛んに闘つたのである。併し其頃から役人をしてゐるので、議論をすれば著作が出来なかつた。復活してからは、下手ながらに著作をしてゐるので、議論なんぞは出来ない」というのでは決してない。稲垣達郎氏が指摘したとおり「著作そのものが、そのまま議論としての機能をもつ。鴎外は、今もって、決して戦意を喪失してゐない」(9)。表現の手段、作品の形が変わったけれども鴎外の戦闘的姿勢は決して弱まっていない。「當流比較言語学」（明治四十二年七月）と「沈黙の塔」（明治四十三年十一月）を読み比べてみるがよい。そこに一貫して流れているのが作者の鋭い批判意識である。魯迅の「老いて意気盛んな」とか「深刻で重々しい風刺と、軽妙なユーモア」云々はまさに鴎外のこうした姿勢を評した言葉である。

もちろん「鼠坂」は全く作者の感情を殺した小説でもない。ただその感情を分身の口からではなく、作中人物をめぐる客観的なリアリスティックな描写を通して、読者に伝える点において、小説らしい小説というのである。小説のプロットは三人の会話から構成されている。日露戦争で成金となった深淵、その新築した家に客として招かれた新聞記者小川と通訳あがりの男平山である。会話の口調はそれぞれ個性的で、いかにもその人物の経歴や身分にふさわしいもので、話の運び方も自然であり、小説家の熟達したテクニックを示している。

さて、この小説は何を意味しているだろうか。この時代に書かれた作品群のテーマを解読するキーワードとして「あそび」とか「平気」とか「傍観者」とか「resignation」（あきらめ）とかがあげられる。同時代の論敵はこれを鴎外の「厭味」と評している。周作人が注目したのも鴎外のこうした態度である。三島由紀夫はかつて鴎外の短篇「百物語」を取り上げ、「淡々とした抒述で、ただの目録のやうに見えながら、読み了つてしばらくすると、凄愴な主題が瞭然と迫つて来る」と評した。また「普請中」の中に鴎外を含めた明治知識人の深い絶望と諦観を見ている。(10)しかし「百物語」のあの傍観者の自述を読むと、「凄愴」というより、世俗を超越した一種のゆとりさえ感じられる。また「日本はまだ普請中だ」という冷厳な判断の中に生きている渡辺参事官とて決して衿持と希望を捨ててはいない。

「鼠坂」には作者の分身の議論もなければ、テーマを暗示するようなキーワードもない。しかし読み終わって、一種の重苦しい、それこそ凄愴な、陰気な圧迫感がのしかかり、薄気味悪い後味に思わずぞっとする。成金の「深淵」という名も人間の業の深淵を意味しての命名であろう。彼は日露戦争の戦場となった満州に酒を運んで大金をもうけたが、酒を鞍山まで運んでくれた中国人の車の主を縛り上げて、道で拾った針金をふところにねじ込んで、軍用電信を切った容疑者にして、憲兵を騙して引き渡した悪辣な商人だ。おそらく僅かばかりの運賃を踏み倒すためだろう。もう一人の記者の小川は「優しい顔をしていても悪党」である。一人の少女は彼に犯されたために死んでしまったのだ。小川は新築した成金の家に泊ったその晩、被害者の幻影を見て、頓死したのだった。この一部始終は全部作中人物の会話によって説明されているが、作者の深い絶望と嫌悪を窺わせる一篇である。同じ日露戦争の体験にもとづく『うた日記』にある「罌粟、人糞」と「抬頭見喜」は、この小説に書かれた事件と小川の死について描写に深くかかわる内容をもつものだが、一読すれば両者の趣向の落差がよくわかる。

「鼠坂」は鴎外の小説創作における一つの転換点ではないかと思う。少なくとも後半の歴史物への転換をほのめかす作品だと私は理解している。しかもこの転換は鴎外がいうように「種々の周囲の状況」という外部からの力によるものではなく、あくまで鴎外の内からの欲求によるものである。彼はもっとも適切な表現形式をさぐり、ついに歴史物の中にそれを見いだしたのであろう。作者の分身が登場せず、人物像にすべてを託し、すべてを語らせる。史料の中に埋もれる「自然」をみだりに変更するのが厭になった、という鴎外の告白を、いままでの創作姿勢—「議論」への訣別の言葉として受け止めたい。「鼠坂」はすでにこの「訣別」を暗示している。作者であろう、作者の分身であろう、「あきらめ」を議論していることは、逆に「あきらめ」の境地に達していないことを意味する。鴎外の歴史物には、もはや「あそび」だの、

「平気」だの、「あきらめ」などの「厭味」がない。むしろそれに対峙する姿勢さえ感じられる。かぎりなき透明な、歴史の「自然」を観照しながら、ある種の価値への追求が感じられる。この価値を「永久の人間精神」と呼ぶことにしよう。[11]この歴史物に表現されている思想のコアが実はすでにあの「豊熟時代」の作品群の中にはぐくまれていたのである。長編小説『青年』には大村の言葉として、次の如く書かれた一節がある。

我といふ城廓を堅く守つて、一歩も僻借しないでゐて、人生のあらゆる事物を領略する。君には忠義を尽す。併し国民としての我は、昔何もかもごちゃごちゃにしてゐた時代の所謂臣妾ではない。親には孝行を尽す。併し人の子としての我は、昔子を売ることも殺すことも出来た時代の奴隷ではない。忠義も孝行も、我の領略して得た人生の価値に過ぎない。日常の生活一切も、我の領略して行く人生の価値である。[12]

これは確かに「透明な理智の人間」の態度である。「独自の道を切り開く冷徹な観察者」の態度でもある。しかしこれは決してニヒリズムではない。何故なら、この態度はあくまでも人類文化の底力に対する揺るぎない信頼に根ざしているものである。明治四十三年十二月、「沈黙の塔」を執筆した一ヶ月後、「馬琴日記鈔の後に書く」において、鴎外はこう言っている。

文化には奈何になる障碍をも凌いで発展していく底力がある。子供が麻疹を凌ぎ、疱瘡を凌いで育っていくやうに、人類はどうにかして、あらゆる疫病に対する免疫血清を醸し成して、屈せず撓まず文化の大道を歩んで行く。[13]

敢えて権力の「逆鱗」に触れた「沈黙の塔」もこうした信念のもとに執筆された一篇であろう。

註

（1）「魯迅全集」第十七巻、四一五頁。学習研究社刊、昭和六十年。

（2）「魯迅全集」第六巻、三四二頁。

（3）「魯迅全集」第十六巻、五四五頁。

（4）同書簡については、平川祐弘著『西欧の衝撃と日本』（講談社刊、昭和六十年）三三九—三四一頁にも言及されている。

（5）『魯迅全集』第十二巻、二九一頁。「老いてますます盛ん」の原文は、『晨報』発表当時、「老気横秋」となっていたが、全集に収められた際、「老当益壮」と改められた。全体の文脈から見れば、鴎外の「老辣ぶり」を謳っているのでそう改訂されたのであろう。

（6）『周作人全集』第三巻、六七五頁。藍燈文化事業股分有限公司、一九八二年。

（7）『晨報副刊』一九二三年、七月二十四日。鴎外を論じた文章は、ほかに周氏兄弟共訳の『現代日本小説集』に附録として収められた「作者に関する説明」がある。鴎外についての紹介文は、魯迅が執筆したものとして、いま『魯迅全集』に収録されていますけれども、「最近三十年の日本における小説の発達」や「森鴎外博士」などの周作人の文章と内容的に重なるところが非常に多い。周作人が執筆した可能性を否定できない。この点に関してはすでに拙著『東洋人の悲哀』に触れている。また最近小川利康氏の書誌学的研究があり、結論もほぼ同じである。

（8）「渋江抽斎」『森鴎外全集』第四巻、四八頁。筑摩書房刊、昭和四十五年。

（9）「蛙の丸呑—明治末年の鴎外」日本文学研究資料叢書『森鴎外Ⅱ』所収、六頁。有精堂刊、昭和五十四年。

（10）「鴎外の短編小説」『森鴎外研究』所収。一二九頁。筑摩書房刊、昭和三十九年。

（11）デイビド、トマス編『森鴎外の歴史小説』のはじめに、トマス氏による長い序文がある。常に徳川時代に題材を求める鴎外の「選択」に触れて、氏はこのように言う。この選択は、鴎外の政治信念の表明というより、「永久の人間精神」への彼の傾倒と解釈したほうがよかろうと。
David Dilworth, Thomas Rimer, ed. *The Historical Fiction of Mori Ogai* (University of Hawaii Press 1991), p11.

（12）『森鴎外全集』第二巻、八六頁。筑摩書房刊、昭和四十五年。

（13）『鴎外全集』第三十八巻、二四一頁。岩波書店、昭和五十年。

（付記：この小稿の執筆に際し、粕谷一希氏から貴重な示唆を受けたことをここに記す。）

討議要旨

平岡敏夫氏から「鼠坂」と「嬰粟、人糞」の比較について質問があり、発表者は、「嬰粟、人糞」は『うた日記』の一篇で、日露戦争の時の体験を踏えた作品である。日本軍の婦女暴行を記述した内容は、必ずしも同一事件ではないが、「鼠坂」に書かれた小川事件の背景に通じるものがある。ただし、『うた日記』が書かれた時期は近代日本の上昇期であり、アジアの優等生たる姿勢を世界に見せようとした時期であった。その時代の特色がおのずと鴎外の作品の格調にも表われている。だが「鼠坂」の時代となると、鴎外はもっと客観的に冷静に近代日本の姿を眺め、うけとめなければならなかった。その小説はそれを示し、または彼の作風の転換点ではないか、と答えた。

（第十六回国際日本文学研究集会研究発表、一九九二年十一月十二日）

豊饒な黄昏―周作人とヨーロッパの世紀末

周作人（一八八五――一九六七）、近代中国の作家。本名周遐寿、浙江省紹興出身、北京大学、燕京大学の教授を歴任。一九一九年「五・四」運動の時から新文学の創作を始め、数多くの新体詩、文芸理論、翻訳作品を発表するほか、大量の小品散文を創り、新文学運動に大きな影響を与えた。彼は実兄の魯迅と共に、近代中国が生んだ最も秀れた散文作家である。

「五・四」時期の多くの文学者もそうであるように、周作人は豊かな外国文芸素養を身につけた人である。[1]本稿では、周作人の小品散文に現れる西洋――ヨーロッパの世紀末文学を検証し、それが彼の散文創作にいかなるインスピレーションを与え、彼のビジョンの形成にどう関わっていたのか、といった問題を考えてみたいと思う。

「ヨーロッパの世紀末」、ここでは、文学史や美術史における通念として、倒錯的な退廃趣味や人工的な耽美趣味によって特徴づけられる一八八〇年代から九〇年代にかけての一時期を指すものではなく、英文学者吉田健一氏による画期的な「概念」――十九世紀の偽善、蕪雑、喧噪を経て、ようやく、本来の息遣いのリズムを取り戻し、十八世紀的な健康な過渡的な回帰としての世紀末――あの豊饒な黄昏を意味することをつけ加えておきたい。[2]

一　美的批評

周作人は「詩人の魂」をもつ民間日本学者で、知日家として広く知られている。しかし同時に、彼はヨーロッパの文学に関しても、実に優れた見識と幅広い素養を身につけた人である。その全作品を通読した読者なら、その造詣の深さに驚嘆するに違いない。日本留学時代、古代ギリシア語を覚え、ギリシア詩人の紹介、古典神話の翻訳などに手をつけたほか、彼は英語圏の作家をむさぼるように渉猟した。ロシア、フランス、ドイツ、デンマークなどの詩人、小説家、学者の仕事もたいてい英訳で読んだ。その読書傾向を見ると、ヴォルテール、ボードレール、ドストエフスキー、バイロン、キーツなどの大作家のほかに、次の如き興味深い顔ぶれがつづく。

ロバート・ヘリック（一五九一―一六七四）、ギルバート・ホワイト（一七二〇―九三）、ウィリアム・ブレイク（一七五七―一八二七）、リチャード・ハリス・バラム（一七八八―一八四五）、ジョン・ラスキン（一八一九―一九〇〇）、サー・リチャード・バートン（一八二一―九〇）、ルイス・キャロル（一八三二―九九）、ストップフォード・ブルック（一八三二―一九一六）、サミュエル・バトラー（一八三五―一九〇二）、チャールズ・スウィンバーン（一八三七―一九〇九）、ウィリアム・エドワード・レッキ（一八三八―一九〇三）、ウォルター・ペイター（一八三九―九四）、ウィリアム・ヘンリ・ハドソン（一八四一―一九二二）、リチャード・ジェフリーズ（一八四八―八七）、グラント・アレン（一八四八―九九）、サー・エドマンド・ゴス（一八四九―一九二八）、ロバート・ルイス・スティーヴンソン（一八五〇―九四）、オスカー・ワイルド（一八五四―一九〇〇）、ジョージ・フレイザー（一八五四―一九四一）、オリーヴ・シュライナ（一八五五―一九二〇）、ジョージ・ギッシング（一八七一―一九〇三）、ケネス・グレーアム（一八五九―一九三二）、ハヴロック・エリス（一八五九―一九三九）、ジョン・ウィリアム・マッケイル（一八五九―一九四五）、サー・ジョン・アーサー・トムソン（一八六一―一九三三）…

以上、あげられた面々は詩歌、小説、文芸批評、随筆、童話、歴史学、言語学、文化人類学、心理学、生物学など多岐にわたる分野で活躍しているが、その共通項を求めるとすれば―英語で創作する南アフリカの作家オリーヴ・シュライナ女史を除けば―ほとんどはイギリス人で、しかも、その大半は十九世紀後半に生を享け、世紀末を体験した散文作家である。

十九世紀後半のイギリスはヴィクトリア時代ともよばれる。女王がはじめて王冠を戴いたのは一八三七年、彼女の十八歳の時であった。一九〇一年に亡くなるまで、女王の治世は中国の康熙帝よりも長く、六十四年も続いた。その間の大英帝国は七つの海を制覇し、「世界の工場」の王座にのぼった。一八七〇年代末からの「大不況」に見舞われ、国際貿易の輸入額は、常に輸出額を上回っていたにもかかわらず、植民地獲得による海外市場の開拓や、海運業・銀行業・保険業などへの産業構造の転換によって、繁栄を保ち続けた。

一八九七年は女王即位六十周年にあたり、国を挙げての祝典が行われた。女王の馬車がバッキンガム宮殿からセント・ポール大寺院へ向かったとき、この行列の中には、世界中のあらゆるところからくる大勢の「植民地」の代表団が参列していた。この世紀の祝典にたちあったロンドンっ子たちは、おそらくそのときはじめて、自国領土がまぎれもなく「地球の果てまでも」広がり、イギリスが文字通りの「陽の没することのない帝国」であることを実感したであろう。[3]

イギリスの富の増大とともに、確実に勃興しつつあったのは中産階級であった。いわゆるミドル・クラスと呼ばれるのは貿易商人、造船業者、銀行家など商業革命期以来のイギリス産業界の代表選手のほかに、弁護士、医師、大学教授、作家、芸術家、土木・建築業者、機械技師、上層の自作農などが加わり、いわばイギリス社会を支える中堅層であった。[4]

彼らはこの富の受益者であると同時に、この富は自らの勤勉と努力によるものであると確信し未来に対して、希望と自信をもっていた。

「天は自ら助くる者を助く」という名文句が書かれたサミュエル・スマイルズの『自助論』が下層中産階級のあいだに圧倒的な人気を博し、ベストセラーとなっていたところからも、ヴィクトリア朝中期の社会気風の一端がうかがわれる。

堅気、勤勉、節制、倹約は世の中の大事な徳性とされ、金を殖やすこと、金を儲けることこそ人生の大きな快楽であり、尊敬に値する道徳的な価値であった。功利的商業精神と清教徒的禁欲主義はイギリス中産階級道徳の両輪であるが、それは人間性のある一面だけを畸形的に発達させたものにほかならない。人間はそもそも活動と休息の動物であるが、畸形の文明は精神の荒廃と知性の不毛をもたらし、索漠たる病的社会生活を生みだした。明治三十三年（一九〇〇）、後進国日本からの留学生夏目金之助の目に映ったのは、世界一の繁栄を誇る帝国の都であると同時に、近代の病に悩み、空気も人間の心も汚染されていた「陰鬱な」ロンドンであった。しかし「この時代には一定の方向に一定の量しか頭を使はないのが健全であることだつたから凡てさうしないで自由に頭を使ふのは病的なことでなければならなかった」。(5)

　オスカー・ワイルドがオクスフォード大学モードリン学寮に給費生として入学したのは一八七四年の十月、二十歳の時であった。それは彼の人生における重大な転換点となった。ジョン・ラスキンの講義にも出、ウォルター・ペイターのサロンの常連となる。晩年の『獄中記』において「ペイターの『ルネッサンス』を読んで、私の人生に奇妙な影響を受けたのを覚えている」と述懐している。(6)寮生活の頃から、ワイルドはすでに趣向を凝らしたダンディの風貌を見せたが、気障な衣裳を身にまとい、ロンドンの大通りを闊歩していた姿はさすが漫画雑誌『パンチ』の格好の材料となり、今日のわれわれの目にも異様に映るのだが、この奇矯な行動は果たして彼の「精神的混乱」を示し、世紀末の病的な現象を意味するものだろうか。ヴィクトリア朝のあの堅気で「健康的」な気風を念頭に置かなければ、意図的に退廃の道を歩み、意図的に自然に背いて人工的たろうとする耽美家ワイルドの真意をわれわれは見失ってしまうことになる。

　周作人がはじめてワイルドの文学に触れたのは一九二二年四月二日、『晨報副鐫』に載せたエッセイ「ワイルドの童話」であった。穆木天氏の訳した『ワイルド童話』が話の糸口となっているが、書評ではない。彼はまず民間の童話と「文学的童話」の区別を述べた上で、前者の例としてグリム兄弟をあげ、ワイルドを後者の一人として位置づけた。

　純文学としての童話は民間の伝承によるものではなく、文人の創作である。十九世紀に現れた「文学的童話」の佳作として、チャールズ・キングズレーの『水の子』、ルイス・キャロルの『不思議の国のアリス』、アンデルセンの『醜いアヒルの子』などをあげた後、ワイルドの『柘榴の家』と『幸福な王子』の特色について、「純粋な詩人の詩」と評している。そしてアンデルセンの「子供がしゃべるような文体」と対照し、ワイルドの本領は「豊麗な表現力と洗練された機知にある」と捉えている。(7)

ワイルドの「文学的童話」に強い共感を示したものの、周作人はついにこのような作品を創らなかった。しかし、周作人の芸術観、とくにその美的批評の主張を考察する場合、ワイルドは忘れてはならない存在であろう。一九二三年二月に書いた「文芸批評雑話」は『談龍集』（北新書局刊、一九二七年）の巻首を飾る一篇である。その冒頭の一節を引用させていただく。

> 現代の中国には、文芸批評が欠如していることは、いやでも否認することのできない事実である。日刊や月刊の紙面に批評らしい文字がたくさんあるにもかかわらず、私にしてみれば、いずれも望ましい文芸批評とは言えない。真の文芸批評とはそれ自体一つの文芸作品でなければならないと私は思う。（周作人『談龍集』上海書店復刻版、一九八七年、一頁）

この美的批評の主張は、文壇にいかなる影響を与えたかはともかくとして、彼自身の生涯にわたる創作準則となった。周作人の小品散文には、いわゆる「書話」とよばれるエッセイが数多くある。文字通りある書物についての話ではあるが、世に言うところの『書評』ではない。書物の紹介、評論に主眼がおかれるのが世に言うところの「書評」だとすれば、理智の論断に偏ることなく、ある作品に対する印象・鑑賞や論者の自己表現を旨とするのが周作人の「書話」である。これはいわば「批評」と「創作」を混然一体に溶かす試みであり、「美的批評」の実践である。

十九世紀末のイギリス文学界における「芸術至上主義」運動を形成した一人として、ワイルドは幅広い分野で活躍していた。詩、小説、劇作、いずれも機知と才気に溢れるが、文芸批評にこそ、その真骨頂があると信じる。「たとえ詩人ワイルドは詩人ボードレールに遠く及ばないとしても、しかし批評家ワイルドは批評家ボードレールのすぐれた後輩たりえたのである」。ワイルドの唯一の本格的批評、『芸術論』（一八九一年）に現れている唯美主義の思想風景は、その後の彼の戯曲、小説の創作に如実に再現したのである。

一八九〇年九月、ワイルドは「批評の真の機能と価値」を『十九世紀』に掲載。のちに『芸術論』に加える際、「芸術家としての批評家」と改題した。「アーネスト」と「ギルバート」という二人の対話の形をとったこの芸術論は、批評精神が欠如しているヴィクトリア時代へのワイルドの挑戦である。彼の代弁者である「ギルバート」の話の一節を引いてみよう。

Gilbert. But, surely, Criticism is itself an art. And just as artistic creation implies the working of the critical faculty, and, indeed, without it cannot be said to exist at all, so Criticism is really creative in the highest sense of the word. Criticism is, in fact, both creative and independent. (*The Works of Oscar Wilde*, volume 10. Intentions, AMS Press, New York, 1980. pp.151-152)

ワイルドの全著作中『ドリアン・グレイの絵姿』に次いで長い文章ではあるが、その奥義は右の一節に語り尽くされているように思われる。

周作人の「文芸批評雑話」は、フランス人批評家フランス(A.France)の話を引用し、直接にワイルドの芸術論に触れていないけれども、何らかの示唆を受けたことは考えられる。「真の文芸批評とはそれ自体一つの文芸作品でなければならない」の一句は"Criticismis itself an art"の翻訳ではないかと思われるほど、二人のテーゼは一致しているのである。さらに「批評」の本質について、二人の主張を比べてみよう。

真の文芸批評とは一つの文芸作品でなければならない。そこに表現されるべきものは対象の真相と言うよりも、むしろ自分の反応である……我々が批評の中に自分の思想と感情を率直に表現することは、ちょうど詩文を創るときのと同じである……（『談龍集』三―五頁）

Gilbert. Yes, from the soul. That is what the highest Criticism really is, the record of one' s own soul…It is the only civilised form of autobiography, as it deals not with the events, but with the thoughts of one's life; not with life's physical accidents of deed or circumstance, but with the spiritual moods and imaginative passions of the mind. (ibid., p.154)

周作人の「書話」は趣味豊かな批評文であると同時に、いずれも彼の「魂の記録」なのである。一九二三年三月三十一日、『晨報副鐫』に発表した書話「鏡花縁」には、同じく『芸術論』に収められたワイルドの評論「嘘の衰退」への言及があるところから見ると、周作人が「文芸批評雑話」を執筆した時点で、すでに「芸術家としての批評家」を読んだ、としても不思議ではあるまい。

二　『香園』

リチャード・バートン(Sir Richard Burton, 一八二一―九〇）は近代イギリスの大旅行家である。幾度も領事の職につき、のちに叙勲された。しかし、彼の大胆不羈はすっかり道学的ジェントルマン社会の埒外に逸脱してしまった。（『談龍集』一四三頁）

一九二七年四月三十日、『語絲』第一二九期に載せた周作人のエッセイ「香園」の冒頭の一節である。バートンは十九世紀の最もすぐれた探検家、しかも多くの外国語に通じ、国際的教養・趣味をそなえ、軍人、言語学者、東洋学者、翻訳家、外交官など多くの肩書をもっている博学な人である。アジア・アフリカの奥地を死の覚悟で探検したバートンは、のちにそのスリルに満ちた冒険譚を多くの書物にまとめた。そのせいか、それらは読物として面白いだけでなく、学問的研究としても貴重な記録であるにもかかわらず、バートンは今日では主に紀行作家として知られているように思われる。例えば、ケンブリッジ版『イギリス文学史』第三巻では、「紀行および登山文学」の項でバートンを扱っている。[8]

ところが、周作人によれば、バートンの名を不朽にしたものがほかにもある。『アラビアン・ナイト』の全訳とともにあげられたのは、執筆、翻訳、監修をあわせて五十冊にものぼるバートンの著作の中で、あまり知られていない『香園』である。

『香園』はイギリスの性心理学者ハヴロック・エリスにもしばしば取り上げられるアラブ世界の性愛を語る書物である。原作者は十六世紀トニス城に住むナフザウィ(**Shaykh Nafzawi**)とされる。バートンは『香園』の翻訳に力を尽くした。そして文学の仕事として、それは最高の成績だと自ら言っている。だが、バートンが亡くなった後、その原稿は他の日記やノートと一緒に彼の妻の手によって燃やされてしまったのである。それはバートンの名誉や潔白を守り、良妻としての責務を果たすためだ、と彼女は自分の愚行を弁解しているが、周作人はアメリカ人カルヴァトンの『文学に現れる性的表現』(**Calverton, *Sex expression in Literature*, 1926**) の一節を借りて、次のように評している。

> かくの如く、狂暴に貴重な原稿を毀したバートンの妻の動機は、中産階級の道徳に依拠するものである。それに対して、バートンをして『香園』の如き淫書を翻訳せしめた動機は、当然、非中産階級的である。（『談龍集』一四四頁）

ヴィクトリア朝の中産階級にとって、「性的純潔」を保つことは重要な道徳的規範の一つである。その行動の指針と見なされた手本は、女王とその夫であるアルバート殿下によって示された。まともな男女がいかに軽い程度であれ、情事におちいることは、社会的慣習上厳しく禁じられていたのである。したがって、ヴィクトリア朝の小説は、性の問題に触れるのを意識的に避けて、非常に高い道徳的な格調を保持していた。一八四二年、「精選貸本屋」を始めた店主は、十六歳の娘が読むにふさわしくない本など一冊も置かないことを保証したほどであるから、[9]『香園』のような性と愛の「教科書」を翻訳することはまさに不徳の極であろう。

性をタブーと見なす風潮が十九世紀前半に広まった福音主義の宗教運動に深く関わっていたことは言うまでもない。性に対する潔癖さは、見方によれば、性への一種の過敏症、恐怖症でもある。猥褻な言動に顔をそむける風習は敬虔な宗教心によるものだろうか。性への過度な関心は検閲によって消されてしまうものではなく、ただ潜在意識の領分に押し込まれていたにすぎない。アメリカの英文学史家J・P・ブラウン女史によれば、むしろヴィクトリア朝の小説には、今日の小説にもまさるほどに、性的感覚が豊かに現れているという[10]。紳士・淑女の条件が厳しい一方、売春が盛んに行われていたところを見れば、時代の偽善性がわかるはずである。

ハヴロック・エリスの『随感録』(Havelock Ellis, *Impressions and Comments*, 1914)には、フランス女優のロンドン公演についての一節がある。周作人は有名な「猥褻論」においてそれに触れて、次のようにいっている。

> パリ風の自由の芸術は、ロンドンにきて紳士たちに干渉されると、悪化してしまうのだ。びくびくして逃げ隠れる様は、かえって多くの猥雑な色を添えることになる。 (周作人『自己の園地・雨天の書』、人民文学出版社、一九八八年、七七頁)

このエッセイはもちろん「中国の紳士」たちに読ませるためのものである。一九二〇年代の中国では、性もまた一種のタブーであった。ヴィクトリア朝の人々に、個人的な敬虔さ、選民としての自覚、義務と社会的責任についての諸観念を植えつけた福音主義は、ある意味で健康的、誠実な一面をもっているのに対して、明末以来、すでに形骸化された儒教——道学は、草の根にまで浸透している道教の毒がさらに加わり、社会の進歩を阻害する以外、もはや何の役にもたたない偽道徳にほかならなかった。

しかし、かつては専制王朝の強力なイデオロギーだった儒教を中心とする旧き文化の基盤は体制の崩壊とともに瓦解しなかったどころか、社会生活のすみずみまで、根強くはびこり、はばを利かせた。辛亥革命（一九一一年）で、皇帝の追われた中国は、旧態依然たる生活の日常がつづき、やがて新しい皇帝の登場を迎えようとしていた。一九一五年九月、上海で『青年雑誌』を創刊した陳独秀は、その巻首を飾る著名な論文「敬告青年」において、青年への熱望として、「自主的」「進歩的」「進取的」「世界的」「実利的」「科学的」であるように、と呼びかける一方、戒めとして「奴隷的」「保守的」「隠遁的」「鎖国的」「虚飾的」「空想的」の六項目を対置した。このスローガンからも当時の思想状況の一斑がうかがわれる。

新しい社会を担う新しい哲学を創り出すためには、旧きものを清算し、破壊しなければならなかった。「五・四」文化革命を貫くテーマはまさに「破壊」であった。旧き伝統を突破する入口として、周作人は性の問題を選んだ。それは性が古くから中国社会の重大なタブーであるのみでなく、旧き伝統文化の野蛮、保守、偽善の一面を映し出す鏡として最も効果的だからである。肉体と精神を分離する「偽善的健康」をもっているヴィクトリア朝のイギリスと肉体も精神も病的である一九二〇年代の中国とは、安易な類比はできないけれども、自らの「不真面目さ」で、「中産階級の度胆を抜いてやろう」というダンディズムの中に、周作人は中国の「紳士階級」の偽道徳と闘うときの同盟軍を見出したに違いない。彼の「猥褻譚」も、いわばワイルド流の「ショック療法」であろう。

一九二三年十二月、北京大学の『歌謡週刊』の記念増刊号に、同大教授の周作人は「猥褻な歌謡」を寄せた。肢体を詠む歌として、イギリスの詩人ロバート・ヘリックの、女友のダイアニイミに与えた詩の一句を原文のまま引用した。いまその原詩を次に示す。

To Dianeme

Shew me thy feet; shew me thy legs, thy thighes;
Shew me Those *Flesbie Principalities*;
Shew me that Hill (where smiling Love doth sit)
Having a living Fountain under it.
Shew me thy waste; Then let me there withall,
By the *Assention* of thy Lawn, see All.

(L. C. Martin. ed., *The Poems of Robert Herrick.* Oxford University Press, London, 1965 p. 154)

ヘリックはチャールズ一世時代の抒情詩人。その評伝作者の一人F・W・モールマン氏は、ヘリックの詩の特色について、面白い比喩を用いた。つまり、もしヘリックが商売上の出世を望むならば、彼にふさわしい職業は、金細工師、宝石商、あるいは香水商人以外になかろうという。[11]それほどヘリックの詩は繊細なつやと上品な香りをそなえている。しかし、ヘリックの詩はすべてがそうではなかった。エリザベス時代の詞華集の精神を決して失わなかった一方、麦畑や炉辺で歌われる民謡を思わせるような古い、素朴な詩も書ける詩人だった。[12]右に取りあげた詩は後者の部類に入るものであろう。ヴィクトリア朝ならば、「猥褻な歌謡」として排斥されたに違いない詩が、ヘリックの時代でかくも自由に、素直に歌われていたのである。あのアラブの奇書『香園』もそうであるように、ヘリックの 詩は率直で露骨だが、素朴で古風があり、官能的で、肉感的だが、遊冶郎風な猥褻さが感じられない。[13]周作人の「浄観」——猥褻不潔なものを清らかな目で見るという発想も、こういった詩文の鑑賞から生まれたのではないかと思われる。

三　栄光の手

魔女――この人間精神史の暗黒な深淵をのぞかせる概念が、ヨーロッパの歴史に登場してくるのはいつ頃からであろうか。キリスト教の伝来する以前のヨーロッパの原始宗教に由来する説は昔からあったが、ドイツ人学者クルト・バッシュビッツ氏によれば、それはむしろ十五世紀に始まり、十六世紀から十七世紀前半にかけてその頂点に達した、いわゆる「集団妄想」の所産であるという。(14)

魔女のイメージといえば、『マクベス』の舞台に登場するあの紋切型の恰好――歯が抜け、かぎ鼻が顎にくっつき、猫背で、ただれ目、しかも高くそびえたつ三角帽子をかぶる老女――がまず頭に浮ぶであろう。イギリスの中世伝説集『インゴルズビー物語』巻頭の「栄光の手」にでてくる老女もそういう魔女の一人である。物語の著者トマス・インゴルズビーの本名は、リチャード・ハリス・バラム、一八四〇年に『物語』の第一巻をまとめあげた頃、彼はすでに五十を越える初老の牧師であった。

バラムの作品の題材はたいてい古い迷信の話や修道生活から取っていた。グロテスクだが、滑稽さがある。そしてその作品に漂わせる気楽なトーンは、韻律やリズムをあやつる彼の非凡な力に帰するところが大きい。そのコメディの色彩は血なまぐさい話の恐怖を浄化する働きをもっている。(15)

人跡まれな、荒涼とした野原で、
真夜中の絞首台の下に、
手を組む殺人者が立っていた。
一人、二人、三人、
薄暗く冷たい月の光、
邪悪なものどもを照らしていた。(16)

『インゴルズビー物語』の第一話「栄光の手」の書き出しである。
その後は、あのかぎ鼻、猫背、ただれ目の老女が登場。殺し屋たちに、絞首台にぶらさがっている死体の手を切りとり、死人の髪をむしってこい、というのだ。血を抜かれ、枯れた死者の手の指に、雄の猫の脂肪でつくった蝋燭をつけ、「栄光の手」をつくりあげた老女は呪術を始める。

周作人のエッセイ「栄光の手」（一九二八年九月二日、雑誌『未名』に発表、後に『永日集』所収）は、バラムのこの作品を詳しく紹介し、冒頭の数節を訳出している。

「栄光の手」はヨーロッパで数世紀にもわたり、非常にもてはやされた呪いの一種である。十八世紀ヤスパール・イサクの版画「妖術師の忌わしさ」は、魔女の家の内部を細く再現している。その中に、暖炉のかまちの上に骸骨の手——栄光の手が描かれている。一七二二年の小冊子『小アルベールの自然的カバラ的呪術の驚嘆すべき秘密』にもその呪いの記述がある。著者は次のように告白する。

> 私自身は一度も「栄光の手」の秘密を経験したことはなかったが、ある悪人どもの最終審に三度臨席する機会があり、彼らが拷問にあって自分たちが犯した盗みに「栄光の手」を用いたと白状するのを目撃した。「栄光の手」を見せると、見せられた者は麻痺して身動きもできなくなる。（グリヨ・ド・ジヴリ『妖術師・秘術師・錬金術師の博物館』林瑞枝訳、法政大学出版局、一九八六年、二二八頁）

周作人がヨーロッパの呪術に並々ならぬ関心をもっているのは、単に民俗学の趣味を満たすためのものではない。魔女狩りの狂気のさたは、そのまま人間社会の異端迫害、思想統制の歴史を映し出し、呪術、妖術の信仰は、蛮性の遺留の根強さ、文明のもろさを教えてくれる。復古の野蛮をあばき、思想の自由を説き、寛容の育成を訴える、これこそ周作人の民俗学研究の奥底に流れるテーマである。「栄光の手」というエッセイには、また、ジェームズ・ジョージ・フレイザー卿の『金枝篇』（ポケット版）の第三章「感応呪術」が引かれている。それはつまり死人の力を借りる呪術のことである。中国の復古思潮を「僵尸《きょうし》の復活」「幽霊の再来」にたとえた彼の語脈に、あきらかにフレイザーの文化人類学の影響が読み取れる。現代の文明国の民俗はたいてい古代の野蛮風俗の残りだ、というフレイザーの持論は、周作人の時代のみでなく、一九九〇年代の今日にも通じる警句である。文明とは、およそある文化の表層を包む一枚の衣裳にすぎない。茹毛飲血の時代と比べて、われわれはいったいどれほど進歩したのだろうか。魔女狩りを遠い昔のこととしてすませ、われわれはすでにそういった迷妄を脱しており、かくの如き迷信にはもはやかかわりをもっていないと、誰が言えるだろうか。

　周作人に民俗学や文化人類学の知識を提供し、文明批判の武器を与えたのは、フレイザーおよび『西欧の魔女崇拝』を書いたマーガレット・マリ女史、『ヨーロッパにおける合理主義の成立と影響』の著者ウィリアム・エドワード・レッキー、『新・旧イングランドにおける魔女の呪術』の著者G・L・キトレッジの数人がいるが、そのほかに、まったく異なる見地から呪術を研究し、周作人に文明の限界を教えてくれた人物がいる。世紀末のイギリスの呪術研究の権威モンタギュー・サマーズである。

　エッセイ「妖術について」（一九二八年十二月二十七日執筆、『永日集』所収）には、サマーズの『妖術史』『妖術地理』についての感想が記述され、「まことに意表をついた」と、驚きを隠さなかった。というのは、このサマーズ先生は悪魔や魔女の実在を信じたのみでなく、社会の治安や美風良俗を乱すものとして、徹底的に根絶せねばならぬと主張するからである。[17]このサマーズによれば「魔女集団は政治運動であり、組織的な結社であり、世界的な規模をもった反文明的、反社会的、無政府主義的陰謀だった」という。[18]この「文明を守る」サマーズの書物を「中世の出品」と周作人が名づけた。

　モンタギュー・サマーズの多くの著書の中に『ゴシック研究——ゴシック小説の歴史』という一冊がある。その「はしがき」において、『無神論の必然性』（一八一一年）を書いたシェリーの懐疑的態度を「皮相だ」と軽蔑した。「陰の世界」に潜むゴーストたちを信じるサマーズの態度には、ある種の「無邪気」さえ認められ、[19]呪術の根絶を口実にする現代の魔女狩り名人たちとは違う学者肌の人間だったかもしれないが、それでも彼の妖術観は「思想による殺人」の現代的恐怖を周作人に思い起こさせずにいられなかったようである。

P・ヒューズは『呪術――魔女と異端の歴史』において、魔女迫害の今日的意味を示唆する一節を書いた。

> 私たちは宗教的寛容の時代に生きており、審問官にとっては、寛容こそ神を否む行為だった。彼らは（イデオロギー的状況を知りさえしなければ）、今日の全体主義国家の下僕がくだす判決を是認するだろう。どこからみても少数者の主張を排除して体制を維持するということは、当時の全体主義的教会の立場と同じだからである。（『呪術』二二〇頁）

「私たちは再び信念の時代、恐怖の時代を迎えた」――四十年も前に、P・ヒューズの発したこの予言は、いまや現実となりつつあるような気がする。この状況が続く限り、人間くさい信仰の回復、聖なる総合の復権を説いた周作人の小品文は今日的意味をもち続けるであろう。

四　豊饒な黄昏

ヨーロッパ文化における「豊饒な黄昏」とは、十九世紀末のことである。長い間「世紀末」という言葉がほとんど「病的」「官能的」「退廃的」の同義語として用いられてきたことを思うと、吉田健一氏によるこの命題がいかに革命的な意味をもつかがわかるであろう。吉田氏は言う。

> 十九世紀のヨオロッパ人にさういふ世紀末の人間が病的に見えたのは不思議ではない。それで世紀末、世紀病などの、

或はさういふ風にも訳せる言葉が生れた。……十九世紀のヨオロッパ人に世紀末が病的に感じられたのは十九世紀のヨオロッパ人の方が一種の熱に憑かれてゐたからで気違ひには正気の人間が気違ひに見えると極論してもいいものがそこにある。（『吉田健一著作集』第二十五巻、集英社、昭和五十五年、一四六頁）

名著『ヨオロッパの世紀末』にはまた次のような言葉が書かれている。

> 我々がヨオロッパの世紀末に覚える郷愁は再び戻つてきたヨオロッパといふものの懐かしさである。（『ヨオロッパの世紀末』一八一頁）

「戻つてきたヨオロッパ」とは、「ヨオロッパ人が自分をヨオロッパ人と見做し、ヨオロッパを自分の生活の場所と考へるのに馴れてこの意識に即して文明の域に達した」十八世紀のことである（同上、二五頁）。

十八世紀は人間くさい世紀ともいわれる。その特色といえば、飯塚信雄氏が指摘したように、「ロココ時代まで続いてきたヨーロッパ文化伝統に内在する、人間生活の重要な要素である装飾性や遊戯性の尊重、社会的弱者や人間の弱点へのいたわり、官能性への理解、中央集権化への歯どめとしての地方分権、全体性に対する部分への評価、全権と経済性信仰への批判精神」などがあげられる。[20]世紀末は、いわばこの十八世紀の健康なる回帰にほかならない。

一九二八年五月、周作人は弟子の兪平伯の散文集『雑拌児』に跋文を寄せ、次の一節を書いている。

> 現代の散文はちょうど砂の下に埋れていた河のようなもので、長い歳月の末、下流で掘り起こされた。これは古い河ではあるが、同時に新しい。（『永日集』七五頁）

この古い河の源流を彼は明末に求めた。一九二六年、兪平伯は『陶庵夢憶』の復刻版を上梓した際も、彼に序文を求めた。それによれば新文学においては、散文の場合は外国からの影響が最も少ない。それが文学革命の所産というより、むしろ文芸復興のそれだと言ったほうがよいという。『陶庵夢憶』は明末文人張岱の文集で、若き日々の「美しかりし夢」を追憶した、エピキュリアンの一代記である。張岱とともに、周作人がこよなく愛した明末の文人に、自らの著作がいつか焼かれる運命にあることを知りながら、世を驚かし、俗を駭《おどろ》かす言動をやめず、ついに獄死してしまった李卓吾がおり、復古擬古の潮流に流されず、詩人の真摯な感情を尊ぶ「性霊説」を唱えた袁中郎がおり、独自の史眼で「俗」の文学をとらえ、庶民のしたたかさと文人の誇りをもちあわせた馮夢龍がいる。彼らはいわば明末のオスカー・ワイルドであり、リチャード・バートンであり、ロバート・ヘリック……であった。ヨーロッパの世紀末文学を耽読し、世紀末文人たちをこよなく愛した周作人の目には、束の間ではあるが、明末が中国文化史において、人間らしい息遣いを取り戻し、人間らしい美しさに輝く「豊饒な黄昏」のように映ったに違いない。

註

(1)周作人の日本文化及び日本文学との関わりについては、拙著『東洋人の悲哀—周作人と日本』(河出書房新社、一九九一年)を参照されたい。

(2)吉田健一『ヨオロッパの世紀末』(筑摩書房、一九八七年)参照。

(3)L・C・B・シーマン『ヴィクトリア時代のロンドン』(社本時子・三ツ星堅三訳、創元社、一九八七年)二一—七頁参照。

(4)長島伸一『世紀末までの大英帝国—近代イギリス社会生活史素描』(法政大学出版局、一九八七年)一四四頁参照。

(5)吉田、前掲書。

(6)『オスカー・ワイルド全集』第六巻(西村孝次訳、青土社、一九八八年)八九頁参照。

（7）「ワイルドの童話」（『自己の園地』所収、一九二三年）。
（8）ジョージ・サンプソン『ケンブリッジ版イギリス文学史』第三巻（平井正穂監訳、研究社、一九七七年）三二九頁。
（9）シーマン、前掲書、一四四頁参照。
（10）ジューリア・プルウィット・ブラウン『十九世紀イギリスの小説と社会事情』（松村昌家訳、英宝社、昭和六十二年）一六九頁。
（11）F. W. Moorman, *Robert Herrick, A Biographical & Critical study*(Russel & Russell, INC., New York, 1962) p. 25
（12）サンプソン、前掲書、第二巻、四頁参照。
（13）島田謹二『ヘリック』（英米文学評伝叢書九、研究社、昭和九年）六三頁参照。
（14）クルト・バッシュビッツ『魔女と魔女裁判』（川端豊彦・坂井洲二訳、法政大学出版局、一九八九年）。
（15）Richard Harris Barham, *The Ingoldsby Legends*, edited with an introduction by D. C. Browning (London, 1960)p.vii.
（16）ibid., p. 1.
（17）周作人『永日集』（岳麓書社、一九八八年）一〇五頁。
（18）P・ヒューズ『呪術――魔女と異端の歴史』（早乙女忠訳、筑摩書房、一九七三年）一三八頁参照。
（19）Montague Summers, *The Gothic Quest, A History of the Gothic Novel* Russell & Russell,INC. , New York, 1964) p. 15
（20）飯塚信雄『ロココの時代――官能の十八世紀』（新潮社、昭和六十一年）二二一頁。

（中央公論社『異文化を生きた人々』所収、一九九三年）

作家魯迅の誕生——芥川龍之介・菊池寛に関わる一仮説

一　方法的自覚

作家の精神史を丹念にたどる場合、作家の誕生とは何を意味するのだろうか。高浜虚子に薦められて、はじめに『猫伝』の題をつけようと、原稿用紙を数十枚書いた東京帝国大学講師夏目金之助は、「誰にも、おそらく彼自身にも気づかれぬところで、作家夏目漱石に変身していた」。[1]この『吾輩は猫である』の作家は、例えばそれ以前の「倫敦消息」の作者とは決して別人ではないが、「別人」に変身してしまったのである。同一人物にして別人だ、というパラドックスのなかに、作家誕生の秘密の一端がひそんでいるように思われる。すなわち、変身とはいえ、原形（作家以前）をとどめないほど変わりはてることなく、昔の面影を彷彿とさせることがよくある。一方、変身をとげた以上、本人が気づくか否かにかかわらず、その意識の深部に何らかの「転換」が行われたはずである。

一九一八年五月十五日発行の『新青年』四巻五号に「狂人日記」が発表された。魯迅というペンネームがはじめて使われたこの作品は、中華民国教育部の一役人であった周樹人の変身物語を語ってくれるものであった。文学革命の実績を示す白話創作の第一声として、あるいは長い沈黙を破り、作者の文学的再出発として、さらに「五・四」時期の思想テーマに典型的メタファーを与えた伝統批判のシンボルとして、「狂人日記」はこれまではさまざまな側面から光をあてられて、もろもろの文脈で語られてきたのである。

日中戦争のさなか、出征前にただ一冊書く本として『魯迅』を執筆した竹内好は、「狂人日記」の意味を次のように捉えている。

「狂人日記」が近代文学の道を開いたのは、それによって口語が自由になったのでも、作品世界が可能になったのでもなく、まして封建思想の破摧に意味があるのでもない。この稚拙な作品によって、ある根柢的な態度が据えられたことに価値があるのだと私は考える。(2)

文学史における作品の位置づけや社会・文化的コンテクストなどの外側にではなく、作者の内面の変容により踏み込んだ理解を示した点において、ここにはこの先駆者の見識が窺える。「狂人日記」のなかに、革命に対する魯迅の独特な関わり方、捉え方の原型を見出だした丸山昇氏の研究も、この竹内好の「態度」を受け継いだものと見てよかろう。(3)また竹内の言う「根柢的態度」に着目して、「狂人日記」を魯迅の自我をめぐる思想的実験と見なしている論説もある。(4)作者の意識の深部に探測の垂鉛を下ろし、作者の精神史を記録する一章として「狂人日記」を解読する諸先学の試みはわれわれに多くの示唆を与えている。しかしこれらの研究の大半は、少なくとも筆者の知っている限りでは、連続あるいは非連続の面において、「狂人日記」に作者の思想脈絡を読み取ろうとしたものである。例えば、竹内の言うところの「根柢的態度」とは、「絶望の虚妄なることは正に希望と同じい」という魯迅の作品を貫く「希望と絶望」の論理を指している。

ところが、史学や哲学と違って、文学の文学たる所以は、その「内容」――思想・観念・感情――にではなく、その固有の「形式」にあるのではなかろうか。何を表現するかを問う前に、いかに表現すべきかを問うのが「文学」である。「狂人日記」は思想論文ではなく、たとえ「稚拙」であっても、一篇の「小説」として執筆された以上、文学に肉薄する作者の方法意識が行間に滲み出ているはずである。

作家の誕生を考える一つの手がかりとして、「狂人日記」はどう読むべきだろうか。アメリカの李歐梵教授の『鉄部屋からの声』*Voices from the Iron House*には、次のような示唆に富んだ記述が見える。

> 文学革命のよびかけに答えた多くの「五・四」時期作家のなかでも、魯迅はその最も意識的な実践者であった。彼はただ単に反伝統のスローガンを叫んだだけではなく、伝統の芸術的扱い方を積極的に追い求めたのである。いくらか役にたつと思われるものを改造し、そうでないものを一掃し、さらに外国文学を手本の一つにして自らの文学形式を立て直そうとした。彼の創作は確かに近代的であった。それは単に「白話」の使用によるのみでなく、観念においても、表現においても、全く新しいものだったからである。（中略）この小説（狂人日記）の「近代的」たる所以は、主として物語を述べる際のあの新しい手法にあるのだ。(5)

　長い沈黙を破り、作者はこの一作を皮切りに、堰を切った如く、川が注ぐ如き創作時代に入ったのである。もし「狂人日記」に作者の「回心」を読むならば、そしてもしその意識の深部に作家の誕生をほのめかす何らかの「転換」があったとすれば、それは自前の「文学」を強く意識した「方法的自覚」ではなかろうかと私は思う。この「方法」とはどんなものだろうか。それを論じる前に、作家魯迅が誕生するまでの道筋を手短に振り返ってみることにしよう。

　「狂人日記」が書かれるまでの彼の重要な文業は、日本留学時代に河南省出身の留学生たちの月刊誌『河南』に寄稿した一連の論文「マラ詩力説」「文化偏至論」「破悪声論」（一九〇七）、それに実弟周作人と共訳の『域外小説集』（一九〇九）であろう。これらの仕事のなかには、魯迅思想の原型——その作品を貫くいくつかの重要なモチーフがすでに用意されていた。「霊肉の一致」「寂莫に耐える荒野の詩人」「先覚者の血と傍観の群衆」——これらの情念がのちに多くの作品のなかに繰り返されることになる。しかし、これらの文学活動はさほど反響を呼び起こさなかった。雑誌『新生』の流産の挫折感も重なって、彼はいまだかつて経験したことのない「失意」を味わった。

> 後になって考えたのだが、およそ人が何か主張する場合、賛成や同調を得れば前進を促されるし、反対されれば奮闘を

促されるものだ。ただ見知らぬ人々のなかで一人で叫び、しかも見知らぬ人々が別に反応を示さず、賛成でもなければ、

反対の声もない、というようなことだけは、あたかも涯しない荒野に身を置いたように、手も足もでないのである。これは何と悲しいことであろう。そこで私は自分の感じたものを寂莫と名づけた。[6]（『吶喊』自序）

魯迅のこの「寂莫」は、後の中国社会のコンテクストのなかで異なる意味合いを担うことになるのだが、長い間彼の心から離れなかった。一九〇九年帰国した彼は、間もなく清朝の支配を覆した辛亥革命を体験する。しかし彼は沈黙しつづけた。「狂人日記」を発表するまで、寂莫に耐える彼は何を考え、何を模索していたのだろうか。二十数年後、魯迅は自分の文学的「回心」を次のように解釈している。

> もっとも当時の私は「文学革命」に対して、実はさほど情熱をもっていたわけではなかった。辛亥革命を見た、二次革命を見た、袁世凱の皇帝を称えたことや、張勲の復辟も見た。見ているうちに、懐疑的になってきて、希望を失い、捨て鉢の気持ちになっていた……。だが、私はまた自分の失望を疑うようになった。何故かと言えば、私の見聞した人々、事件はかなり限られたものに過ぎないからだ。この考えが私に筆をとる力を与えた。「絶望の虚妄なることは、正に希望と同じである。」[7]

一九三三年上海天馬書店刊行の『魯迅自選集』に寄せたこの「序文」は、一昔前の『吶喊』自序の虚構の多い文章に比べて、一段と真実味を増すものであった。しかし「真実」を語ったことは、「真実」（のすべて）が語られたことにはならない。彼の「失意」「寂莫」については、魯迅自身の説明に囚われて、従来とかく社会的政治的な文脈で論じられてきたふしがある。それは決して真実に反するものではないにしても、その「失意」（原文は無聊）は根源的にはもっと個人的なものだったように思われる。つまり、文学の方法に挫折して自らの文学的才能を疑わざるを得ない「失意」であった。

後年の魯迅はしばしば自分の作品の「稚拙」に触れるのだが、彼の言葉をそのまま謙遜の辞として受けとるよりは、むしろ『域外小説集』などの文学営為が社会によって黙殺された痛手のしこりと見るべきではなかろうか。

「失意」と「寂莫」から抜け出るため、彼は「古代」に没入することにした。古小説の研究、古文献の校合翻刻、古拓本の整理などに彼はのめり込んでいく。これらの仕事は、「自分の魂を麻痺させる」ためだ、というような説明だけではとうてい理解できない情熱に支えられていた。むしろ文学に費やされるはずのエネルギーを放出する一種の代償行為だったように感じられる。しかもこの「古代」のなかには、その文学への「回心」をもたらす契機が埋もれていたのである。

この「回心」——方法論の転換とはどんなものだろうか。ありていに言えば、それは「異域の新声」に文学の夢を託した彼の「旧」（古代・歴史）の発見であった。「狂人日記」の方法とは、一言で言えば、「古代から現代を掘り出す」——古代の史実をあるイメージに収斂させ、それに新たな意味構造を与える——というものであった。それは単なる創作の技法にとどまらず、魯迅の文明批判の奥底に据えられた極めて重要な視点でもあったと私は思う。

晩年の魯迅は、創作譚「私はどうやって小説を書きはじめたか」（一九三三年）のなかで、ロシアのゴーゴリ、ポーランドのシェンキェヴィッチ、日本の夏目漱石、森鴎外など愛読した作家の名を挙げたあと、「狂人日記」を生み出す自分の文学的蓄積について、「おおよそ頼りになったのは、すべて以前読んでいた百篇ほどの外国の作品と僅かな医学知識だった」[8]と言っている。具体的に、作品の形式、人物の設定、物語の展開など「狂人日記」をめぐる外国作品の影響については、すでに多くの先行研究がある。ところが、小説技巧以前の「狂人日記」の「方法」については、ほとんど論じられていない。そこで、筆者はあえて一つの仮説を提示したい。つまり、魯迅より一歩早く作家的出発を果たしていた二人の日本の「新人」の仕事がこの問題を考える手がかりになるのではないか、という仮説である。この二人の「新人」とは、当時「新思潮派」と呼ばれていた芥川龍之介と菊池寛のことであった。[9]

二　魯迅の目に映った「芥川と菊池」

生きた埴輪のやうに血の中に坐らされて居る右衛門の顔は真蒼になりながら泣き続けて居る。然し緊張した神経には刑部の言葉は分つたのであらう。彼は切れ〳〵に「命ばかりは助けて下され。」と云つた。刑部の君臣はまたどつとあざ嗤つて、この人間の最高にして至純なる欲求を侮辱した。太刀取は左の手で右衛門の身体《からだ》を上へ持ちあげるやうにして右足を剪《そ》いだ。太刀が余つて左足へ半分斬り込んだ。

「右衛門それでも命が助かりたいか。」と刑部が云つた。然しもう右衛門には聞えなかったらしい。太刀取は右衛門の耳に口を寄せて、「命が惜しいか。」と云つた。右衛門は口をモグ〳〵させた。其時、刑部は「それ」と目配せをした。太刀取は四度太刀を振り直してえいと首を刎ねたた。首は砂の上を二、三尺ころ〳〵と転げて、止まつた所で口をモグ〳〵させた。肺臓と離れて居なかつたらキット『命が惜しうム《ござ》る』と云つたに違ひない。

戦国時代の文献を読むと攻城野戦英雄雲の如く、十八貫の鉄の棒を芋殻の如く振り廻す勇士や、敵将の首を引き抜く豪傑は沢山居るが、人間らしい人間を常にmissして居た。自分は、浅井了意の犬張子を読んで三浦右衛門の最後を知つた時初めて"There is also a man"の感に堪へなかつた(10)

魯迅によるこの「三浦右衛門の最期」の訳文は、雑誌『新青年』の九巻三号（一九二一年七月一日発行）に載った。「社会主義批評」をはじめとして、炭鉱労働者の現状ルポやロシア革命の紹介記事などに示されるように、政治イデオロギーへ急速に傾いていく『新青年』の誌面構成のなかで、この血なまぐさい物語は実に異様である。篇末についた「訳者附記」において、著者菊池寛の略歴に触れた後、魯迅は次のような所感を記した。

「菊池氏の創作は、人間性の真実を思い切り掘り起こそうとしている。だが、一度真実を見ると、彼はかえって憮然として感嘆をもらすのである。ゆえに彼の思想は厭世に近いものと言える。しかしそれでも時々遥かなる夜明けを見つめているのだから、奮闘者たることを失わない。（中略）私も真実を掘り起こしたいと思うが、なかなか夜明けが見えないので、茫然とせざるを得ない。そこで作者に心からの賛嘆を呈する次第である。」(11)

菊池寛に寄せたこの訳者の共感は、分化してゆく『新青年』同人における魯迅の位置をすでに暗示しているように思われる。この訳文が発表される少し前に、魯迅は菊池と同じ新進作家芥川龍之介の「鼻」と「羅生門」を翻訳して『晨報副刊』に発表している。ところがちょうどその頃―一九二一年三月から、芥川は大阪毎日新聞社の海外視察員として上海、杭州、蘇州、南京、洛陽の各地を旅行していたのである。北上して北京に到着したのが六月十四日だった。その日の『順天時報』（火曜日、七面）には、芥川の写真と短い記事が載っていた。そして同じ日の『晨報』の副刊に魯迅訳「羅生門」が（十七日まで四日間）掲載されたのである。これは一つの偶然だろうが、魯迅の翻訳は芥川の中国旅行をある程度意識したものと思われる。二篇の訳文の初日掲載分の末に、芥川を紹介する短い訳者の言葉が添えられている。例えば、「鼻」の「附記」（五月十一日）で、田中純の批評を引きながら、魯迅はこう書いている。「彼の作品に現れているテーマで、最も多いものは希望がかなえられた後の不安、あるいはまさに不安を感じている時の気持である」と。そして「羅生門」の「附記」はこうなっている。

> 芥川氏の作品について、私は以前に紹介したことがある。この歴史の小説（歴史小説というわけではない）も、彼の佳作の一篇に入る。古代の事実を取り、新しい生命を注ぎ込むことによって、現代人との関わりを生み出したのである。(12)

芥川・菊池の翻訳紹介にとりかかった時期に並行して、西山で療養生活を送っている弟周作人との間に、『現代日本小説集』収録作品をめぐる検討作業が進められていた。一九二三年六月、『現代日本小説集』が上海の商務印書館から出版された際に、魯迅の訳で、右に触れた「三浦右衛門の最期」「鼻」「羅生門」のほかに、「懸物」「クレイグ先生」（夏目漱石）、「あそび」「沈黙の塔」（森鴎外）、「小さき者へ」「お末の死」（有島武郎）、「峡谷の夜」（江口渙）、

「ある敵討の話」（菊池寛）の十一篇が収められ、なお「附録」として、「作者に関する説明」も収録されている。この「作者に関する説明」に現われる魯迅の「芥川・菊池」観は、先に触れた「訳者附記」をほぼ踏襲したものである。しかし文章表現を細心に読めば、これらは魯迅が執筆したとされるその他の紹介文と微妙に異なることに気づくであろう。つまり、「夏目漱石」「森鴎外」「有島武郎」の項では、作家自身、あるいは第三者にその文学の特質を語らせて、魯迅自身の批評がほとんど伝わらないのに対して、[13]「芥川龍之介」と「菊池寛」では、作家自身あるいは第三者の批評を引用しながら、魯迅の踏み込んだ見解を披露しているのである。内容的には「訳者附記」とかなり重複しているが、文章の特色を検討するため、この二篇をここに引用する。

菊池寛

菊池寛(KikuchiKan)は一八八九年に生まれ、東京大学英文科出身。彼自身が語るところによると、高等学校時代には、文学を研究したかっただけで、別に創作家になるつもりはなかった。ただ後に気紛れに小説を書き、思いも寄らなかったことに友人や批評界に褒められたので、書き続けることにしたのである。彼の創作は、人間性の真実を思い切り掘り起こそうとしている。一度真実を見ると、彼はかえって憮然として感嘆をもらす。ゆえに彼の思想は厭世に近いものと言えるが、それでも時々遥かなる夜明けを見つめているのだから、奮闘者たることを失わない。南部修太郎は「菊池寛論」（「新潮」一七四号）でこう語っている。

「**Here is also a man** これこそ菊池寛氏の作品に現れる総べての人物を云ひ盡す詞である。（以下略）」

芥川龍之介

芥川龍之介(**AkutagawaRiunosuke**)は一八九二年に生まれ、東京大学英文科の出身。田中純は彼を評して、「芥川君の作品には、作者の性格の全体を以て、支配し切って居る様子が見える。此の事実は、此の作品が常に完成して居ると云ふ感じを、吾々に起させる」と語っている。彼の作品に現われているテーマで、最も多いものは希望がかなえられた後の不安、あるいはまさに不安を感じている時の気持である。彼はまた旧い材料を多く採用し、時には物語の翻訳に近づいている。しかし彼が故事をくりかえすのは、専ら好奇心によるのでもなく、それなりのもっと深い根拠に基づくのである。つまり彼はこれらの材料に含まれている古人の生活のなかから、自らの気持にぴったりし、それを触発するあるものを見出そうとするのだ。ゆえにそれらの古代の物語は彼によって書き直されると、新たな生命を注ぎこまれ、現代人との関わりを生み出したのである。彼は小説集『煙草と悪魔』（一九一七）の序文で自分の創作態度をこう説明している。「材料は、従来よく古いものからとった。（以下略）」(14)

ここに引用されている南部修太郎の「菊池寛論」と田中純の芥川評は、いずれも大正八年（一九一九年）『新潮』に掲載された「文壇新人論」である。田中論文の題は「芥川龍之介氏を論ず」で『新潮』三十巻一号（一月）に載り、南部論文は三十巻三号（三月）に載った。魯迅の『日記』によれば、一九一九年四月九日に日本の東京堂書店より『新潮』三月号一冊が届いた、とある。(15)すなわち南部論文の掲載号だった。

ところが、南部・田中両氏の論文を読むと、魯迅自身の見解と思わせる部分はたいてい彼らの論文を踏まえていたことが分かる。関係する箇所を拾うと、次のとおり——

茲に、即ち人間《ヒュウマン》性《ネエチュア》の真実を飽くまでも剔抉し盡くさんとする努力に於て、創作家としての菊池寛氏本来の面目を見る。（中略）遠くには幽かに光が見えてゐる。それは喜ばしい道徳の黎明である、（中略）此菊池寛氏の心の姿が二人の人間となつて現れる。（中略）前者はあらゆる存在を懐疑し、人生を否定するpessimist《ペッシミスト》の姿である。後者はあらゆる人間の苦難を超脱し、生存の意義を自覚し、勇猛精進の心を以て人生に奉仕せんとする醒めたる人の姿である。（「菊池寛論」）(16)

芥川君の作品の中で、最も多く扱はれて居る主題は期待の充された後の不安、もしくは不安と云つたやうな心持である。（中略）芥川君が古い材料を観作するその態度の中には、必ずしも彼の好事癖からの手すさびだと言つて退けることの出来ない、或る持続的な興味がある。彼が、古い材料を取つて来て、それから一つの作を描かうとする場合には、彼は何か、その材料の中に、詳しく云へば、その材料の中に含まれた古人の生活の中に、彼の心持にぴつたりと触れて来る或るものを見出して居るのである。（「芥川龍之介を論ず」）[17]

ここに一つの疑問が浮上してくる。魯迅の書き方についてである。文章を簡潔にまとめるためだということも考えられるが、その他の紹介文のように、作家自身あるいは第三者に語らせてよいはずだし、何も他人の批評をあたかも自分の見解のように見せかけるような書き方をすることはなかろう。当然のことだが、「作者に関する説明」に引かれた文章はすべて魯迅の批評眼で選ばれた以上、多少なりとも魯迅の見解を代弁しているものと理解して差し支えない。こう考えてくると、芥川・菊池についての書き方は何を意味しているのだろうか。「夏目漱石」の項で、「江戸趣味」といった日本文壇の漱石評を採り直して、自らの漱石観を印象づけたのと同じように、魯迅は芥川・菊池への強い思い入れ――南部や田中の論文に接する以前、彼らの作品から受けた感銘――を両作家の紹介文に書き入れたように筆者には感じられるのである。

魯迅が芥川・菊池の作品に接したのは何時頃からであろうか。一九一八年五月三十一日、つまり「狂人日記」が発表されて二週間後、新潮社刊行の『新進作家叢書』五冊が東京堂より魯迅の手元に届いた。[18]書名こそ明記されていないが、そこには前年の十一月に叢書の第八巻として出された芥川の『煙草と悪魔』が含まれていたらしい。本の郵送時間を考慮に入れると、注文は少なくともその数ヶ月前に出されたものと思われる。魯迅の日記を調べると、丸善や東京堂などを通して、日本の書物を頻繁に購入し始めたのが一九一七年からだったことが分かる。同年一月三十一日の条に「午前、丸善書店に銀九圓を送金」とあるが、書物の代金であろう。これらの書物のなかには、『系統鉱物学』のように、三弟建人のために購入したものや（二月十三日条）、『ドイツ文学の精神』のように、二弟作人に頼まれて買い求めた英文洋書（十二月十四日条）も混じっているが、その大半は文学活動を再開するための参考書物だったことが想像される。書名や内容の大筋が判明できるものだけを挙げると、ほぼ次のとおりである（いずれも一九一七年）。

四月二十四日　『土俗品圖録』（作者未詳、取り寄せ店、丸善）
五月七日　『ポーランド説苑』（原題未詳、丸善）
五月二十八日　小説二冊（丸善）
六月三十日　昇曙夢著『露國現代の思潮及び文學』（東京堂）
七月十八日　『支那土偶考』（作者未詳、丸善）
八月十三日　巌谷小波作『日本一の畫噺』（東京堂）
九月二十五日　チェーホフ小説の英訳（丸善）
十月二日　陀氏の小説と高木氏の童話（東京堂）
十一月二日　厨川白村著『文藝思潮論』（東京堂）[19]

このように、「狂人日記」を発表するまでの一年の間、魯迅は日本から多くの文芸書を買い求め、日本及びロシアなどの文芸の動向に強い関心を寄せ、自らの文学を模索していた様子が浮かび上がる。しかもこの時期が、「新思潮派」と呼ばれ、日本の文壇に頭角を現わした「新人」たちの颯爽たる登場の時期とほぼ重なっていたことを指摘しておきたい。

大正五年（一九一六）二月、芥川・菊池は久米正雄・松岡譲・成瀬正一と第四次「新思潮」を発刊。創刊号に載った芥川の「鼻」が漱石に激賞され、出世作となった。この成功によって、九月の「新小説」に「芋粥」、十月の「中央公論」

に「手巾」を発表、注目を浴びた。翌年（一九一七）五月第一短編小説集『羅生門』（阿蘭陀書房）の出版は、文壇に新進作家芥川の存在をくっきりと印象づけた。『新思潮』同人の菊池は、毎号に力作を書いていたが（「三浦右衛門の最期」はその第一巻第九号に載った）、彼にはすぐ機会は来なかった。少し遅れて大正七年一月に、「悪魔の弟子」（『帝國文學』）と「ゼラール中尉」（『新公論』）、三月に「勲章を貰ふ話」（『文章世界』）を発表、作家の仲間入りをしたのである。同人を次々に文壇に送り出した『新思潮』は、一九一七年三月の「漱石先生追慕号」をもって廃刊した。その「追慕号」だけは五百部すべて売れ切れたという。

　魯迅訳「鼻」と「三浦右衛門の最期」の原文について、「作者に関する説明」によれば、それぞれ『鼻』（春陽堂、一九一八）と『無名作家の日記』（新潮社、一九一八）に見える、となっている。それは翻訳の底本を示したもので、訳者の初見を意味しているわけではない。魯迅はもっと早い時期に、芥川と菊池の作品に接していたのではなかろうか。魯迅の日記を見れば、一九一七年六月頃から、東京堂よりの取り寄せが急に増えはじめた。一九一八年五月まで、取引についての記述は二十一箇所、取り寄せた書物は二十三冊と一包みにのぼっている。この東京堂がかつて『新思潮』の発売所だったことや、「三浦右衛門の最期」を掲載した第九号（一九一六年十一月、廃刊直前）まで、東京堂発売雑誌の広告が載っていたことなどを考えると、そこを通して古雑誌を入手した可能性も全く考えられないことではあるまい。自前の文学の方法を模索して再起をはかる「狂人日記」の作者に、日本の新進作家芥川・菊池の仕事が何らかのインパクトを与えた、と想像するのは果たして筆者のみであろうか。何しろ「狂人日記」は、「古人の生活のなかから、自らの気持にぴったりし、それを触発するあるものを見出し」、「人間性の真実を思い切り掘り起そうとしている」〈歴史の小説〉なのであった。

三 〈歴史の小説〉としての「狂人日記」

テクストは一旦完成されると、作者の意図に関わりなく、独立して存在する。「狂人日記」については、中国の伝統文化を告発し、そのコアである礼教に鋭い批判を加えるために寓意的趣向を凝らした物語である、というのが従来の一般的な読み方であろう。それはそれなりに作者の意図を汲みとっている。例えば小説にはこんな一節がある。

> およそ物事はすべて研究してみないと分からない。昔は人を食うようなことがよくあり、私も多少覚えているが、どうもはっきりしない。私は歴史をひっくりかえして調べてみた。この歴史には年代が記されていない、どのページにも「仁義道徳」といった文字がくねくねと書いてある。私はどうせ寝付けないから、夜中までじっくりと読んでみたところ、ようやく行間から字を見つけたのだ。本の一面に書かれていたのが「吃人《きつじん》」の二文字だった。[20]

礼教に対する批判は、新文化運動のメインテーマであった。一九一五年九月上海で『青年雑誌』(翌年九月から『新青年』と改名された)が創刊された時から、独立自主、進取進歩という新しい青年像の対極として、家族を中心とする宗法社会とそれを支える礼教思想とが想定されていた。『新青年』誌上で、早くもこの家族制度の根幹をなす礼教倫理に猛烈な批判を展開したのが、「片手で孔家店を打つ老英雄」と呼ばれた日本留学帰りの呉虞だった。彼は宗法社会の家族制度を専制主義の根拠として捉え、孔子の教えの核心を「孝」と指摘し、さらに「孝」から「忠」、「忠」から「礼」、「礼」から「刑」へと展開する中国の専制政治体制の構造を、経書・典籍を通じて解明し、「礼教は吃人」という声を発した。[21]

「狂人日記」を礼教批判の寓意小説と見るのは、いたって自然な読み方であろうが、その「吃人」のメタファーは、ただ単にすでに流行っていた文化批判を図解したものだろうか。この小説を発表してから間もなく魯迅が友人の許寿裳へ送った書簡(一九一八年八月二十日)には、執筆動機に触れた一節があり、「狂人日記」をどう読むべきかをほのめかしてくれる。

「狂人日記」は実は拙作です。それに〈唐俟〉と署名した白話詩もまた僕の作品です。かつて中国の根柢はすべて道教にありと申したことがありますが、この説は近頃かなり広く行われているようです。これによって歴史を読めば、多くの問題をわけなく解くことができます。その後、たまたま『通鑑』を閲したところ、中国人は尚も食人種であることを悟り、この一篇を成したわけです。この種の発見は関係するところもはなはだ大きいはずなのに、それを知っている者はなお寥々たるものです。(22)

「知者尚寥々也」とは、この作品の真意を解した「知者」の逢い難きことを意味する。数千年の文明史を誇る君子国の住民が実は食人種だ、というショッキングというよりアイロニカルな「発見」こそ、この作品の文明批判を底辺から支えるモチーフであった。「発見」という言葉は、彼に筆をとらせた衝動をリアルに表現したものである。

中国の古書をひもとくと、「吃人」——人の肉を食用したという記載があとをたたない。(23)魯迅がとりあげた『資治通鑑』をはじめ、『舊唐書』『新唐書』『五代史記』『宋史』『鶏肋編』『輟耕録』などの正史・野史にはこうした記述が多く見られる。なかでも南宋の荘季裕の筆記『鶏肋編』には次のような悲惨を極める一節がある。

靖康丙午の歳(一一二六年)、夷秋の女真人が中国に侵入した。六、七年の間、山東京西、淮南の各地は茨で荒れ果てた。米一斗あたりは数十千銭にのぼり、それでも手に入らなかった。盗賊や官軍、ひいては住民までもが互いに食いあった。人肉の値は犬や豚よりも安かった。太って逞しい者とて一枚十五千銭に過ぎない。体をまるごと幹肉にして、登州の範温は忠義の民を率い、癸丑の歳（一一三三年）に海に浮かべて銭塘に辿り着き、杭州に着いた時もなおそれを食べていたという。

周作人はかつてこの故事に触れて「人肉を食べて忠義の民となる、これは中国礼教の具体的象徴だ」と言っている。[24]『狂人日記』にもそれに通底する痛烈なアイロニーがこめられているが、それは単なる礼教批判にとどまらず、「文明・野蛮」といった歴史の通念を打ち壊し、古い文化伝統を斬新な視点で捉え直してみようという未曾有の文化観で貫かれている。もっとも魯迅は、「狂人」という設定と、自らも「吃人」の仲間の一員だという自覚、それに作品の冒頭にある「狂人の病はすでに治った云々」という虚構の序文によって、作品に一抹のニヒリスティックな哀感を添えるとともに、そのテーマをより含蓄で奥深いものにしたと言えよう。

「吃人」は一つのメタファーであると同時に、作品のストーリーの展開にリアリティーを持たせるキーワードであった。『狂人日記』が〈歴史の小説〉たる所以であろう。

寂莫に耐えて、自前の文学の道を模索していた周樹人は、ついに「古人の生活のなかから、自らの気持にぴったりし、それを触発するあるものを見出した」のである。この「歴史の小説」は、稚拙なものでありながら、すでに中国民族を深刻に観察し、「人間性の真実を思い切り掘り起そうとしている」作者の基本姿勢を予感させている。彼の観察と工夫は数年後にみごとに実を結んだ。それが作家魯迅の名を不朽ならしめた『阿Q正伝』であった。

註

（1）江藤淳『漱石とその時代』第二部（新潮社、一九七〇年）三六一頁。

（2）『竹内好全集』第一巻（筑摩書房、一九八〇年）八三頁。

（3）丸山昇『魯迅――その革命と文学』（平凡社、一九六五年）一三四頁。

（4）藤井省三『ロシアの影――夏目漱石と魯迅』（平凡社、一九八五年）一六四頁。

（5）中国語訳『鉄屋中的吶喊』（尹慧珉訳、三聯書店、一九九一年）五一―五三頁。

（6）『魯迅全集』（人民文学出版社、一九八一年）第一巻、四一七頁。

（7）「自選集」自序『魯迅全集』第四巻、四五五頁。

（8）『魯迅全集』第四巻、五一二頁。

（9）魯迅と芥川の比較論について、つとに竹内好や武田泰淳が多少言及していたが、本格的な研究としては、筆者の知っている限り、青柳達雄氏のすぐれた論考「芥川龍之介と近代中国序説」（「関東学園大学紀要」第十四・十六・十八集、一九八八―九〇年、所収）をとりあげるべきであろう。氏の論文の細目は次のとおりである。（1）芥川と魯迅（2）北京・二一年・夏（3）芥川・丸山昏迷・魯迅（4）芥川・魯迅すれちがい説（5）芥川『支那游記』と魯迅（6）魯迅と近代日本文学（7）魯迅訳「鼻」「羅生門」の「訳者付記」（8）芥川「湖南の扇」の素材（9）芥川「蜜柑」「羅生門」と魯迅「小さな出来事」（10）巴金の「若干の無遠慮な話」（11）「長江游記」の問題（12）芥川の近代中国認識。なお、ほかに藤井省三氏の「魯迅と芥川龍之介――「さまよえるユダヤ人」伝説をめぐって」（『しにか』一九九一年九月号）がある。

（10）『菊池寛全集』第二巻（文藝春秋、一九九三年）、二一七-二一八頁。

（11）『魯迅全集』第十巻、二三八―二三九頁。

（12）『魯迅全集』第十巻、二三七頁。

（13）「夏目漱石」の項では、新江戸芸術の主流云々とある。それは当時の日本の文壇批評を踏まえたものだが、魯迅自身の理解と評価として受け止めてよい。

（14）『魯迅全集』第十巻、二三〇―二三一頁。

(15)『魯迅全集』第十四巻、三五二頁。

(16)日本文豪資料集成『雑誌集成芥川龍之介像』(平野清介編、明治大正昭和新聞研究会、一九八四年)巻五、一二四頁。

(17)同右、巻四、三四七—三四八頁。

(18)『魯迅全集』第十四巻、三一六頁。

(19)『魯迅全集』第十四巻、二七二—二八九頁。

(20)『魯迅全集』第一巻、四二四頁。

(21)野村浩一『近代中国の思想世界』(岩波書店、一九九〇年)六一頁参照。

(22)『魯迅全集』第十一巻、三五三頁。

(23)桑原隲蔵博士の研究には、中国における食人肉風習を考証した文字がある。「支那人の食人肉風習」(大正八年六月『太陽』)、「支那人間に於ける食人肉の風習」(大正十三年三月「『東洋学報』)。『桑原隲蔵全集』第一巻・第二巻(岩波書店、一九六六年)所収。

(24)『語絲』第十七期、一九二五年三月九日。

(東京大学比較文学会編『比較文学研究』第六八号、一九九六年)

漱石の社会意識——『野分』の世界を中心として

ショーペンハウアーの哲学小品を収めた『余録と補遺』の終章のしめくくりにこんな短い寓話が記されている。

> やまあらしの一群が、冷たい冬のある日、おたがいの体温で凍えることをふせぐために、ぴったりくっつきあった。だが、まもなくおたがいに刺の痛いのが感じられて、また分かれた。温まる必要からまた寄りそうと、第二の禍がくりかえされるのだった。こうして彼らは二つの難儀のあいだに、あちらへ投げられこちらへ投げられしているうちに、ついにほどほどの間隔を置くことを工夫したのであって、これでいちばんうまくやっていけるようになったのである。——こうして、自分自身の内面の空虚と単調から発した社交の要求は、人びとをたがいに近づけるが、そのいやらしい多くの特性と耐えがたい欠陥は、彼らをふたたび突きはなすのである。彼らがついにあみだした中ぐらいの距離、そして共同生活がそれで成り立ちうるほどほどのへだたりというのが、礼節であり、上品な風習というわけだ。この距離を保たない人に向かって、イギリスでは **keep your distance!**（「控えろ！」「でしゃばるな！」）と言う（秋山英夫訳『ショーペンハウアー全集』第十四巻、白水社刊、一九七五年）。

上流社交界の機微を穿った実にコミカルで巧みな比喩である。いや、それだけであろうか。寒さの中、距離を保って寄りそっている豪猪《やまあらし》。この劇画に、社交という知的ゲームを生み出した西洋市民社会の理念を洞見した哲人の思索を読みとれないだろうか。そう見なすのはあながち筆者の深読みではあるまい。

夏目漱石の西洋体験は、こういう豪猪社会のただ中に投げだされたときから始まった。

「倫敦に住み暮らしたる二年は最も不愉快の二年なり。余は英国紳士の間にあって狼群に伍する一匹のむく犬の如く、あはれなる生活を営みたり。」（『文学論』序）

群狼が一種の比喩であることは豪猪のそれを思わせる。イギリスの紳士に伍して、二年間鬱屈した日々を過ごした漱石の不愉快は、どんな性質のものだろうか。正岡子規にあてた明治三十四年四月九日付の『倫敦消息』には、こんな奇妙な一節がある。

英国には武士といふ語はないが紳士といふ言があつて、其紳士は如何なる意味を持つて居るか、如何に一般の人間が鷹揚で勤勉であるか、色々目につくと同時に色々癪に障る事が持ち上つて来る。

これについては、すでに抜卓な批評があるので、それを引用させていただく。

「その癪の種が人種的偏見であるとか差別であるとか偽善であるとかの特定できる原因であれば、話はまだしも簡単でお安く義憤も発せるのだが、漱石にとって、問題が複雑であるのは、相手について色々感心する点が実は同時に自分にとって癪に障る点である、という矛盾にさらされたためだろう。」（平川祐弘『夏目漱石―非西洋の苦悶』講談社文庫版一九九一年、二一頁参照）。

感心するが故に気にくわないのだ。牙をむいた豪猪ではなく、礼儀よく距離をたもっているから腹立たしいのである。この一見して奇妙な論理は、ある種の屈折した疎外感、屈辱感を表す一方、実は漱石の西洋体験の本質をものがたっている。そして審美の分野から倫理の領分に至るまで、人生、社会、文学について、後日の大作家をうみだす思索の一端がすでにこうした体験の中に孕まれていたことはいうまでもなかろう。

同時代の文人学者による漱石評の中に、正宗白鳥の批評が私には一番面白い。例えば、初期作品『虞美人草』に触れた「近代化した馬琴」云々は実に言い得て妙である（「夏目漱石論」）。日本の近代文学は馬琴を権威の座からおろしたことによって始まったという通説を思えば、「近代化した馬琴」は多くの逆説を含んだ名言と言わねばならない。もっとも白鳥は貶す意味でそうよばわりしているだろうが、「近代」と「馬琴」という二つの相反する価値のあいだに旋回する強靱な精神に私は漱石の本領をみる。

白鳥の例の論文は、昭和三年六月号の『中央公論』に発表されたものである。その前の年に「ぼんやりした不安」という辞世を残した芥川の自殺と、翌年に「様々なる意匠」をさげて論壇に登場した小林秀雄の批評活動を一応念頭に置けば、白鳥の言う次のくだりの意味あいは実感と共に浮かんでくるはずである。

　今日の文壇で盛んに論争されてゐる社会意識は、彼れ（漱石）の小説には殆んど現はれてゐないと云っていゝ。

確かにそのとおりであるかも知れない。しかし、それは「今日の文壇で盛んに論争されてゐる」という限定があればの話である。漱石の作品には社会意識が欠如しているどころか、「社会」は「自然」とともに彼のすべての作品を貫くメインメロディーであった。作家の思索が「近代」と「馬琴」の両極のあいだに旋回するが如く、作品のメインメロディーは「社会」と「自然」のシンフォニーを奏で、またさまざまな変奏をあみだしている。前期作品を例にとると、漱石の美意識を披露し、「自然」の音色をより明晰に聞かせたものとして『草枕』をあげるならば、作者の文明批判をうちだし、「社会」を主調にすえた作品は『野分』である。『野分』一篇の性格は、ある意味で荷風の「冷笑」を思わせる技巧的に稚拙なものである。登場人物が作品世界の固有のリアリティに伴って成長せず、むしろ作者の分身としてその思想を代弁する手法は初期作品に共通する限界を見せている。だが「『野分』は、『二百十日』のあとを受けて、思想家としての漱石の社会意識と文明批評の骨格が、はじめて明瞭に打ち出されたという意味で、重要な作品である」（桶谷秀昭『夏目漱石論』河出書房新社、六三頁参照）。

主人公の名「道也」にも示唆されるように、『野分』は「道を載す」小説である。人間の付属物にすぎぬ金銭、家柄、肩書などを謳歌する世の中に拮抗し、人間の根本義たる人格を尊ぶ社会を実現させるというのが道也の説く「道」である。この「道」を行うために、道を遮るものと闘わねばならない、と道也は言う。従ってすでに多くの論者によって指摘されているとおり、この小説は一見して馬琴風の「勧善懲悪」の色彩を帯びるように見える。この点に関しては、漱石自身もそう認めて憚らない。『野分』の執筆とほぼ同じ時期に行われた談話「文学談」の中に、彼はこう語っている。

文学は矢張り一種の勧善懲悪であります。世間で云ふ道徳に反したことをした人物に同情を表して、俗に云ふ間違つたことをするのを奨励するやうなことを書いても夫は其人の好悪で、其人から云へば矢張り勧善懲悪です。（中略）自分の良心にはづかしからぬ様に勧善懲悪をやりたい。世間の道徳に反対する事もあらうし、又は道徳通りを、道徳通りと示す場合もあらうし、世間の道徳を是と感ぜしめると同時にそれを破つたものも大に称すべき価値がある様にもかかうし、要するに自己の見識に負かぬ様にしたい。（『漱石全集』第十五巻　岩波書店、一八〇頁）

「勧善懲悪」という既成語を口にしながらも、善悪の基準は世間ではなく、あくまで「自己の見識」である、と説いたところに漱石の面目躍如たるものがある。また文芸作品に「道を載す」手法について、漱石はこう語る。

教訓の為めに作品の価値を曲げては可けないので、自然な作品の中から、自ら教訓が浮いて来るなら一向差支へないと思われる。で、総ての文芸上の作品は、或る意味に於いて、必ず一種の教訓を持ち来すものである、と私は然う信じて居る。（明治四十二年二月「予の希望は独立せる作品也」）

こうした信念の背後に、「未練なき国民」の軽薄を嫌悪し、歴史の重荷を背負い、先例のない時代に生きた漱石の痛ましい自覚があった。「自己は過去と未来の連鎖である」と、清輝館の演壇にのぼった道也先生の冒頭の一句はずっしりと重い。

『野分』以後、漱石はこのような、信念を語る作品を二度と書かなかった。しかし、信念を支える作者の社会意識が彼の作品から姿を消してしまったかというと、決してそうではない。社会の生の諸相を凝視する漱石のまなざしは、さらに人間の内面に沈潜したとき、目の前に浮かんできたのが我執の相剋であった。漱石の後期作品に執拗にくり返される人間の倫理性の追究は、彼独自の社会意識の表徴にほかならない。そしてこの視線転換の契機はすでに『野分』の中に用意されていたのである。それが「自由」という概念である。

『江湖雑誌』に発表された論文「解説と拘泥」は、世の流俗に抵抗するために道也が青年に与えた「処方箋」であるとともに、先例なき時代に生きる漱石自身の精神診断書でもある。拘泥を解脱する二つの方法を述べたあと、こういう一節が見える。

此故に真に自家証得底の見解あるもの丶為めに、拘泥の煩を払つて、出来得る限り彼等をして第一種の解脱に近づかしむるを道徳と云ふ。道徳とは有道の士をして道を行はしめんが為めに、吾人が之に対して与ふる自由の異名である。

（『野分』五）

桶谷秀昭氏に指摘されたように、こういう「道徳」や「自由」のとらえ方は、儒教の世界観から単独に出てきようのないものである。また西洋の近代個人思想の直訳的受容からも生まれようはずはない（前掲書六九頁）。思えば漱石の「自由」はあの苦渋に満ちた留学体験を通してはじめて獲得した視点ではなかろうか。

そもそも「自由」は、社会生活を営む人間同士の相互関係を限定するもっとも本質的な概念である。常に他者を意識する概念である。しかし二十世紀の現実は、この概念を破綻の一歩手前に追い込んでいる。苦沙弥の放言を借りて言えば、

「ことによると社会はみんな気狂の寄り合かも知れない。気狂が集合して鎬を削ってつかみ合ひ、いがみ合ひ、罵り合ひ、奪ひ合つて、其全体が団体として細胞の様に崩れたり、持ち上つたり、持ち上つたり、崩れたりして暮していくのを社会と云ふのではないか知らん」（『猫』九）。

明治三十八、九年の断片に、漱石はこう書き記している。

昔の人は己を忘れよと云ふ。今の人は己を忘るゝなと云ふ。二六時中己れの意識を以て充満す。故に二六時中大平の時なし。

欲望と自我が膨張する文明社会は息苦しい。そこに身を置いた誰もが圧迫を感じ、窮屈を感じる。それでも自我を主張してやまないのが文明の業である。永井荷風がヨーロッパに歴史を発見したのと違う意味で、漱石は文明の業をみつめた。住みにくい世の中を逃れるために、『猫』の「無名」、『草枕』の「非人情」の世界に逃避の場を求めて、片刻の逍遥にひたる漱石だが、決して一生活者の現実感覚を失っていない。次の猫の批評を聞かせてもらおう。

要するに主人も寒月も迷亭も太平の逸民で、彼等は糸瓜の如く風に吹かれて超然と澄し切つて居る様なものゝ、其実は矢張り娑婆気もあり慾気もある。競争の念、勝たう〳〵の心は彼等が日常の談笑中にもちら〳〵とほのめいて、一

> 歩進めば彼等が平常罵倒して居る俗骨共と一つ穴の動物になるのは猫より見て気の毒の至りである（『猫』二）。

自己に対してこのように透徹した目をもっているからこそ、社会と他者への観察がくもらないのである。漱石自身を色濃く投影した道也にとって、一番身近な他者は妻である。『野分』に登場する道也、高柳、中野などはいずれも観念的色彩に染められている人物なのに、本来点景人物に過ぎぬ妻のお政だけが妙な存在感を漂わせている。『野分』の中で最もリアリティのあるのは、その主人公白井道也とその妻の対話だ、という越智治雄氏の指摘は実に鋭い（『漱石私論』角川書店刊、一九七一年参照）。書斎の人である漱石の生活環境を考えると、必然的にそうなってくるのかも知れない。やや長きにわたるが、作者の傍白を引用しよう。

> 世の中はかゝる細君を以て充満して居ると云つた。かゝる細君を以て充満して居りながら、皆円満にくらして居る。順境にある者が細君の心事をこゝ迄に解剖する必要がない。皮膚病に罹ればこそ皮膚の研究が必要になる。病気も無いのに汚ないものを顕微鏡で眺めるのは、事なきに苦しんで肥柄杓を振り回すと一般である。只此順境が一転して逆落しに運命の淵へころがり込む時、如何な夫婦の間にも気まずい事が起る。親子の羈絆もぽつりと切れる。美しいのは血の上を薄く蔽ふ皮の事であつたと気がつく。道也はどこ迄気がついたか知らぬ（『野分』一）。

この残酷と思われるほどの人間内面の剔抉に、「五百万粒の油のなかに、一滴の水となつて辛うじて露命を繋げる」漱石の淋しい留学体験が滲み出ていないだろうか。一方、道を守り俗に抗する道也は、同時に不平な妻を気の毒と思はぬ程の道也ではない。「家庭の生涯は寧ろ女房の生涯である」と妻の論理を認めた道也の姿が、「いくら女だつて、さう踏み付にされて堪まるものか」と、細君の顔にこれだけの表情を読んだ健三のそれとかさなってしまう。なにしろ彼らは「自由」とは、「妥協」であることを知っているのである。『道草』の創作ノートともみなされる大正四、五年頃の断片には、次のようなメモがある。

徹底の意、absolute freedom　アリヤ、妥協ナリ。

イギリスのゼントルマンの処世法を流俗に媚びる芸妓、通客と同一視しながらも、漱石の社会意識に底流する「自由」は、あの豪猪社会から学んだ知恵ではなかろうか。そこには、相剋する血と骨との、僅かに平均を得た「互殺の和」を漱石は見いだしたのかも知れない。

文明開化の時代に、滔々たる外来思想に陶酔せず、自らの眼で歴史と現実をみつめる漱石は、「低徊趣味」の人であった。ここでは、過去と未来、伝統と現実、社会と自然とのあいだに往復する強靭な思索精神を私は「低徊趣味」と名付ける。中国の近代文学のなかに、このような精神がついに生まれてこなかったことを残念に思うが、それだけに、徹頭徹尾「社会」の中にあって、「自然」を希求した生活人である（江藤淳語『夏目漱石』）にすぎない漱石を私はこよなく愛する。

（至文堂『国文学解釈と鑑賞』第六二巻六号、一九九七年）

一茶を読む

一　周作人の一茶論

小林一茶は俳諧史において孤独な作家であった。俳諧史上から彼の存在を消してもさほど大きな狂いはなかろう、といわれるほど一茶は前人未踏の境地を切り開きながら、その後継者をついに育てなかった。しかし、俳諧は単に一種の知的遊びにとどまらず、他の文学ジャンルと同様に、自然と人生を表現する一形式でありうる以上、一茶は詩人として決して孤独ではない。

嘉永版『おらが春』の序、跋を記した逸淵とその門人である西馬は、一茶のほぼ同時代人であった。「近世独歩の俳道人」「今世の一奇人」といった彼らの一茶評は世人の通念の一端を伝えている、と言えなくもないが、二人とも一茶の俳諧味を堪能し、それをよく心得ているよき読者であった。「ざれ言に淋しみをふくみ、可笑みにあはれを尽くして」という西馬の言葉は、一茶の句風を的確に捉えていると言えよう。なお芭蕉の閑寂の芸術精神を守りながら、あえて世相の百態に目をそむけず人情の表裏を深く洞察している、という四山人の評言[1]は、庶民の哀歓と人生の真実を見つめた詩人一茶の姿を鮮明に描き出している。ところが当時においては、このような一茶像はむしろ数少ない識者の間に限られたものであったように思われる。一茶が親しみやすい真摯なる庶民詩人として世に広く迎えられ、再認識されたのは、自然主義文芸思潮が流行っていた明治四十年代以後である。その頃から、一茶はもはや俳諧史の一角に陣取っていた異色な俳人ではなくなったのである。

日本における一茶の再発見とほぼ同じ時期に、海の彼方に一茶に並々ならぬ関心を寄せている一人の中国人若者がいた。後に中国を代表する大作家となる周作人である。彼の日記を繙くと、一九一二年十一月二十九日の条には、「相模屋より二十二日発送した俳諧寺一茶、日本情史の各一冊を得た。……夜一茶伝を閲す」とある。さらに十二月三日の条には、「相模屋に手紙を出し、一茶集の購入を頼んだ」と記されている。

一茶の伝記である『俳諧寺一茶』は、信濃毎日新聞記者の束松露香の手になるものである。新聞に連載していたものを単行本にまとめ上げ、刊行したのが明治四十三年（一九一〇年）であった。その約二年後に周作人はそれを手に入れたのである。なお「一茶集」とは、『一茶俳句全集』（大塚甲山編、明治三十五年、内外出版社）なのか、あるいは『一茶一代全集』（丸山可秋編、明治四十一年、又玄堂）なのかはさだかでない。また十二月二十一日の条にも、相模屋から『俳句大辞典』や『滑稽趣味の研究』を取り寄せたことを記してある。それも一茶への関心の延長線で購入したものだろうか[2]。

小林一茶に言及した周作人の最も早い文字は、おそらく一九一六年「叒社叢刊」第三期に発表した「一簣軒雑録」であろう。日本の俳句に触れたくだりで、周作人は小泉八雲の「詩片」（Bits of Poetry）を引用して俳句の特色である「含蓄」を説明したあと、こう語っている。

俳句は芭蕉及び蕪村を以て最上とす。ただ余は一茶の句をとりわけ好む。人情物理を写して極めて軽妙なり。[3]

それ以来、周作人はしばしば一茶のことを話題に取りあげる。一九二一年五月十日「小説月報」第十二巻第五号に「日本の詩歌」と題した周作人の長い論文が掲載された。日本の韻文の諸種――長歌、短歌、旋頭歌、俳句、川柳――を系統的に要領よく中国の読者に紹介したものとして、これは最初の試みではないかと思われる。俳句の節において、芭蕉、蕪村、子規と並べて小林一茶のことを次のように紹介している。

なお蕪村の後に生まれた小林一茶が出ているが、流派を持たず自ら一家を成す。後世の人は彼のことを俳壇の彗星と称した。彼はよく俗語を詩に用いて、俳諧味に富んだ筆致で真摯なる感情を表現した。故に妙味を醸し出す一方、人間の温もりを感じさせるあたりは他人の及ばぬところである。例えばこの数句を読めばおわかりであろう。

痩蛙まけるな一茶是に有
是がまあつひの栖か雪五尺
雀の子そこのけ〳〵御馬が通る
秋風やむしりたがりし赤い花[4]

周作人の一茶論は、文学史家の如き理智の分析によるものではない。つねに共感に満ちた人間観察や人なつかしげな温かみと潤いを湛えていた。エッセイシリーズ（一九二三年一月から七月まで晨報副刊に掲載）「緑州」（オアシス）の十五篇に収めた「俺的春天」はその好例であろう。それは文字どおり一茶の俳文集『おらが春』についての抜粋と随想である。この短文の終わりに、周作人は一茶の特色を「子供っぽい」の一言で捉えている。

一茶の俳句は日本文学史においては唯一無二の作品である。さきに古人なし、と言うべきだろうが、恐らく後に来る者なしと言ってもさしつかえなかろう。彼の特色とはいわゆる子供っぽさにあると思う。彼の人柄と文章にははっきりと現れている。一方はあどけなく無邪気で、一方は片意地でひねくれもので、怒りん坊である。この二者はいずれも子供の性格で、別に驚くことはない。それに彼は継子でもあるから、彼の同情心と反感をより深いものにしてしまったのである。[5]

一茶論にしては奇抜なものではないものの、一茶の本質の一面を言い当てているように思われる。一茶はまず誰よりも細微を見逃さぬ児童生活の観察者である。

飴ン棒横に加へて初袷　（享和句帖）
春風に箸を掴で寝る子哉　（文化句帖）
蓬莱に南無〳〵といふ童哉　（七番日記）
山吹をさし出し顔の垣ね哉　（七番日記）
今ぞりの児や帷うつくしき　（七番日記）
片天窓剃て乳を呑夕涼　（七番日記）
御雛をしやぶりたがりて這子哉　（七番日記）
初茸を掴りつぶして笑ふ子よ　（八番日記）

平明な句ではあるが、絵に描かれるように、いたずらっぽく稚気たっぷりの可愛らしい幼児の様々な顔がありありと目に浮かぶであろう。

赤い凧引ずり歩くきげん哉　（文政句帖）
里の子や草つんで出る狐穴　（七番日記）
山寺や翌そる児の凧　（七番日記）
柳からもゝんぐわとて出る子哉　（七番日記）
子ども等〔が〕団十郎する団〔扇〕哉　（七番日記）
雪車負て坂を上るや小さい子　（七番日記）
鬼打の豆に泣て泣子哉　（七番日記）

こういう句を読みながら、野原の草藪、裏庭の木の下で無心に走り回っていた長閑な日々や、虫取り、凧上げ、隠れん坊、芝居ごっこ、これら幼時の遊びが想い起こされ、読む者はあの遠き甘美な記憶のなかへ誘われていく。一茶は不幸な少年時代を送っていたといわれるが、ある種の補償として、このようなほほえましい児童詩を生み出したのであろうか。

周作人の一茶との出会いは、作家の思想史において特筆に値する一齣であった。婦人問題とともに、児童生活への関心は、周作人の長い文筆生涯を貫く重要なテーマである。文学の感受性を養い、健全な思想を育成するには、誰もが通過しなければならない児童期の体験を素直にうけとめ、子供の声にもっと耳を傾けようではないか、と周作人は訴える。暗中模索のなかに、江戸時代の田舎の俳人である一茶の作品に、彼は無垢純真の子供の世界を見いだしたのである。

女性と児童の発見は、西学東漸という流れのなかの、大きな出来事であった。周作人の一連の仕事がそのきっかけを創ったことはいうまでもない。早期の児童問題をめぐる論文をはじめ、児童文学の提唱、童話翻訳を勧めた周作人は、晩年に至っては、趣味豊かな児童雑事詩の数々を残している。その一首を紹介しよう。

　鮎魚飄蕩日当中、胡蝶翻飛上碧空。
　放鷂須防天気変、莫教遇着乱頭風。

(ナマズ凧が天心にゆらゆらと、蝶々凧も青空に舞い上がり、凧上げは天候がご用心、くれぐれも乗せるなよつむじ風に)

一茶の世界を思わせる俳味に多少欠けているものの、諧謔を心得ている「打油」の佳作ではなかろうか。それを俳諧の形に敷衍すれば、どんな句になるだろうか。

　春の日にづんづと凧上りけり
　大空に魚と蝶が舞ふ凧哉

二　戯画の美人

世にいわれている一茶調とはどんなものだろうか。諧謔、機知、諷刺がその詩の骨格を作り上げていることはいうまでもないが、何よりも人々がまず連想しているのは、あの雪五尺の過酷な自然に孕まれた荒々しい息吹、その執拗で、粘り強い、ふてぶてしく、時には野卑さえ思われる神経のずぶとさではなかろうか。しかし一方では、一茶は繊細な美意識と鋭い感受性に欠けているというと、そうでもなさそうだ。私は次の数句がとくに好きである。

梅がゝに障子ひらけば月夜哉　（西国紀行）
煤掃や琴もて居る梅の陰　（丁巳春遊）
人去て行灯きえて桐一葉　（享和句帖）
夏山の膏ぎつたる月よ哉　（享和句帖）
藤さくや木辻の君が夕粧ひ　（七番日記）
祝ひ日や白い僧達白い蝶　（七番日記）
うす墨を流した空や時鳥　（七番日記）

ほのかに漂っている梅の香りに誘われて、障子を開けると、水の如く澄み徹る月の光が注がれて、夜も静かである。秋の寂寥感が人が立ち去り、灯火も消えたあとによりいっそう胸に滲み入るであろう。鬱蒼とした月夜の夏山はまるで子羊毛皮のように、なめらかで、夕方化粧している遊女の傍らに咲く淡紫色の藤の花もまた可憐である。「祝ひ日」や「うす墨」の句はいずれも洗練された色彩感を見せている。さらに数例を挙げよう。

一本の鶏頭ぶつゝり折にけり　（享和句帖）
春の月さはらば雫たりぬべし　（文化句帖）
春の日や雪隠草履の新しき　（文化句帖）
秋の夜や窓の小穴が笛を吹く　（七番日記）
寒いぞよ軒の蜩唐がらし　（句稿消息）

いずれも詩人のユニークな着目、細心の観察、鋭い感性的把握をものがたる好例であろう。これらの句の大半は、寛政、享和時代に作られ、いわば蕪村に代表される耽美的な天明調への憧れを示している作品である。しかし、句作の主流を成さないものの、『七番日記』時代、つまり一茶調の成立と考えられる時期においても、こういう天明趣向の、香り高い句を作り続けたことから一茶の多面性を垣間見ることができる。ところが晩年まで、美しいものへの鋭い感性を持ち続けたとはいえ、一茶は女性の美しさをほとんど句に読まなかったようである。ひとまず蕪村の句と比べて見るがよい。

昼舟に狂女のせたり春の水　（夜半叟句集）
梅咲て帯買ふ室の遊女かな　（句集）
梨の花月に書ミよむ女あり　（句集）
後家の君たそがれ顔の団哉　（遺稿）
青梅に眉あつめたる美人哉　（句集）
足よはのわたりて濁るはるの水　（句集）

春の水面を滑る小舟に、我が子を一心に思う女性が乗せられている。やつれた顔、みだれ髪、それに空虚な眼には一種気味の悪い、悲しげな妖艶さが宿されている。やや夢幻な空間を描いたこの句に対して、「室の遊女」は、春色恰然たる、遊里の栄えた室津港の実景を詠んだ句であろう。梅の花が咲く日、その華やかさに負けずに、手には色鮮やかな帯を抱え、容姿端麗な遊女たちがはしゃぎながら近づいてくる。その楚々とした姿が目にうかび、軽やかな足音さえ聞こえてくるような気がする。白っぽい梨の花の下に、朧なる月の光で恋文を読み耽けている女、たそがれ時の、物思わしげな顔をしている未亡人、庭の青梅を見上げ、柳眉をひそめている麗人、ひ弱い足どりで、春のせせらぎに渡り歩く娘。それぞれ淑やかで、初々しく、陰翳に富む豊かな表情を伝えている。正面から人物を押し出さなくても、女を描く蕪村の筆致はみずみずしい。

雪解や妹が巨撻に足袋かたし　（遺稿）
妹が垣根さみせん草の花咲ぬ　（句集）
絵団のそれも清十郎にお夏かな　（句集）
身にしむや亡妻の櫛を閨に踏　（句集）

人妻の片方の足袋、恋人宅の前に咲く三味線草、清十郎の絵団扇、亡き妻の櫛、なにげなくこれらの「小物」を取りあげたようだが、いずれも持ち主の姿を偲ばせてそこはかとなく色っぽく妖しい。物に触れて情を傷む「亡妻」の句はフィクションだが、木下杢太郎の歌「絳絹裏」を連想させ、詩人の叙情性の質をよく表している。しかしこのような句を一茶に求めても無理であろう。その夥しい句作を調べた結果、次の数句をかろうじて得た程度である。

振向ばはや美女過る柳哉　（西国紀行）
青すだれ白衣の美人通ふ見ゆ　（寛政句帖）
蚊を焼くや紙燭にうつる妹が顔　（寛政句帖）
うつくしき団〔扇〕持けり未亡人　（享和句帖）

天明調の耽美趣向を模倣する痕跡が目に見えるが、どこか観念的で、独自な観照に欠けていると言わざるを得ない。女性の美しさを描くには、詩人の感性によって構築される美的造形を読む者に読みとってもらえなければいくら「美女」「美人」「うつくしき」と言葉を列ねても無意味であろう。ただ「紙燭」の句は、淡い恋情とともに親愛する女性の面影を彷彿させる一種の艶な雰囲気をただよわせる点で「稀な例外といえよう」[6]。

一茶の一生は大半漂泊と貧苦のなかで過ごした。その境涯を自らの俳諧の糧にしたのは詩人の幸かそれとも不幸だろうか。文飾の過剰や自虐的厭味を感じさせる時もあるが、弱者や虐げられたものに寄せる一茶の哀憐と暖かい眼差しは真塾そのもので、いずれも切実な響きがこめられている。

里の女や麦にやつれしうしろ帯　（享和句帖）
煤はきや火のけも見へぬ見世女郎　（七番日記）
玉霰夜たかは月に帰るめり　（七番日記）
霜がれや鍋の炭かく小傾城　（八番日記）
おのが里仕廻ふてどはへ田植笠　（八番日記）
麦秋や子を負ながらいはし売　（おらが春）

女性は常に弱者とは限らないが、自らも渡世の艱難に苦しめられている一茶が捉えた彼女たちの姿は痛ましい。見窄らしい服、垢がつき、ざらざらとした手足、痩せこけて無表情の顔、もちろん美人ではない。一茶は特別に美人が嫌いというわけではないが、いささか苦手である。まともに正面からそれを相手にする気になれないようだ。したがって、一茶の筆にかかると、美人はしばしば諧謔の対象となる。

がさがさと粽をかぢる美人哉　（七番日記）
かはほりにはたして美人立りけり　（七番日記）
蕣の花で鼻かむ女哉　（七番日記）
縄帯の美人逃すなけさの雪　（七番日記）
菫咲川をとび越す美人哉　（七番日記）
春雨に大欠する美人哉　（七番日記）
春雨や妹が袂に銭の音　（八番日記）
春雨や御殿女中の買ぐらひ　（文政句帖）
春風の女見に出る女かな　（文政句帖）

花さくや京の美人の頬かぶり　（文政句帖）

これら「川柳」を思わせる句は、彼のいわば露悪趣味の一端を示しているものの、詩人の人生体験の奥底に潜む何ものかを覗かせてくれたような気がしてならない。蕪村もそうだが、晩婚の一茶はやっと手に入れた家庭の幸せを人一倍に大切にする子煩悩の父であり、優しい愛妻家であった。しかし二人の句作がこうも異なるのは何故だろうか。個人の資質、時代の風潮などはもちろん重要ではあるが、二人の女性体験の差も見逃してはならない。

享保二十年（一七三五）弱冠二十歳の蕪村は、故郷の毛馬村を去って江戸へ修行の旅に出た。以来十数年間、宝暦元年（一七五一）に京都へ移住するまで各地に転々として放浪の生活を続けた。その間孤独と不安とをこもごもに経験したこともあったが、一茶のように底辺にうごめく人々のなりわいや自らの実存的体験を作品に煮詰めることなく、常に鮮麗な感性を保ち、周りの世界に詩的次元の深まりとひろがりとを賦与したのである。

氷る燈の油うかゞふ鼠かな

炭取のひさご火桶に並び居る

我を厭ふ隣家寒夜に鍋を鳴ラす

歯豁に筆の氷を噛ム夜哉

「貧居八詠」の一連の句に直写された、京の市井の一角にある蕪村の住いだが、芳賀徹氏が『與謝蕪村の小さな世界』で指摘したように、その佗び住いを蕪村は「桃源の路次の細さよ冬ごもり」と、夢想裡に一つの桃源郷に転位させてしまうことができたのである。[7]老境に入ってからも、このように洗練された、香り高い詩想を保ち得たのは、「得たきものはしゐて得るがよし。見たきものはつとめて見るがよし」（新花摘）というエピキュリアンの資質にもよるが、蕪村の月夜春宵を彩る有名無名の女たちの存在を忘れてはならないであろう。

又美酒一樽御をくり被下かたじけなく、ちょこ〳〵御めぐみ被下候様にと、已来たのしみ申事に御座候。……舞妓の類ひ五六人も相交、美人だらけの大酒宴にて鶏鳴に至り、其四五日前後は亭主大草臥、只泥のごとくに相くらし申候。

美酒を楽しみ、美妓をはべらせて観劇したり、妻娘を連れて郊外へ花見に出かけたりしていたことは、弟子宛の書簡が伝えている。その春光のもとに「逍遥」している蕪村の姿は、彼がこよなく愛した明末の文人の風貌を彷彿させさせてほほえましい。「容姿嬋娟」たる娘の嬌態を活写している「春風馬堤曲」は、老齢の蕪村が「故園」への郷愁をこめて歌い上げた一作だが、そこには、浪花奉公の「田舎娘の姿を借りて、蕪村の知ったさまざまな若い女たちへの愛執にも似た思いが、いくつも重なって託されている」ように思われる(8)。

一方、男の独り者暮らしを長年続けた一茶にも女性の影が見え隠れしている。

鹿の声わか孀等になげゝとや　（寛政句帖）
蚊を焼くや紙燭にうつる妹が顔　（寛政句帖）
思ふ人の側へ割込む巨燵哉　（寛政句帖）
にくき人の衣うつ夜もあらん哉　（寛政句帖）
きぬぎぬやかすむ迄見る妹が家　（寛政句帖）

いずれも若き日々の句作である。西国行脚に出かけた若い俳諧師がその旅次、出逢った女性への思いを詠んだものだが、どれも片思いのようである。俳人の金子兜太は、これらの句を次のように解説している。

旅の行きずりに出会う女性たちへのこころ残りを、一茶は『万葉』や『古今』の歌調をなぞるようにして、句にしていたのである。掲記の「鹿の声」の句など、明らかに〈片思いの恋の句〉だ。

〈あの若い後家さんはきれいだったなあ。いま一度戻って、会いたいぐらいだが、まあ止めとけ。鹿が鳴いてるじゃねえか。若後家なんぞに惚れて嘆いたって、どうにもなるもんじゃねえ。止めとけ、止めとけ、て。〉[9]

少年時代を北信濃の寒村で過ごし、江戸へ出た後も渡り奉公の辛酸を嘗めた一茶は、都会人の目には、木訥で口下手な「椋鳥」であった。身を固めていない、「居候」の後ろめたさもあってのことか、秘かに恋心をいだきながら、ついにそれを打ち明けることができなかっただろうか。あるいは人に言えぬ心の深い傷を負っただろうか。美人を戯画化している一茶の余裕の句作に接して、これはもしかしてコンプレックスが裏に出ていたのではないか、とついに私は深読みしてしまう。一茶の見果てぬ恋を詮索して、女流俳人で未亡人の花嬌に辿りつき、「うつくしき団扇持けり未亡人」という句は、彼女を詠じたものだという説もあるが[10]、それにしても、女性へ向ける一茶の視線は蕪村のそれと本質的に違う。詩想を美しい「個」の造形に結晶させることなく、あくまで「群」へと拡散してしまう。一茶にとって、女は一種の「風景」にすぎない。

春風や逢坂越る女講
菊そのや女ばかりが一床几　……

三　虫の詩人

小泉八雲のエッセイで、私が特に愛誦している作品に「虫の音楽家」の一篇がある。日本の庶民生活に見られる「鳴虫」への嗜好や、文学作品に詠まれた「虫の歌」を概観した後、日本人の芸術的資質について、彼はこのように語っている。

虫を詠んだこれらの詩歌が、恋慕のおもいをかよわせたものであっても、それは同時にまたわれわれに、自然が——野にあるままの純粋な自然が、人間のイメージと記憶に及ぼす微妙な力というものを、改めて考えさせるではないか。日本の文学におけると同様に、日本の家庭生活のなかにおける虫の音楽が占めている位地、これはわれわれ西欧人にとっては、ほとんどまだ未開発のままになっている精神領域に発達した、一つの美的感受性のあることを実証していはしないだろうか。(11)

「虫」という身近な生き物に対して、日本人がやはりどこか特別な感性を持っていることは、「虫がいい」「虫が嫌う」「虫が知らせる」「虫がつく」などの熟語を見れば頷くだろう。もっとも「鳴虫」を愛玩する点において、中国人は先輩であったかもしれない。五代の人、王仁裕の『開元天宝遺事』によると、「秋に至る毎に、宮中の妃妾は皆小さき金籠を以て蟋蟀を捉え、籠中に閉ざして枕元に置き、夜その声を聞く。庶民の家も皆之に倣ふ也」という。この風雅な遊びとともに、コオロギの雄同士を闘わせる「秋興」もまた宮中から始まり、やがて民間へと広がったらしい。袁中郎は『促織志』の中できりぎりすの飼育に触れてこう語っている。

> また捕らえて飼うものに、飛蝗に似ていて体が肥えて大きいものがある。京都の人はそれを「コォコォ」と呼ぶ。南人は「紡績娘」という。ヘチマの花や瓜の実を食べる。声はコオロギに似ているが、清らかな響きがそれに勝っている。私は嘗て虫籠を二つ飼って、それを軒先に掛けていた。露おりの夜に一晩中悲しげに鳴き続け、俗耳が洗われる思いである。

鳴虫の中で、北京っ子は「コォコォ」のきりぎりすを最も寵愛しているが、四百年ほど前の明末の頃、すでにそういう習俗があった。文中の「紡績娘」は、「虫の音楽家」にも取りあげられ、クツワムシのことである。古代の中国人はどうもこの二者の見分けがつかなかったようだ。

日本人の鳴虫飼育に関しては、中国に由来したものかどうかは不明だが、草木虫魚といった小さき生き物の生態を細かく捉える日本人の観察眼は、確かに優れている。「虫の研究」と題する小泉八雲の随筆に、「蝶」という小品がある。十七字に詠みこまれた小さな淡彩スケッチとして、蝶を描いた十八人の作家の二十二句を引用した。小林一茶の句は四つ入っている。

鳥さしの竿の邪魔する小てふ哉　（文政句帖）
籠の鳥蝶をうらやむ目つき哉　（文政句帖）
蝶とぶや此世に望みないやうに　（化三―八写）
むつまじや生れかはらばのべの蝶　（七番日記）

「虫の詩人」と言えば、一茶はその名にもっともふさわしい人ではないだろうか。さらに蝶の句を拾うと、「棧を歩んで渡る小てふ哉」「ひざの児の頬べたなめる小てふ哉」「大猫の尻尾でじゃらす小てふ哉」などは何気ない日常の一齣ではあるが、蝶の様態を鮮烈に写している。そのほかに、せみ、こおろぎ、きりぎりす、ひぐらし、ぼうふら、かたつむり、ほたる、ひる、はち、かまきり、みみず、とんぼ、くも、かいこ、あぶ、いなご、蚤、蚊、虱、蠅に至るまで人間の身近にあるあらゆる虫を句の題材にしてしまう。その「昆虫百態」を覗いてみよう。

けふ切の声を上けり夏の蝉　（七番日記）
鳴かけて何を見かけて行蝉〔か〕　（七番日記）
鳴ながら蝉の登るやぬり柱　（八番日記）

仰のけに寝て鳴にけり秋の蝉　（七番日記）
御旅所を吾もの顔や蝸牛　（西国紀行）
夕月や大肌ぬいでかたつぶり　（七番日記）
柴門や錠のかはりの蝸牛　（七番日記）
蜻蛉や犬の天窓を打てとぶ　（八番日記）
馬の耳ちよこ〳〵なぶるとんぼ哉　（文政句帖）
町中や列を正して赤蜻蛉　（文政句帖）
庵の夜や棚捜しする蛬　（七番日記）
とぶ気やら髭をかつぎて蛬　（七番日記）
歯ぎしりの拍子とる也きり〴〵す　（八番日記）
馬の草喰ふ音してとぶ蛍　（七番日記）
古桶に稲葉そよぎてとぶ蛍　（七番日記）
我袖に一息つくや負蛍　（七番日記）
子子の念仏おどりや墓の水　（八番日記）
子子の一人遊びやぬり盥　（八番日記）
打て〳〵と逃て笑ふ蝿の声　（文政句帖）
打れても〳〵来るや膝の蝿　（文政句帖）

小さな命を凝視している一茶はどこかふざけているようだが、気のやさしい人である。これらの句を見よう。「米つきよまて〳〵臼に蝉が鳴」「やれ打な蝿が手をすり足をする」「寝返りをするぞそこのけ蛬」「庵の蚊よ不便ながらも留守にする」「人味を知らずに果る山蚊哉」……蚊の句など、その軽妙な諧謔ぶりは、やはり一茶のお家芸であろう。ここにふと思い出されるのは、小泉八雲の「蚊」の一節である。

自分もまた、ひょっとすると、食血《じきけつ》餓鬼の境涯に生まれ変る運命をもった人間かもしれないなどと、ついそんなことを考えると、あの弱よわしい、刺すような歌をうたいながら、自分の知っている人たちを噛みにそっとそこから出て行かれるように、わたくしはあの竹の花立か水溜めの中に、もういちど生まれて出るおりを持ちたいものだと、そんなことさえ考えるのである。(12)

一茶と同じように、小泉八雲もまた無性に「虫」を愛する人である。あのひ弱い生き物にひたむきな愛情をそそぐ彼は、常に草葉の陰や土の底からの声に耳を傾ける詩人である。幾億万という微小な生きもの、その哀れな声は、無意識のうちに、東洋の古代の叡智を――諸行無常を説く永遠の経典を教え説いている、と八雲はいう。「虫よ虫鳴いて因果が尽くるなら」――「虫の音楽家」の冒頭を飾った読み人知らずのこの小詩が私は特に好きである。この虫の哀歌は、そのまま芭蕉の「やがて死ぬけしきは見えず蝉の声」であり、一茶の「蛬いづれの露に鳴終る」ではなかろうか。

註

（1）あが翁の細みをたどり、敢て世塵を厭ず、人情またやるかたなし。（『おらが春』瓢界四山人跋）
（2）魯迅博物館蔵『周作人日記』上、一九九六年、大象出版社。四二四頁、四二六頁。
（3）『周作人集外文』上集、一九九五年、海南国際新聞出版中心。二四二頁。
（4）周作人『芸術与生活』一九八九年、岳麓書社。一二一頁。

（5）周作人『自己的園地』一九八八年、人民文学出版社。九一頁。
（6）栗山理一『小林一茶』一九七一年、筑摩書房。一四頁。
（7）芳賀徹『與謝蕪村の小さな世界』一九八六年、中央公論社。四八頁参照。
（8）同右、九五頁参照。
（9）金子兜太『一茶句集』一九八三年、岩波書店。六七頁。
（10）北小路健『一茶の日記』一九八八年、立風書房。八九頁参照。
（11）小泉八雲『仏の畑の落穂』平井呈一訳、一九九一年、恒文社。三二二頁。
（12）小泉八雲『怪談・骨董』平井呈一訳、一九九七年、恒文社。三二三頁。
なお、この小稿に引用されている一茶の発句はすべて信濃毎日新聞社刊『一茶全集』による。

（ぺりかん社『江戸の文事』所収、二〇〇〇年）

神戸クロニクル時代のラフカディオ・ハーン―その日清戦争時評を読む

(一)

一八九四年九月二十二日のチェンバレン宛ての書簡に、ハーンは次のように書き送っている。

> 私は神戸の申し出をはっきりと受け入れました。そしてこれから先の苦痛を予想しています。それでも如何なる変化もある種の慰めになります。予言者ムハンマドが三百九十日間、体の左側で横たわってイスラエル一族の邪悪を耐えた後、彼は結構嬉しそうに三百九十日間、体の右側で横たわり、ユダ一族の苦難を耐えていました。(1)

「神戸の申し出」とは、神戸の英字新聞『神戸クロニクル』(*Kobe Chronicle*)の社主ロバート・ヤングがハーンの求職の問い合わせに対して、一月百ドルでもう一度新聞社の仕事に加わってくれるのを歓迎する旨の返答のことであった。

とかく松江と比較される熊本での生活は、ハーンにとって徐々に苦痛となっていた。「熊本は私がこれまで見た中で最もつまらない町です」(一八九一年、西田宛て)。「ここには美しいものなど一つもない」(一八九二年、小豆沢宛て)。むろんここでは、町の風景のみを言っているというわけではない。富国強兵を合い言葉に立身出世に狂奔している人々の姿に人間的な温もりが感じられなかった。天保生まれの気品ある老人は過去の遺物としてからかわれていた。軍靴とラッパの音が響き渡るこの熊本で、ハーンは確実に十九世紀の旋律——近代化の足音が聞こえた。

> しかし結局のところ、日本は何という恐ろしい早さで近代化してゆくのでしょう。それも、服装や建築や習慣ではな

く、心と態度においてです。この民族の感情の性質が変化しているのです。それが、再び美しくなることがあるのでしょうか。（一八九二年八月六日、メーソン宛て）（2）

肉体的にも精神的にも追いつめられたハーンは、「変化」を求めていた。たとえ収入が半減しても、それと引き替えに心の安らぎを得たいと願っていた。契約条件が提示されたその日（九月十一日）の手紙に、ハーンはチェンバレンに熊本脱出の念願を打ちあけた。

私たちはみな熊本にうんざりしていました。私は今年か来年にここを脱出しようと考えております。そして私はしばらくの間、アメリカへ行ったほうが確かによかろうと思っています。人間は誰でも何の報いも受けずに自分をアーリア人から孤立させることをしません。その状況――言葉ではとても言い表せない――に長く耐えていた者でなければ、その意味が判らないでしょう。私がよく働くとあなたはおっしゃいましたが、もし私がそうしなかったら、私は気が狂ってしまうか、あるいは精神異常の病に罹っていたでしょう。苦痛はおそらくこの意味でよいことでした。つまり、もしそうでなければできなかった文学の修行を私に強いたのです。教える傍ら、五年間に三冊の書物を書いた（私の新著はほぼ完成している）ことはいい分量と言えるでしょう。しかし熊本、この地震、強盗、嵐の熊本のことを地獄の底の牢屋のように感じています。半分の給料でもいいから、その代わりに心の平安が欲しいものです。（3）

ハーンの新聞社勤務は「三百九十日間」に続かずに、結局数ヶ月で辞めてしまったが、新聞への寄稿が辞めた後もしばらく続いた。そして『神戸クロニクル』紙に論説を書いた期間は、ちょうど日清戦争の進行と重なっていた。日本が朝鮮支配をめぐって清帝国と構えたこの戦争は、欧米列強の遂行している世界秩序に加わろうとした新興の日本と、古来固有の秩序と権益を護ろうとした保守の清帝国との衝突であった。「文明」対「蒙昧」、「改革」対「守旧」という文明史の構図で捉えられる側面がある一方、「文明・開化」の名のもとで、民族自治の原則を蹂躙した強者の論理を振りまわした戦争であった。実際、この戦争をきっかけに、日本は帝国主義列強の仲間入りを果たし、清は帝国主義の餌食となる半殖民地への転落に拍車をかけられた。

日清戦争を契機に、ハーンは利権をめぐる各国の思惑が交錯するパワーポリティックスの実相を見せつけられ、文明の本質について思索を深めた。この体験はその後のハーンの日本認識にも深い影を落とした。『神戸クロニクル』に発表されたハーンの一連の日清戦争時評はその思索の一端を記録したものであるが、そこから彼の文明批判の光彩、またその限界が読みとれると思う。

（二）

日清戦争は、一八九四年（明治二十七年）八月一日に勃発する。その前日の七月三十一日、外務大臣の陸奥宗光は欧米各国の使節に書簡を送り、清国との開戦を通告した。

> 帝国政府ハ帝国ト清国トノ間ニ起リタル紛議ヲシテ正當且ツ永遠ニ妥協ナラシメント　欲シテ種々ノ公明正大ナル手段ヲ執リ尽シタルニ拘ハラズ此等尽力モ更ニ其効ヲ奏セザル事判然セリ因テ下名ハ其任務ヲ果スタメ茲ニ閣下ニ向テ帝国ト清国トノ間ニ戦争ノ情状ノ現在スル事ヲ御通告スルノ光栄ヲ有シ候下名ハ茲ニ重ネテ閣下ニ向テ敬意ヲ表シ候敬具。(4)

文中の「正當」「公明正大」云々は外交辞令の常套ではあるが、この戦争を企てた日本の指導部が極力外部の視線、とくに欧米の文明国の反応を気にしたのが事実であった。この戦争は日本が「蒙昧」の域を脱して、近代化を成し遂げた一つの到達点を内外に示している。宣戦直前の七月十六日にロンドンで日英通商航海条約が調印されたことは象徴的であろう。治外法権が撤廃され、独立国の地位を認められた日本は、かつて福沢諭吉が主張した「脱亜入欧」の道へ突進した。

> 我国は隣国の開明を待て共に亜細亜を興すの猶予ある可らず、寧ろ其伍を脱して西洋の文明国と進退を共にし、其支那朝鮮に接するの法も隣国なるが故にとて特別の会釈に及ばず、正に西洋人が之に接するの風に従て処分す可きのみ。悪友を親しむ者は共に悪名を免かる可らず。我れは心に於て亜細亜東方の悪友を謝絶するものなり。(5)

日清戦争は、いわば「西洋の文明国と進退を共に」するための「試金石」であった。主戦派の陸奥宗光は後にその回顧録である『蹇蹇録』において、はっきりとその認識を示している。

> 今や欧米各国は我が軍隊の戦闘に勝利を得たるを目撃せる間に、日清交戦中において我が軍隊が採用したる欧州流の作戦の計画、運輸の方法、兵站の施設、病院および衛生の準備、特に慈恵の目的を主とする赤十字社員の進退等、百般の制度組織すこぶる整頓し、および各部の機関最も敏速に活動したるを看取し、また外交上および軍事上の行動においてその交戦国に対しならびに中立各国に対し、一も国際公法定規の外に逸出したる事なかりしを認めたるは、実に彼らに向かい非常の感覚を与えたるが如し。(6)

「文明」とは人間の活動の産物である。しかし十九世紀の「文明」とは、まず西洋の社会的構造と倫理的土台の上に築かれた「文明」のことを指している。それは古代ギリシア人の智恵を源流にもち、ルネッサンスの人文主義の洗礼を受けて花を咲かせた、種種の知識の結晶を意味していた。この「文明」は近代の西洋に百般の制度、組織、巨大な産業社会をもたらしたのである。そしてこの「文明」はまた近代の西洋に破壊の力、殺戮の力を賦与した。この「文明」の利器を手にして、十九世紀の西洋は世界に君臨した。明治維新を経験した日本は、この「文明」の力を渇望し、それを手に入れるために血が滲む努力を積み重ねてきた。清国との戦争はその努力を検証する絶好のチャンスであった。ハーンは日清戦争のこういった性格を的確に捉えている。一八九四年十二月十八日（火曜日）の『神戸クロニクル』に掲載された「日本の柔術」において、ハーンは次のように語っている。

日本はその柔術に於いて勝利したのである。日本の自治権は事実上回復され、文明諸国間に於けるその地位は保障された。日本は西洋の監督からは永遠に離脱したのである。その芸術も徳目も、かつて得させてくれなかったものを日本は、新しく得た科学的攻撃力と破壊力を初めて発揮することによって手に入れたのである。[7]

むろん、こうした見方はハーン独自のものではない。当時のジャパンウォッチャーの論評の一例を紹介しよう。戦争が勃発した後、日本政府は欧州列強の反応を注意深く見守り、情報収集に余念がなかった。ロシア駐在公使西徳二郎が陸奥外務大臣に送った報告書には、ロシアの各新聞紙の日清戦争をめぐる論評の概略が要約されている。それによれば、「グラジダニン」紙の九月二十七日の論説には、こんな内容の一節がある。

吾輩ノ考察ニ由レハ日本ノ戦端ヲ開キタル最近因ハ清国若クハ露国（西欧諸邦ニ播布スル誣言ノ如ク）カ朝鮮ヲ占領センコトヲ恐レタルニ非ラス全ク日本ハ文明国中ノ一タルニ充分成熟シタルコトヲ宇内ニ表彰シ外邦ノ抑制ヲ排除シ国権ノ伸張ヲ謀リ以テ一国ノ威厳ヲ保全セントスルニ在リ之ヲ換言スレハ日本ハ最近半世紀間ニ文明ノ事業ニ困苦黽勉シ今

ヤ合格ノ試験ヲ受クルニ外ナラス日本ハ戦争ヲ措キテ他ニ此目的ヲ達スルノ方法ヲ発見スル能ハサリシカ故今回清国トノ衝突ハ政略的ノ戦争ニ非ラスシテ寧ロ発達的ノ戦争ナリト謂ハサルヲ得サルナリ。[8]

独立を守り、近代化を成し遂げるために日本が払った努力に対して、ハーンも一様に好意的ではあったが、日本を弁護するハーンの論説には、つねに西洋の拡張を批判する視点が含まれている。例えば、戦争終結後の一八九六年四月『アトランティック・マンスリー』に寄せた長篇論文「中国と西洋」（China and the Western World）において、ハーンは戦争の原因をめぐるさまざまな皮相な観察を「うねりの表面の順流と逆流だけをみる」ものとして一蹴し、この戦争を引き起こした真因について、こう指摘した。

事実はといえば、西洋文明の広大な津波が、世界中を巻き込みながら、日本をせり上げて、中国へ向かって日本をほうり投げた。その結果、中国の帝国は今や望みなき難破船となっている。その戦争を起こした、深くてあらがえない基礎的諸要素は、西洋から来たものであった。[9]

そしてこの西洋の拡張に対して、ハーンは警告する。「すべての国々の中で最も平和的で、最も保守的な清国が、日本と西洋の両方からの圧力のもとで、その自衛のために西洋の戦術を確実に会得するように強制されるということであろう。その後に多分、この国の偉大なる軍事的覚醒が起こり、新しい日本が追い込まれたのと同じ情況の下で、清国がその武力を南方や西方へ向ける可能性が極めて大きいと言えよう。……殖民地化政策を進めてきた西洋諸国は、弱小民族を始末するにあたっては侵略し、強奪し、皆殺しにするという罪を犯してきたが、これらすべての罪に対して復讐する主導権は清国側に留保されているのかも知れない」（前掲「日本の柔術」）。

西洋の圧力に拮抗しながら、その知識をむさぼるように吸収し、一世代の間に自国の独立を勝ちとった日本の姿を、ハーンは弁護し、称賛した。それにその成功を支えたのは、日本人の古来の美質――克己、忍従、忠誠心といったものであったとハーンは論じる。これは日清戦争を論じたハーンのその他の文章、例えば「柔術」「願望成就」（『東の国から』所収）、「戦後」「趨勢一瞥」（『心』所収）に貫かれている論点であった。近代化を成し遂げ、西洋の圧迫に楯突き、民族の独立を守るという前提があったからこそ、日本の好戦的姿勢も逆説的ではあるが、ある種の倫理的意味をもつとハーンは説く。一八九四年十二月十日（月曜日）の『神戸クロニクル』に発表された「寛大の必要性」には、次のような一節が書かれている。

清国の主要な罪はあまりにも平和を好むことだというミッチー氏の諷刺には、深遠な真実がある。今や日本が受けている称賛と栄誉がその証拠である。評価のこの見せかけの不道徳さの背後には、すでに指摘したように一面の正当な理由がある。好戦的な力は規律を意味し、ある種の道徳的訓練を意味し、非常に優れた種類の精神的訓練を意味し、多くの重要な科学的知識の修得を意味する。(10)

「軍事力は大いに文明を測る尺度である」とハーンは言う。それはただ単に近代戦を遂行するには高度な科学技術が要求されるということを意味するものではない。それ以上に「知性とともに、基準の高い倫理的な素質を要求している」とハーンは強調する（「ある帝国の軍事的復活」、一八九四年十二月四日『神戸クロニクル』に掲載）。(11)

「文明」の道徳的進化、「近代化」のこうした倫理的な側面を重んじたからこそ、ハーンは、日本軍の戦時の蛮行を許すわけにはいかなかった。一八九四年七月の「高陞号事件」と十一月の「旅順口虐殺」についての論評をみよう。

「高陞号事件」とは宣戦布告の直前の七月二十五日、朝鮮・牙山湾の豊島沖で、日本の巡洋艦「浪速」が清国兵士を乗せた輸送船「高陞号」を撃沈した事件である。「高陞号」はイギリス船籍だったため、欧米列強の支持を取り付けようと国際法の遵守に腐心した日本政府は大いに狼狽し、事件の後処理で躍起になっていた。しかし、この事件の核心は国際法上、合法か否かという交戦国権利ではなく、海戦の際、日本軍のとった行動であった。

輸送船を撃沈した後、「浪速」は救命艇を出して、欧州人の高級船員のみを救助した。翌日、フランス軍艦に救助された約二百名を除き、清国軍将兵約一千名と乗員の大半は波に呑まれたという（岩波新書『日清戦争』）。さらに「高陞号」に乗っていたドイツ人将校フォン・ハンネケンの証言によると、日本兵は沈没船及び水中に苦しんでいる者を銃撃していたという（『日本外交文書』第二十七巻第二冊）。ハーンの批判もまさにこの点であった。

> いくら日本の有利なように交戦国権利を認めるとしても、極度の緊急事態であるという以外はどんな西洋諸国も主張しない交戦国権利があるが、この緊急事態は高陞号のケースでは存在していなかった。そして、人権問題に対する十九世紀の人々の気持ちのすべてに衝撃を与えたのは、為すすべもなく溺れ死のうとしている数百の人たちへ最小限の救助の手すら差し伸べることをしなかったという事実であった。[12]

十一月二十八日付の『ニューヨーク・ワールド』から、もっとショッキングな報道が伝えられた。旅順口を占領した日本軍は三日間、軍民男女老弱を無差別に殺戮したという。この旅順虐殺の発端は、清国軍が日本軍の戦死者の死体に陵辱を加えたということにあったようである。ハーンは日本の名誉のため、日本軍の行為を非難し、次のように忠告した。

> 英国やフランスの兵士が、ごく最近でも、戦闘のさい、日本軍に向けられたのと同じような挑発を受けて、醜い、それも非常に醜悪な行為を犯したというのは事実である。

しかし、日本軍の報復行為にはなんの言い訳も受け入れられないであろう。日本は相変わらず、東洋の一強国として、疑惑の目で見守られているのである。婦人、子供や非戦闘員に対する不必要な残虐行為については、その行為を犯した者たちの行動に責任を負う将校たちを厳格に罰するべきである。

最も輝かしい栄誉もそのような行為によって曇らされてしまう。そしてこの国の道徳的評価も、この戦争で全く危険となるのである。つまるところ、最高の勇気とどんな形にしろ、残虐行為との間には道義的な対立があり、そして、挑発を受けての自己抑制は、戦場での勇気よりもいっそう困難であるがゆえに、いっそう英雄的なのである。[13]

日本への批判、忠告をためらわなかったものの、日清戦争についてのハーンの時評を通観すれば、日本の立場を弁護する論調が主流であった。興味深いことに、それらの公的言論とは裏腹に、この時期に書かれた私的書簡には日本への嫌悪と幻滅の言葉が目立つ。日清戦争をきっかけに、ハーンは文明の本質についての思索を深めた。同時に日本についての認識も深めたのである。「柔術」という文章の末尾において、明らかにこの戦争に触発されて、ハーンはこのように綴っている。

西洋文明は過去を復活させ――死者のことばに生命を与えた。――『自然』から無数の貴重な秘密をもぎとった。――天体を分析し、時間と空間を征服した。――目に見えないものを、むりにも見えるものにし、『無限』の秘帳をのぞいたほかの、あらゆるヴェールをひんめくった。――何万という学問の体系をたてて、近代人の脳髄を、中世人の頭蓋骨にははいりきれないまでに膨脹させた。――個性というものの最も高尚な形を発達させたが、それと同時に、一方ではまた、最も厭うべき形をも発達させた。――人間の知っているうちで最も繊細な同情と、最も崇高な感情を発達させたが、そのかわりまた、かの時代にはなかった利己主義と苦悩をも同時に発達させた。[14]

このように、文明の表裏を見抜いたハーンは、文明の産物である「戦争」をどう見ていただろうか。勇敢に戦い、命を祖国に捧げた兵士の「忠義」を、ハーンは確かに讃えたが、神戸市内を行進した凱旋兵士の行列の中、たった一人、にやりと笑った兵士の顔—その人の心を刺すような、嘲りの笑いを書きとめるのを忘れはしなかった。それを見たハーンは、思わず自分が少年時代にクリミア戦争から凱旋した一聯隊を見ていた時、一人のズワーヴ兵の顔に浮かんだ笑いを連想せずにはいられなかった（「戦後に」）。戦勝に酔って、欲望を剥きだし、清国の分割支配を公然と叫んでいる東京の新聞の無智を嘆くハーンの筆触（「極東における三国同盟」）は、あの徹底したリアリストの陸奥宗光の傍観——「一般の気象は壮心快意に狂躍し驕肆高慢に流れ、国民到る処喊声凱歌の場裡に乱酔したる如く、将来の欲望日々に増長し、全国民衆を挙げ、クリミア戦争以前に英国人が綽号せるジンゴイズムの団体の如く、唯これ進戦せよという声の外は何人の耳にも入らず」（『蹇蹇録』）という批判に、どこか通じているようにと筆者は感じたのである。

(三)

日清戦争は清国の敗北に終わった。それより二十年が経った一九一五年、日本は列強の一員として東アジアに君臨し、中国に「二十一ヵ条」を押しつけた。当時アメリカのコーネル大学に留学していた胡適は五月四日の日記に、地元新聞 Ithaca Daily News に寄せた自分の英文書簡を録している。その書き出しはこうである。

Editor Ithaca Daily News:

Sir—Dr. W.E.Griffis' s statement concerning the Japanese demands on China, published in the Post-Standard yesterday morning and quoted in the evening papers here, calls for a word of comment.

"Let Japan direct the destinies of China," Doctor Griffis is reported to have said. "This is the wisest course to pursue in settling the troubles between the two nations." While we do not doubt the doctor's good will towards the Mikado's empire, nor his knowledge of that country, we cannot help feeling that he has ignored one important factor. He has failed to see that the Orient of today is no longer the same Orient as he saw it decades ago. In these days of national consciousness and racial solidarity no nation can ever hope to "direct the destinies" of another in order to settle the trouble between them. Has Doctor Griffis failed to learn from his Japanese source of information that there have already been very strong anti-Japanese sentiments, nay, anti-Japanese movements everywhere in China? Does he think that the Chinese will long acquiesce to Japan's direction of their destinies, even if she can temporarily succeed to do so?[15]

（『イサカ毎日新聞』編集者殿：

日本の対華要求に関するW・E・グリフィス博士の陳述が昨日の朝の『ポスト・スタンダード』紙に公表され、こちらの新聞の夕刊にも転載されました。これについてちょっと議論せずにはいられません。

報道によれば、「中国の運命を日本の指導に任せるのは、両国の紛争を解決する、最も賢明な遂行すべき方向である」とグリフィス博士は言っています。私たちはミカドの帝国に対する博士の好意を毫も疑わなければ、日本についての彼の知識をちっとも疑うつもりはありませんが、しかし彼がある重要な事実を無視していたと感ぜずにはいられません。今日の東洋はもはや数十年前に彼の見ていた東洋ではないということを彼は見落としています。民族の自覚や国民の団結に目覚めた昨今では、国家間の紛争を解決するには如何なる国も他国の「運命を指導する」ことを望むことができないと思います。グリフィス博士は彼の把握している情報源から中国の至るところで、強烈な反日感情、いやそれどころか、反日運動が存在しているということをくみ取れなかったのではないか。たとい一時的にそれを成功させたとしても、中国人が自分たちの運命が日本の支配に委ねられることを長期にわたって黙認していくとでも博士は考えているのでしょうか。）

この「グリフィス博士」とは、あの著名なウィリアム・エリオット・グリフィスのことであろう。一八七〇年に来日し、大学南校や福井藩などで四年間教鞭をとり、帰国後も日本について幅広く執筆活動を続け、『皇国』(*The Mikado's Empire*)の著書を残している親日家である。『ポスト・スタンダード』紙は博士の真意を伝えていたかどうかはさだかでないが、それより筆者はむしろハーンが生きていたら、どんな見解を述べるのだろうかという空想に想いを馳せた。ハーンの日清戦争の時評には、博士の「陳述」に幾分通じるものが確かにあるが、自国の独立を守る日本の立場を弁護したハーンの姿は印象的である。ただ民族の独立を勝ちとった後、他民族の独立を脅かす存在となりつつあった、日露戦争以後の日本をハーンは知るよしもなかった。

註

1 *The Japanese Letters of Lafcadio Hearn* , ed. Elizabeth Bisland: Houghton, Mifflin & Co,1910. pp383-384.

2 *The Writings of Lafcadio Hearn*, Boston and New York,Houghton, Mifflin & Co, 1922. VolXVI, p291.

3 *The Japanese Letters of Lafcadio Hearn*, p379.

4 「清国ト戦争状態ニ入レル旨通告ノ件」『日本外交文書』(外務省編纂、日本国際連合協会発行)第二十七巻第二冊所収、六八七号、三二四頁。

5 「脱亜論」明治十八年三月十六日『時事新報』社説。『福沢諭吉全集』(岩波書店、昭和三十五年)第十巻、二四〇頁。

6 陸奥宗光『蹇蹇録』(中塚明校注、岩波文庫、一九八三年)一七五頁。

7 『神戸クロニクル論説集―バレット文庫版収録四十一編の全訳・注解と英文原文』(新貝義五郎訳、松陰学術研究叢書)五二頁。この論説は翌年の一八九五年三月に出版された『東の国から』の「柔術」の章の末尾に、多くの言い回しの違いがあるものの、追記として再録されている。なお「バレット文庫」版ハーン論説集の刊行の経緯について、訳者の新貝義五郎氏がすでに「前文」と「後書き」に記している。全四十一編はすべてハーンが執筆したという確証が今のところ得られていないが、この小論では、ハーンの著書の内容や従来の見解に鑑みて、ハーンの論説と認められたもののみを引用している。

8　「露国諸新聞紙ノ日清戦争ニ関スル論評報告ノ件」『日本外交文書』第二十七巻第二冊所収、七八九号、四七二頁。

9　『ラフカディオ・ハーン著作集』（恒文社、一九八三年）第十四巻、一七四頁。

10　『ラフカディオ・ハーン著作集』（恒文社、一九八八年）第五巻、五四三頁。

11　同注7、三四頁。

12　一八九四年十一月十日に掲載、「シドニー号紛争」。同注7、二三頁。

13　一八九四年十二月七日に掲載、「サタデー・レビュー誌の懸念」。同注7、四三頁。

14　『東の国から・心』（平井呈一訳、恒文社、一九七五年）二四七頁。

15　『胡適日記』（曹伯言整理、安徽教育出版社、二〇〇一年）第二冊、一二三頁。

（平川祐弘編『ハーンの人と周辺』講座・小泉八雲I所収、新曜社二〇〇九年）

子供の詩《うた》──ハーンの日本体験を読む

一　他者への変容

近年、ブルターニュ生まれのフランスの詩人、作家ヴィクトル・セガレン（一八七八─一九一九、漢字名は謝閣蘭）の文業は、フランス語圏を中心に、日本や中国も含めて世界的な関心と注目を呼び起こしている[1]。西欧文明の侵入によって滅びたマオリ族の民俗世界への沈潜、また中国の内陸部へと旅し、極東の古き文明に多様な美と価値を見つけた、その「エグゾティスム」の創作に接して、われわれは思わずラフカディオ・ハーンのことを連想せずにはいられない。アメリカ黒人の唄に耳を傾け、仏領マルティニークでクレオール民俗を採集し、さらに日本で仏教・神道信仰の世界に惹かれ、古い民話、怪談から養分を汲み取ったラフカディオ・ハーンの文学もまさに異文化に「多様なるもの」の価値を見いだした「エグゾティスム」であった。そしてセガレンもハーンも二十一世紀の今日に再評価され、読み返されたのは、西欧文明の価値観、そのエスノセントリズムに縛られぬ、他者への共感と豊かな想像力をもっていたからであり[2]、彼らがオリエンタリズムの浅薄を免れたのも、西洋の近代に冷静な批判省察の視点をもっていたからであろう。

ただ単に他者の中に、多様なる美質を見いだしたばかりではない。根源的に異なるものを常に追い求め、それを絶えず自己の内面へ取り込み、深化した、他者への変容こそ、セガレンとハーンの「エグゾティスム」文学の魅力であり、その特質であった。

『若き日のラフカディオ・ハーン』の著者O・W・フロスト氏は、かつてハーンのことを「アメリカの著作家」と断定し、アルバート・モーデルの言葉を引用した形で、次のように述べている。「よく練られたより単純な彼の文体を別にして、日本が彼に与えたものは何もない。事実成長を円熟させ表現を円熟させるために、より多様な執筆経験を提供したのはアメリカであった」という[3]。確かにフロスト氏が指摘したとおり、フランス文学の翻訳、文学批評、民俗学的考察、紀行文などはいずれもアメリカ時代にハーンが見つけた分野である。しかし東京帝大での講義録も含めて、日本時代のハーンの著作を丁寧に読めば、作家の「エクリチュール」（書く行為・文体）に、他者への変容の軌跡を鮮明に読みとることができる。以下の小論は「子供」をキーワードにして、来日初期のテクストを中心にハーンの日本体験の意味を読み解くものである。

二　"Poems about Children"の解釈

私の手元には薄い、黄ばんだ小冊子がある。大正十五年（一九二六）に、北星堂書店から出たハーンの英文学講義録の一種"*Poets and Poems*"である。編者の田部隆次の説明によれば、この冊子に収められた「詩人と詩」についてのハーンの講義録は、ほとんど独立で篇を成しているが、「バイロン」と「テニスン」だけが英文学史の系列講義から引き出されたもので、そして目次の第二篇"Poems about Children"は、はじめて公刊されたものである。

この講義の冒頭において、子供をテーマにした英詩は何千何万とあるが、その大半はほとんど何の価値もない、とハーンは一蹴した上、数少ない傑作の数篇を取り上げた。「子供をめぐる詩を書くことで、ロバート・ブリッジズほど成功をおさめた男は他にいない」とハーンは強い口調でいう。ハーンによれば、田舎医者であるロバート・ブリッジズ（Robert Bridges 1844-1930）は、スウィンバーンひとりを除けば、現存する英国詩人の誰にも劣らずとてもすぐれた詩人である[4]。ハーンがまず取りあげたのは、幼い息子の死体を自分の手で洗う父親の思いを表現した「死んだ子に接して」（On a Dead child）である。第一連の始まりの二句を引こう。

Perfect little body, without fault or stain on thee,

With promise of strength and manhood fair!

(汝の完璧で小さな体、ちっとも疵もしみもない。逞しき凛とした成年を約束されていた)

子を失った悲しみ、短い詩に満ちた哀感《ペーソス》をハーンは丁寧に解説した後、死の苦痛と同様、生の苦痛を扱う第二首を紹介した。息子の未来を思う親の深い情愛を描く詩だが、その子の前途に待ち受けている苦痛、耐えなければならない苦しみを思うと、親の情愛も恐ろしい恐怖の影に覆われてしまう。その第一連のみを引く。

Sense with keenest edges unuse'd,
Yet unsteeled by scathing fire;
Lovely feet as yet unbruise'd
On the ways of dark desire;
Sweetest hope that lookest smiling
O'er the wilderness defiling!

(新しい刃の如き鋭敏な感覚、まだ容赦なき炎に鈍らされていない。可愛らしい足は、無傷のまま、暗き欲望の道に踏み出して。甘美な希望は、汚れた荒野をほほえんで眺める)

第一首の「ちっとも疵もしみもない」という純潔なイメージとも重なるが、ハーンはこの詩の含意をこう解釈している。

無垢で心の美しい子供は邪悪を知らず、すべての人を楽しませたいと願い、ほとんど神のような存在である。その世界にはまだ情熱もなく、憎しみも、妬みも、欺瞞もない。すべては率直で、真実で、美しく、あの小さな心霊は繊細で優しい。しかしこれらの善良と美質はすべて壊されるに違いない。(5)

なぜそうなるのか、ハーンの説明によると、子供はいずれ成長し、これまでと違う別の感情と感性を発達させなければならない。それは必ずしも良いものとは限らないし、とても悪いものもある。そして主要な理由はもっと単純で、つまりこの世界は邪悪な世界だという。ハーンは更にこう付け加える。「たとえば、申し分なく正直な人――子供のように正直な人は商業の世界でうまく成功できそうにない。申し分なく誠実な人――子供のように誠実な人はすぐれた外交官を務まらないであろう」。

同じロバート・ブリッジズの詩作で、第三の例として、ハーンは『愛の成長』と題するソネット集の第三十九番を取り上げた。それは少年の頃の自分の写真を眺めている男の気持ちを描いた詩である。冒頭の四句を引用する。

A man that sees by chance his picture, made
As on a child he was, handling some toy,
Will gaze to find his spirit within the boy,
Yet hath no secret with the soul portrayed.

(たまたま子供の頃の写真を目にした男、写真の自分がおもちゃを手にしていた。じっと見つめて、少年の中からかつての霊感を見つけようとしたが、写された魂に通ずる秘密をもはや持っていなかった)

童心の純潔、神聖を語る同じテーマの詩としてハーンが選んだのであろう。すでに成人となった男は写真の中の童顔を凝視し、あの内気で優しく、喜びにあふれた少年の魂を見つけようとしたが、「だが男の魂は少年の魂とはもはや何の秘密の関係も持っていない」。この詩の後半を敷衍して、ハーンは更にこう解釈している。

たぶん、彼はこの世に恐れるものが何一つなく、そして何も必要としないほど強くなっている。彼はまた野心的で、障害を乗り越えるその力、常に勝利を確信するその勇気を誇りに思っている。にもかかわらず、あの子の顔には、彼の力と知識のすべてよりも、より崇高で、より高貴立派でより得難き何ものかがあるのだ。(6)

続いて、ユニークな詩人パトモア(Coventry Patmore 1823-96)の「玩具」やチャールズ・ターナー・テニスンによる、地球儀をもてあそぶ少女を描く詩を紹介した後、この講義の最後に、ハーンは子供の顔にスポットをあてた興味深い詩を挙げた。この講義を行う数年前に亡くなった詩人フレデリック・ロッカー(Frederick Locker 1821-1895)の作品である。終わりの一連を次に掲げよう。

Your calm blue eyes, a far-off reach,
Look at me now with those wondrous eyes.
Why are you doomed to gift of speech
While you are silent, and sweet and wise?
You have much to learn -you have more to teach,
Baby mine !

(君の静かな青い目、遠くへ見据える。その不思議な目で私を見たまえ、君は無言のまま、可愛らしく、賢い、なのになぜ言葉を授けられるべく運命づけられているのか。君には学ぶべきものが多い、いやそれ以上に教えてくれることは沢山あるのだ。我が子よ）

子供の顔に浮かべた深遠な表情にふれて、ハーンは次のような聯想と解説を付け加えた。

> 芸術家たちは遙か以前からこの事実に気づいている。彼らの描く神々の顔に静かで穏やかな子供の微笑みを浮かべさせたのである。クリスチャン芸術家の中で、偉大なるイタリアの彫刻家ミケランジェロは、ある教会の内壁に描いた二枚の著名な天使の絵において、子供らしき静謐についてもっとも注目すべき研究を残した。これら天使の顔や彼らの身体は子供っぽいものだが、これらの子供の目にすべての不滅の知恵、かつてあった、現にある、あるいは今後もありうるすべての知識を見ることができる。（中略）詩人や哲学者たちも以前からこう想像している。つまり小さな子供の顔に至上の静謐と最高の叡智が見えるのは、子供の魂が天国であれ地上であれ、その前世の知恵をまだ忘れていないということを意味しているかもしれない。[7]

ハーンの英文学講義録はその文学批評の一環として、彼の批評家の側面を知る上で重要である。同時に「怪談」などの作品と同様、作家ハーンの日本時代、彼の見たもの、感じたことを語ってくれる大切なテクストでもある。ラカン派批評の流儀でいえば、英詩を解釈している分析家ハーンのこれらのテクストは、それ自体また読解分析の対象となる。「子供」の含意を解釈するこれらの文字の中に、われわれは無意識に刷り込まれている彼の日本体験の片鱗を読みとることができる一方、その日本体験の意味を考える手がかりの一つにもなると思う。

三　子供の詩――『知られぬ日本の面影』

ロラン・バルトなどが唱える構造主義の批評理論によれば、「書き手」は先行するテクスト、あるいは同時代のテクストの「受け手」であり、「書き手」が創作するということは、先行・同時代の文学資料の読み取りであり、他のテクストを自らのテクストに吸収し変形していく過程である(8)。一つだけ付け加えるなら、何かを書くということは、先行・同時代のテクストを吸収し変形していく過程であるとともに、作家自身のテクストを変容させる過程でもあると言える。

日本時代におけるハーンの作品、特にその第一作『知られぬ日本の面影』に収められた数篇は、ニューオーリンズやマルティニークで試みた翻訳、評論、紀行文といったテクストを変形させたものと言っていい。あたかも何枚かのネガを重ねたように、下にあるものの図形や模様が透けて見える。もちろん、それはネガを熟知していればの話である。例えば、山陰地方で、伯耆の国の「盆踊り」を見て、それを再現した幻想的な文章の下に、かってハーンが心酔し、自ら翻訳した、『アフリカ騎兵物語』の中でバンバラ族の輪舞を描いたロティの筆触が透けて見えはしないだろうか(9)。

この初期の作品集は確かに『仏領西インド諸島の二年間』などの前作のスタイルを踏襲しているところが多く、ロティの色彩に染まっている。しかしこういった先行・同時代テクストとの交錯の行間に、ハーンは確実に新鮮な感性と独自の観察を織り込んでいる。「子供」の姿を描く筆触は、明らかに作家の内面にある変化を示している。この第一作には、子供が点描として沢山登場し、子供にまつわる記述が非常に多い。あたかも通奏低音のように流れているという指摘もある(10)。そしてもっと注目すべきことは、「子供」を登場させるこれらのテクストの記述様式であろう。つまり作家が意識的に選択した「文体」にこそ、小泉八雲へ転身したハーンの深層体験が投影されているのである。

横浜から上陸したハーンの目に映ったのは、住み慣れた世界に比べて、何もかも一回り小さく見える「小さな妖精」の国であった。青い屋根の小さな家、青いのれんを下げた小さなお店、青い服装を着て微笑む小柄な人々(11)。やがてハーンは日本人の人種的特徴の一つに注目してこう記述している。

この国の人たちの足は、何と小さく、いい恰好《かっこう》をしていることだろう――農夫の日焼けしたはだしの足も、小さな、小さな下駄をはいた子供たちのきれいな足も、真白な足袋をはいた娘たちの足も。（仙北谷晃一訳）[12]

「小さな妖精」(elfish) の如き表現は、ハーンの創意発見ではなく、同時代のテクストによく見える、ありふれたものであり、建築や人種的特徴の観察もいわばロティのスタイルをふまえているのであろう。ところが、『知られぬ日本の面影』の第二篇「弘法大師の書」に出てくる男の子についての描写は注目に値する。

あの頃、弘法大師はよく一人川辺で瞑想していた。ある日、瞑想しているところ、男の子が彼の前に立って、物珍しそうに彼を見つめていることに気づいた。その子の衣服は貧しい人々が着ているようなものだが、その子の顔は美しい。[13]

大師は男の子と会話を交わし、乞われるまま大空にも川の表にも揮毫した。男の子も同じことを繰り返した。草書体の「龍」の字を川水に書いた際、男の子は「点」を書くのを忘れた。そこで大師は男の子に問いかけ、頼まれるままその「点」を添えると、龍の字はたちまち龍に変身し、雨雲や稲妻を呼び起こして空へと飛び去った。すると、大師は男の子に「おまえは何ものか」と聞いたところ、「私は人々に五台山で祭られている知恵の主――文殊菩薩です」と男の子がそう答えると、ある種の変化が現れ、彼の美しさは輝きを発して、美しい神々のように見えたという。

ここに記されているのは仏教にまつわる民間伝説で、男の子も現実の中の子供ではない。しかし、日本の子供へのハーンの興味と観察は、最初から仏教美術、子供の守護神でもある地蔵信仰と結びついている。第三篇「地蔵」の一節を見てみよう。

友人のアキラに案内されて、ハーンは神社仏閣を巡り歩いて石碑や仏像を見て回った。石仏の多くは瞑想か説法している姿で、中には眠っている姿のものもあり、「夢みるような安らかな子供の、それも日本人の子供の寝顔をしている」という。樹影ほの暗い墓地の石段を降りたところ、ハーンは高さ三フィートほどの小さな仏像を六体見つけた。柔和で子供のようなお顔はどれも古風で神秘的にみえる。

〝六地蔵〟――この仏像群を人々はそう呼んでおり、日本の墓地ではよく見うけられる。お地蔵さまとは、日本の民間信仰におけるもっとも麗《うるわ》しく、心優しい姿の表現に他ならず、それは小さな子供の霊魂を守り、不安の世界にあって慰め、鬼の手から助けだしてくれる、魅力的な神様なのである。（牧野陽子訳）(14)

子供が死ぬとその小さな亡霊たちが「賽の河原」へ彷徨いながら、罪滅ぼしの小石の塔を積み上げる。そこで地蔵さまは彼らをその大きな袂の中にかくまって、鬼どもの脅しから守ってあげるのだとハーンは地蔵にまつわる民俗を記録する。「この白い石の中に夢見ているような、死んだ子供たちの遊び相棒は、まるで美しい少年のように、如何なるキリストの像よりもはるかに甘美である。その神々しい顔には仏教芸術のみが思い描きえた微笑み、無限の愛情と優しさをもつ微笑みをたたえている」。

「子供の幽霊の洞窟にて」（In the Cave of the Children's Ghosts）と題する一篇において、ハーンは加賀の潜戸《くけど》を見物した際、出会った日本の子供たちを描いている。小さい子供たちが旅館の障子の穴から変な外人を覗いている。

男の子も女の子もほとんど皆、暑さのために半裸体だが、それでも花の蕾《つぼみ》のように爽やかで清潔だ。何人かの顔立ちは驚くほど可愛気《かわいげ》で、あまり感じのよくない面相《めんそう》はごく少なかった。しかし大人の男どもや年取った婆さんたちはどこにいるのだろう？ここにいる子供たちを見ていると加賀浦の人ではなくて、賽《さい》の河原の子供たちかと思われてくる。男の子たちはまるで小さな地蔵様のような顔をしている。（平川祐弘訳）[15]

これらのテクストに現れるハーンの「文体《エクリチュール》」の変化を捉えるには、アメリカ時代のそれと比較するがよい。『コマーシャル』紙のためにハーンが書いた記事には、「波止場の子」（A Child of the Levee,1876,6,27）という一篇がある。オハイオ川を行き来する蒸気船の汽笛を聞き分けてそれを真似できる、粗野で不思議な能力をもつ黒人の若者がスケッチされている。ほかにもバックタウンや河岸の界隈に住む粗暴な「波止場の子供」たちの動物的な欲求や快楽を活写している[16]。それを記述した文章にはむろん「叡智」（wisdom）や「神々しい」（heavenly）、「優しさ」（gentleness）などの表現が見あたらない。

マルティニークであのオレンジ色や金色、褐色の肌をした少年たちについてハーンが記述したのもその自然と人種の属性で、その野生の活力であった。船客が投げた銀貨を潜って拾う子供たちのしなやかな体が、蒼い海水の中で白く輝く足の裏を除いて、真っ赤に見えた。

> 少年たちは、まるで魚が泳ぐように、はた目には何の苦労もなさそうに、水中を自由自在に動きまわる。大部分はなかなかいい子柄の子たちで、手足はまるまるとして、足や手の先もたいへん花車《きゃしゃ》にできている。でも、中でいちばん潜るのが上手で泳ぎが早いのは、肌の色の赤い子で、顔だちなどは平凡だが、さすがにすんなりとしたその体つきには、古い時代のブロンズ像のような優美なものがある。（平井呈一訳）[17]

イギリス初代駐日総領事オールコックがかつて『大君の都』において日本を「子供の楽園」と呼んだ。ハーンより一年早く来日したエドウィン・アーノルドはビーズ玉のように黒い目をして品のいい広い袖の着物を着て街路の真っただ中ではしゃぎ回りながら遊ぶ子供らの姿を書き記している。オランダ海軍軍人カッテンディーケが長崎での見聞をふまえて「一般に親たちはその幼児を非常に愛撫し、その愛情は身分の高下を問わず、どの家庭生活にもみなぎっている」と感想を述べている。福井藩や大学南校で教えたグリフィスは羽根突き、凧揚げ、独楽回し、鬼ごっこ、竹馬、かくれんぼうなどの日本の子供たちの遊びを詳細に記述している(18)。

これら先行・同時代のテクストに比べて、ハーンの記述の独自性は、現世の即物的な観察よりも、常に日本人の宗教信仰という文脈において、その「前世の記憶」と結びつけて子供の姿を捉えていると言えよう。玩具を見つめている、お多福のそれに似ている幼児のお茶目な瞳からハーンはある種の喜び——遠い先祖から伝わってきた喜びを見いだしているという(19)。この「前世の記憶」と古い信仰は太古の時代にさかのぼり、古代地中海社会の信仰世界とも一脈通ずるところがあるとハーンは感じた。日本人が信仰した古代の神々をハーンは「人類幼年期の神々」(gods of a people's childhood)と呼んでいる。江の島から帰る途中、藤沢村の近くにある、荒れ果てて崩れかけた仏堂でハーンは青面金剛《しょうめんこんごう》の像を見た。古い信仰の偶像を眺めながら、かつて古文書学者や考古学者の仕事を通して研究し、愛した古代の信仰がなお現実に生きていると思うと、ハーンは恍惚として二千年の歳月を越えて、遙か幸福だった時代へ返った錯覚を覚える。

> 少なくとも、この短い一瞬において、私は本当にこの古代世界に身を置いている。たぶんちょうどこの世界の忘れがたい瞬間に身を置いているのだ。——原始的信仰が些か時代遅れになりつつあり、新しい哲学の浸食力によってゆっくりと崩れかけている。それでも私は自分が異教徒であることを知っている。なにしろ私はこれら素朴な古代の神々、人類幼年期の神々を愛しているからである。(20)

「新しい哲学の浸食」が恐ろしい速さで広がっていく中で、やがてハーンは、素朴な信仰をもつ日本人が全く別の性質を発達させねばならないということを思い知らされるのである。『神戸クロニクス』でハーンが執筆した日清戦争をめぐる時評を読めば、職業ジャーナリストの目が曇っていないことがわかる。そういった意味で、日清戦争終結後、五年ぶりに出雲の地へ戻った時の感触を記した「出雲再訪」は興味深い作品である。初めて心に焼きついた「知られぬ日本の面影」に振り返って、ハーンの胸にはある種の索漠たる悲哀がこみ上げてくる。何かが失われていた。それが何だったのだろう。

私には分からない。しかし、やがて私は、人の幸せの大方《おおかた》はものの実体を知らぬことにあるのではないかと考えはじめていた。表面の下を覗《のぞ》かぬこと。そして赤裸々《せきらら》な現実を知らぬこと。このとき私の心にあの奇妙な日本の諺《ことわざ》が新たな意味をもって甦《よみがえ》ってきた。「知らぬが仏」（遠田勝訳）[21]

後年東京帝大で「ウィリアム・ブレイク」の詩（『英文学畸人列伝』所収）を講じた際、ハーンはその「子守唄」の最後の連にふれて、やはり同じ諺「知らぬが仏」を引き合いに出していた。その最後の四句は次のとおり。

おお、ずるがしこいたくらみが
眠る幼い心にしのびこむ！
幼い心がめざめるとき
恐ろしい稲妻がはじける。[22]

現実の日本に幻滅したハーンは、ありのままの日本を直視する作品を書くという方向に努力を向けなかった、という批判がある。子供がいずれ成長し、大人となる。少年の頃の写真を眺めて茫然とした男のように。しかしかつての少年の面影は幻ではなかった。日清戦争以後、「新しい哲学の浸食」のもとに、明治の急激な変革の陰においても、なお古き日本の暮らし、素朴な民俗の一部が残されていた、とハーンは見ている(「出雲再訪」)。それは名もない庶民の中、古い伝承、民衆の信仰の中になお生きていたのであった。晩年の「怪談」再話を含めて、ハーンの日本時代の著書は、独自の「文体《エクリチュール》」で綴られた虚構の世界をなしている。だが、「日本人の魂を研究」し、それ記録した明治文学として、かけがえのない歴史の真実を映し出している。

註

1　日本では、一九九〇年代以後その著書の紹介が現れ、特に二〇〇一年から水声社より『セガレン著作集』(全八巻)が刊行された。それとほぼ同じ時期の一九九一年に、セガレンの小説『ルネ・レイス』(Rene'Leys,1922)、九三年に詩集『石碑』(Ste'les,1912)が相次いで中国語に翻訳され、三聯書店より公刊された。そして二〇〇六年に『セガレン中国書簡』が出版され、二〇〇七年四月に上海復旦大学・フランスセガレン研究協会の共催で、「セガレンの足跡を踏んで」という国際シンポジウムが開かれた。

2　'Lafcadio Hearn, a Reappraisal' by Sukehiro Hirakawa, *Lafcadio Hearn in International Perspectives*, ed. by Sukehiro Hirakawa (Global Oriental,2007),p.2.

3　『若き日のラフカディオ・ハーン』(西村六郎訳、みすず書房、二〇〇三年)二七五頁。

4　Lafcadio Hearn: *Poets and Poems*, Compiled with notes by R.TANABE, The Hokuseido Press,1926. p.10.(英語作品の日本語訳は、特記がなければ拙訳による)

5 ibid.p.14.

6 ibid.p.20.

7 ibid.p.41.

8 『読むための理論—文学、思想、批評』（石原千秋その他編、世織書房、二〇〇五年）八頁参照。

9 平川祐弘氏論文「祭りの踊り—ロティ・ハーン・柳田国男」参照。「異郷のヴィジョン」という視点からこうしたテクストの変形の連鎖を明らかにした論考である。『オリエンタルな夢—小泉八雲と霊の世界』（筑摩書房、一九九六年）所収。

10 牧野陽子による「解説」参照。『神々の国の首都』（平川祐弘編、講談社学術文庫、一九九八年）所収。

11 Lafcadio Hearn: *Glimpses of Unfamiliar Japan*, Vol.1, Boston and New York, Houghton, Mifflin & Co.1922. p.5.

12 ibid.p.14.

13 ibid.p.36.

14 ibid.p.52.

15 ibid.p.264.

16 『若き日のラフカディオ・ハーン』一九五頁—一九九頁参照。

17 Lafcadio Hearn: *Two Years in the French West Indies*, Boston and New York, Houghton Mifflin & Co,1922.p.32.

18 渡辺京二『逝きし世の面影』（葦書房、二〇〇〇年）「子どもの楽園」の章を参照。

19 *Glimpses of Unfamiliar Japan*, Vol.1.,p.137.

20 ibid.p.118.

21 「出雲再訪」（Notes of a Trip to Izumo）は、雑誌発表のまま、ハーンの生前単行本に収録されていなかった。訳文は

『明治日本の面影』(平川祐弘編、講談社学術文庫、一九九九年)所収、三三二頁。
22　『ラフカディオ・ハーン著作集』第十巻(由良君美その他訳、恒文社、一九八七年)一七頁。

(岩波書店『文学』七、八月号、二〇〇九年)

周作人の文体と漢文訓読

周作人（知堂老人。一八八五―一九六七）は近代中国の屈指の文章家である。その散文（エッセイ・随筆）創作は、六十余年の長きにわたって継続され、八十二歳でこの世を去るまで、創作、翻訳をあわせて実は一千万言にものぼる作品を残している。彼の小品散文の思想性、芸術達成は、同時代の胡適（一八九一―一九六二）や阿英（一九〇〇―七七）などによって高く評価され、その後もしばしば論じられてきたが、作家の文体に焦点を絞ったまとまった論考は皆無に近い。この小稿では、彼の文体特色―語彙、文法、修辞―及びその流転変遷に焦点を絞り、特に日本文学翻訳や漢文訓読との関わりを視野に入れて概観してみたい。

一　早期の擬古文

現存する周作人の散文作品は約三千篇あるが[1]、その文章スタイルを大雑把に分けると、擬古文、白話口語文、白話文語混淆文の三種ある。創作時期から見れば、一九〇四年から一九一八年までの早期習作はおおよそ擬古文調であった。

一九二三年の『自己の園地』から一九三七年の『瓜豆集』『秉燭談』まではいわば作家の豊熟期で、白話口語文と白話文語混淆文が主流となっている。日本占領時代に公刊された『薬堂語録』『薬味集』『書房一角』の数冊は古文の抄録が多く見られ、文語修辞が目立つ一方、白話口語文も交互に使われ、文体変化が活発に行われていた。一九五〇年代以後、上海や香港の新聞に寄せた小品は基本的に白話口語文である。

一九〇四年五月十五日『女子世界』第五期に「呉萍雲」の署名で発表された「死生を説く」一篇は現在知られている限りで周作人の最も早い時期の文字である。その冒頭の一節を引く。

天地一蜉蝣、百年一旦暮、生死之問題、渺乎小哉！年華不再、白髪催人、老大徒悲、頭顱責我。

(天地はかげろうの如く、百年も一昼夜に過ぎない。人間の生死は何とちっぽけなことか、光陰は逆戻りせず、いつの間にか白髪となり、ひたすら年取るのを悲しみ、理性はわれを責める)

といった調子であった。その後『天義報』『河南』『紹興公報』『紹興県教育会月刊』等の新聞雑誌に寄せた論説や時評などもすべてこういった擬古文である。

一九一七年に上京して北京大学教授に就任するまでの数年間、周作人は浙江省立第五中学で英語を教えながら、読書と研究の日々を過ごしていた。中学生有志の学術団体「叒社《じゃくしゃ》」が発足された時、周作人もその「名誉社員」に選ばれた。『叒社叢刊』に寄せた「一簣軒《いっきけん》雑録」（一九一六年）は擬古文調で書かれ、日本の俳句を紹介する一節で、ハーン Lafcadio **Hearn**（小泉八雲一八五〇—一九〇四）にも触れている。それを漢文読み下し風に翻訳するとこうなるであろう。

英国人ヘルン、後に日本に帰化し、妻の姓に従ひ、小泉八雲と曰ふ。『日本雑記』を著し、其の「小詩」の章に有りて云はく、「日本詩歌の原則は、絵画と相合す。歌人は数個の単字を用いて詩を成す、正に猶ほ画師の意を写すが如く、淡々たる数筆、見る者をして自然と其の言はんと欲する所の情景を領会（体得）せしむるなり。其の力は全て暗示に在り、白描（克明に描き）着色を尚び、或ひは繁辞縟采《じょくさい》（文辞を煩瑣に装飾）すれば、返って之を失ふなり。蓋し芸術の目的は、ただ人の神思を激起せしむる（感興を催させる）に在るのみにして、以て之を厭飫《えんよ》（退屈）せしむるには非ざるなり。故に佳妙《たくみ》なる短詩を読むは、晨鐘《しんしょう》（朝の鐘）の一撃を聞くが如く、幽玄の余韻、縷々《るる》として永く続き、梁《りょう》を繞《めぐ》って去らざるが如し」と。其の言は頗る透辟（透徹）なり。

英人赫倫、後帰化日本、従妻姓、曰小泉八雲、著《日本雑記》、其《小詩》一章中有云：〃日本詩歌之原則、與絵画相合、歌人用数単字以成詩、正猶画師之写意、淡々数筆、令見者自然領会其所欲言之情景、其力全在於暗示、尚白描着色、或繁辞縟采、反失之矣、蓋其芸術之目的、但在激起人之神思、而非以厭飫之也。故読佳妙之短詩、如聞晨鐘一撃、幽玄之余韻、縷々永続、如繞梁而不去。〃其言頗透辟。[2]

むろんこれは純正な古文ではなく、現代の語彙も混ざった点において、清末に流行っていた梁啓超（一八七三―一九二九）の論説文体を幾分彷彿させるところがある。同治十二（一八七三）年に広東省新会に生まれた梁は、一八八五年生まれの周作人よりちょうど一回り年上だが、二人は明らかに別の世代に属していた。「一身にして二生《にせい》を経《ふ》るが如く、一人《いちにん》にして両身あるが如し」[3]という体験を余儀なくされた幕末の日本の知識人のように、梁啓超の世代は、一つの文明の滅亡という数千年未曾有の「変局」[4]とそれにひきつづく急激な価値の回転を経験していた。時代の激流に翻弄され、寸断された無数の人生が一方にはあるが、その荒波の勢いで時代の先頭にのし上がった者も現われた。梁啓超はまさに清末という文明史的転換期において、時代の先頭に立った「寵児」であった。近代の国民国家の形成へむけて、政治、法律、経済、哲学、宗教の広い分野で、超人的な仕事を残し、文明の再造に働きかけたという点で、彼の功績は明治のすぐれた啓蒙思想家・福沢諭吉（一八三五―一九〇一）のそれに匹敵する。また文人ジャーナリストとして、新聞や雑誌を手がけて、洒脱な筆を揮ったさまは、成島柳北（一八三七―八四）の才気に決して譲らない。大衆に深い感銘を与えた、あの「筆端つねに感情を帯びる」と言われた扇動的な文体は、明治のデマゴーグ徳富蘇峰（一八六三―一九五七）を思わせる。一九〇二年壬寅二月、亡命先の横浜で『新民叢報』を創刊してから一九一一年の辛亥革命に至るまでの約十年間、梁啓超は中国社会の変革を望む若者が崇拝する偶像であった。新知識を求める青年で、思想的に彼の洗礼を受けなかった者など誰一人いなかったのである。

十八歳の周作人も「梁任公の文章」に深い感動を覚えた。壬寅年の日記にあたると、旧暦三月三十日の条に、同級生の鄭仲経《ていちゅうけい》のところで『新民叢報』第五冊を見たとある。年間購読料は「洋《ぎんか》五元」だから、「書は極めて好いが、価《ね》は鉅《たか》いので力が及ばない」と、買えないことを悔しがっていた。(5)三ケ月後の旧暦七月三日の条を次に掲げる。

水曜、曇。午前紹興へ手紙を二通出す。午後「政党小史」を看《よ》む。夜同級生黄尹明《こういんめい》の処から「新民叢報」第十一号（六月朔《ついたち》出る）を借りて閲したところ、好い書物が甚だ多い。率《おおよそ》みな飲氷子の著なり。夜半まで読み枕に就くに忍びず、善哉、善哉、我をして羨ましがらせるなり。(6)

「飲氷室主人」は梁啓超の別号である。『新民叢報』第十一号には、彼の以下の作品が載っている。

「新民説」の「進歩を論ず」篇（別名「中国の群治進まぬことを論ず」）
「民約論鉅子盧梭《ルソー》の学説」
「新史学」

「新羅馬伝奇」
「十五小豪傑」
「飲氷室詩話」

翌日の日記によると、さっそく「昼ころまで飲氷室詩話、尺牘を抄し、及び新羅馬伝奇、新民説などを書き抜き」、午後に同級生胡韻仙《こいんせん》に手紙をおくり、「自由書」と「中国魂」の二書を買ってもらうように頼んだという(7)。さらに二日後の七月六日の日記には、「夜自由書の一冊を借り、之を閲《よ》んで美しくて収めるに勝《た》えず」とある。また一週間後の七月十四日の日記で、梁啓超の略歴に触れて次のように記している。

新会梁任公啓超（横浜新民叢報社主筆、中国の新民と自称し、また飲氷室主人という号もある。「自由書」「中国魂」などの著書があり、その他論説著述などが尚多くて枚挙に及ばず）の著わした「現世近世界大勢論」の一巻を読む。四月に出版された。「滅国新法論」が付されて、その詞の趣旨は警世に響き、せつない。我が国の青年は当《まさ》にそれを目すべきである。(8)

後年、梁啓超の文体について、周作人は次のような見解を示している。「梁任公の文章は唐宋八家、桐城派と李笠翁、金聖嘆を一つに融合させる一方、しかもその古きを取り入れながら新しさを打ち出したものである」(9)。この「古きを取り入れながら新しさを打ち出す」（原文は「翻陳出新」）とは、古文の句法と現代語彙との結合を指しているのであろう。早期の周作人の擬古文もたいていこういった流儀を汲むもので、あくまで先達模倣の域を出ず、独自の文体を模索しようとする意識があまり見られなかった。

二　「古詩今訳」の立場

一九一七年四月、周作人は上京して間もなく張勲（一八五四―一九二三）による復辟事件[10]に遭遇する。二週間も経たぬうちにそそくさと幕を閉じた茶番劇だったが、近代中国の政治史、文化史の展開に極めて深遠なる影響を及ぼした。周作人が言うには、「その後の生気溢れる文化上の諸種の運動は、どれも復辟事件に刺激されて発生し盛んになったものである」。[11]さらに白話文提唱という文体改革との関連や、自分自身が「五・四」新文化運動に関わった動機に触れて次のように述べている。

> 雑誌の『新青年』を例に言えば、もともとは『青年雑誌』と言って、五・四運動以前からあった普通の刊行物だった。陳独秀が編集に当たったとはいえ、これといった特色もなかった。後に胡適がアメリカより寄稿し、文体改革を唱え、聞こえの良い名称で「文学革命」と称したが、可笑しいことに、彼は自分の書いた文章にも白話文を用いなかった。第三巻において陳独秀が胡適に答える書簡が掲載され、かなり強気にこう書いているのだが――「独り中国文学を改良するにあたって白話文学を正統とする説は、其の是非甚だ明瞭で、反対者に討論の余地を与えるべからず、必ず我が輩の主張する者を絶対とし、他人の是正を断じて許さぬもの也」。とはいうものの、彼自身も反対者と同様、古文を書いている。(中略)当時、私も古文を書いていた。増補版『域外小説集』に収められたソログープ[12]の寓言数編は、いずれも復辟前後の時期に翻訳されたものである。あの事件の衝撃を受け、その後もあれこれと考えた結果、翻然と目覚め、中国には「思想革命」の必要があり、「文学革命」だけでは実に不十分だということを感じたのである。むろん表現上の文字改革も自ずと関連してなすべきことではあるが、主要な目的ではないのだ。[13]

このような思いを込めて周作人が手がけた最初の白話文は「古詩今訳」である。内容は古代ギリシアのテオクリトス

Theocritos(紀元前三世紀前半)の、『牧歌』*Eidyllion* 第十番の翻訳、復辟事件二ヶ月後の九月十八日に訳し終え、十一月十四日にさらに解題の一編を付け加え、『新青年』に送り、その第四巻第二号(二月十五日)に掲載された。解題の原文は次のとおり。

一、テオクリトス(Theokritos)の『牧歌』は二千年前ギリシアの古詩だが、今口語で訳すのはそれが素晴らしい作品で、中国では口語でしか訳せないと信じたからである。

鳩摩羅什法師が言うには、翻訳とはあたかもご飯を咀嚼して人に食べさせるが如き事柄である。それはもとより結構なことだが、十全な訳を求めるならば、翻訳を断念するしかない。もし訳せば、常に二つの欠点がつきまとう。しかし、私に言わせれば、これこそ翻訳の要素である。一つは原作に及ばないこと、なぜならすでに中国語に訳されたからである。もし原作と同様によい出来映えを期待するなら、テオクリトスに中国語を学んで自分でやって貰うしかない。二つ目は漢文——声調を整えて読みやすい文章——らしくないこと。なにしろもともとは外国の著作だから。もしも漢文のような様式を取れば、それは私が自分勝手に書き換えた出鱈目な代物で、本物の翻訳とは言えない。

二、口語で詩を作る場合、五、七言を用いてはならず、必ずしも押韻することもない。ただ呼吸の長短にあわせて句を作ればよい。現にこの流儀で牧歌を訳しているが、試みに読んでみるがよい。これが私の言うところの新体詩である。(下略)[14]

形式はあくまでも内容を伝達する手段に過ぎず、中国の古き文化を改造し、外国の思想と文藝を取り入れるためには白話口語文は最適な形式である。とはいえ、平俗な口語文自体が究極の目的なのではない。これがいわば「古詩今訳」の立場である。

一九二一年五月、文学研究会の機関誌となった『小説月報』に掲載された「日本の詩歌」は、いわば周作人の短歌、俳句研究の出発点である。日本の歌の諸種――長歌、短歌、旋頭歌、連歌、俳句、川柳――を系統的に要領よく中国の読者に紹介したものとして、これは最初の試みではないかと思われる。彼はその第二節で、前掲の「一簣軒雑録」に引かれたハーンの文章を今度は口語に訳して再録している。

　日本詩歌の審美上の通則はまさに日本絵画の原則と合致している。短詩を作る人が、精選した数少ない単語を用いて、ちょうど画家がほんの数筆を描くように、小さな詩を成してある種の感情と気分を引き起こす。この目的を達するためには、詩人または画家はすべて暗示の力に頼っている。……短い歌を作る場合、言葉の完備を求めていれば失敗を免れないであろう。詩歌の目的は、人間の想像力を満足させるのではなく、ただそれに刺激を与え、自ら活性化させることである。従って「言い尽くす」Ittakiri という言葉は、少しも含蓄余韻をもたぬ駄作を批判するものである。最もよい短詩とは、読む人に言外の意味を感得させ、心に染みいり、ちょうど寺の鐘の一撃の如く、縷々とした幽玄の余韻を聞く者の心にいつまでも響かせるのである。[15]

The common art-principle of the class of poems under present consideration is identical with the common principle of Japanese pictorial illustration. By the use of a few chosen words the composer of a short poem endeavors to do exactly what the painter endeavors to do with a few strokes of the brush--to evoke an image or a mood--to revive a sensation or an emotion. And the accomplishment of this purpose--by poet or by picture-maker--depends altogether upon capacity to *suggest*, and only to suggest. ……In the same way a poet would be condemned for attempting any *completeness* of utterance in a very short poem: his object should be only to stir imagination without satisfying it. So the term "ittakiri"--meaning "all gone," or "entirely vanished," in the sense of "all told"--is contemptuously applied to verses in which the verse-maker has uttered his whole thought;--praise being reserved for compositions that leave in the mind the thrilling of a something unsaid. Like the single stroke of a temple-bell, the perfect short poem should set murmuring and undulating, in the mind of the hearer many a ghostly aftertone of long duration.(16)

ハーンの原文と対照して読み比べると、文意伝達という点において、前掲の擬古文とこの口語訳との優劣は一目瞭然である。

西洋の作品のみでなく、日本の古典を紹介する際も、「古詩今訳」の流儀に従っている。一九二三年二月十一日、彼は『晨報副鐫《しんぽうふくせん》』に「児童を歌う文学」という短文を寄せ、はじめて『枕草子』に触れている。日本の短歌、俳諧、随筆に現われた、子供を描く文字を拾い、児童の詩文に欠ける中国の実情と対比している。そのもっとも早い事例として、『枕草子』の「うつくしきもの」（第七二段と周作人が記しているが、参照した版本は不明。岩波書店の日本古典文学大系本では第百五十一段）を紹介している。

可愛的事物。瓜子臉的小孩。（中略）三歳左右的小孩急急忙忙的走来、路上有極小的塵埃、被他很明敏的看見、用了可愛的手指撮着、拿来給大人們看、也是極可愛的。（下略）(17)

（可愛らしいもの　瓜実顔の幼児。（中略）三歳前後の子供が急いで歩いてきて、その道にあった、とても小さな塵を目ざとく見つけて、可愛らしげな指につかまえて、大人などに見せているのは、とても可愛らしい。）

うつくしきもの　瓜《うり》にかきたるちごの顔《かほ》。雀《すずめ》の子《こ》の、ねず鳴《な》きするにをどり来《く》る。二《ふた》つ三《み》つばかりなるちごの、いそぎてはひ来《く》る道《みち》に、いとちひさき塵《ちり》のありけるを目《め》ざとに見つけて、いとをかしげなるおよびにとらへて、大人《おとな》などに見《み》せたる、いとうつくし。(18)

ちなみに、冒頭の句「瓜にかきたるちごの顔」を周作人は「瓜実顔の幼児」と誤訳しているが、一九六一年に全訳を行った際「画在甜瓜上的幼児的臉」（真桑瓜に描いてある幼児の顔）と訂正している。(19)

二日後の二月十四日、同じ『晨報副鐫』に掲載された「俺的春天」は小林一茶（一七六三—一八二七）の『おらが春』（一八一九年成立）を紹介している。一茶が幼時の記憶に触れた一節を、周作人は次のように口語訳している。

「母親のない子供はどこでも目につく。指をくわえて玄関口に立っている。」このように子供らに唄われると、私はあの頃とても心細く、あまり人々に近づこうとしなかった。ただ裏の庭園の積み重ねた茅の下に隠れて長い日々を過ごしていた。我が身ながらに可哀相に感じた。

私と遊ぼうよ、母のない雀——六歳時の作。(20)

親のない子はどこでも知れる、爪《つめ》を咥《くは》へて門《かど》に立《たつ》。と、子どもらに唄《うた》はるゝも心細く、大かたの人交《ひとまじは》りもせずして、うらの畠《はたけ》に木萱《かや》など積《つみ》たる片陰に踞《かがま》りて、長の日をくらしぬ。我身《わがみ》ながらも哀《あはれ》也けり。

我と来て遊べや親のない雀《すずめ》　六才　彌太郎(21)

周作人は晩年ギリシア・日本の古典『ルキアノス対話集』(22)や『枕草子』を翻訳した際、やはりこういった平明な口語体を採り、見事な出来映えを示している。

三　円熟期の創作と漢文訓読

百五十年前、フランスのヴォルテールは『カンディード』*Candide* という小説を作って人世の苦難を述べ、「全舌《パングロス》博士」の楽天哲学を嘲笑した。カンディードは先生の全舌博士とともに幾多の憂患を経てついにはトルコの一隅に辿りつき、畑を耕して生計をたて、やっと安住するにいたる。カンディードは全舌博士の終始変わらざる楽天説に対して結論を下して言う、「それらは皆大変結構なことですが、でも私たちはやはり自分の畑を耕した方がよいですよ」と。[23]

これは一九二二年一月二十二日『晨報副鐫』に発表された「自己的園地」の冒頭の一節である。この「自己的園地」は、翌一九二三年九月、北京晨報社から出版された周作人の最初の随筆集の題名にもなった。「中国新文藝批評の礎を固めた」と批評家・阿英が評価したこの書物は、作家の創作指向をすでにほのめかしている。一九二〇年代後半より、周作人は次第に独自の散文文体を築き上げ、「小品文」の大家として地歩を固めた。『自己的園地』を皮切りに一九三七年日中戦争が勃発するまでに、彼は十数冊の随筆・散文集を上梓している。後世に読み継がれ、人口に膾炙する彼の作品もほとんどこの時期に書かれた。その主要なものを以下に列挙する。

『自己的園地』　北京晨報社、一九二三年。
『雨天的書』　北京北新書局、一九二五年。
『澤瀉集』　北京北新書局、一九二七年。
『談龍集』　上海開明書局、一九二七年。
『談虎集』　上冊・下冊、上海北新書局、一九二八年。
『永日集』　上海北新書局、一九二九年。
『藝術與生活』　上海群益書社、一九三一年。

『看雲集』　上海開明書店、一九三二年。
『夜讀抄』　上海北新書局、一九三四年。
『苦茶随筆』　上海北新書局、一九三五年。
『苦竹雑記』　上海良友圖書公司、一九三六年。
『風雨談』　上海北新書局、一九三六年。
『瓜豆集』　上海宇宙風社、一九三七年。
『秉燭談』　上海北新書局、一九四〇年（一九三七年四月までの作品を収録）。

周作人の散文に及ぼした外来の影響には、おおよそ西洋と日本の両方がある。冷嘲と諷刺の手法は古代ギリシアの犬儒派作家のそれを思わせ、理知的思考という側面は英国風の「随筆《エッセイ》」に負うところが多いが、その「沖淡」「潤沢」、些かの「諧謔」と「渋み」は日本文学の感化に由来している。それは兼好法師の随筆に遡り、江戸期の俳文、明治期の写生文、それに漱石、荷風の近代散文の流れを汲むものである。さらに文体の変化に焦点を絞ると、漢文訓読との関連も視野に入ってくる。

周作人が漢文訓読について直接に語っているのは、一九三五年六月に書いた「和文漢讀法」の一篇である。それは清末に梁啓超が著した『和文漢讀法』[24]を論じたもので、後に『苦竹雑記』に収められた。その冒頭の一節を以下に引用しよう。

梁任公が著した『和文漢讀法』はいつ出たのかはっきりしないが、おおよそ庚子年の前後だろうか、今日までですでに三十数年にもなるが、その影響は極めて大きい。人々に日本語の学習を励ました一方で、日本語があまりにも簡単だという

誤解も与えた。この二種の状況は現在でも残っている。(25)

『和文漢讀法』は日本語の文章を読むための入門書である。その発想はむろん漢文訓読に触発されたもので、漢文を顛倒して読む訓読体の和文を逆さまに直して読む方法である。梁啓超が言うには、「日本文は漢字が十分の七、八を占め、専ら仮名を用いて漢字を使わないのは、脈絡詞及び語助詞のみである。その文法と言えば、常に実字を文頭に置き、虚字を文末に置く故に、その法則を理解して逆さまに読み、通常に使われる脈絡詞、語助詞を見つけて除外すればよい。かくの如く習熟して憶えれば、滞ることなく書物が読めるようになるのである」。この方法を運用すれば、「数日で基本を覚え、数ヶ月で習得できる」(26)という。

ただし日本語の口語会話はそう簡単に身につけるものではなく、「一年を必要」とし、「和文漢讀法」をあくまで「日本文を学び日本の書物を読む」ための方法だと梁啓超はことわったのだが、周作人が指摘したとおり、「日本語があまりにも簡単だという誤解を与えた」ことも事実である。仮名や助詞虚字部分の働きを軽んじた梁啓超の議論と対照して、周作人は日本研究の先達である黄遵憲《こうじゅんけん》（一八四八―一九〇五）の見識を高く評価する。『日本國志』巻三十三「學術志、二」の「文學」篇において、黄遵憲は日本語の音が少なく、語彙が長いこと、漢文と語順が違うこと、つまり物を意味する名詞が先で叙事の動詞が後にくることを述べた後、仮名など固有の大和ことばを用いる必然性及びその働きについてこう指摘している。

> 故に其の仮名を用いるのは、或いは通訳が言葉を変える如く、或いはその意味を伝える紹介者の如く、或いは盲人の行く先を案内する助け人の如く、仮名があってはじめて漢文が用いられるのであって、構造上そうならざるを得ないのである。(27)

ここで論じられている日本語の文章とはやはり漢文訓読調のものであろう。ただし助詞虚字を邪魔者と見ている梁啓超と違って、黄遵憲は仮名で表示される助詞や語尾の送り仮名が意味文脈を整理する上で重要で不可欠な役割を担っていることを認識している。上述の一節を引いてから、周作人は次のように所感を述べている。

> 私はそれを読んで甚だ感服した。なぜなら和文の特徴をよく捉えて明らかにしているからだ。つまり文中の仮名の部分が重要で、しかもそれを把握しにくいということである。そもそも日本語と中国語とは、言語体系から見れば少しも関連性がなかった。ただ日本が中国文化を取り入れたため、漢字を借用して今日に至っている。実字をあるいは訓読みし、あるいは音読みするが、音や虚字を表記するのに早くも仮名に改めている。漢字と仮名の多少はまた文章によって異なる。（中略）日本普通の文章における虚字、すなわち「て、に、を、は」などの助詞と能動を表す助動詞はすべて仮名で表記されるばかりでなく、動詞、形容詞の語尾も仮名で書かれないものはない。これはほとんど文法上の重要部分を含んでいる。漢字の本領はただ個々の名詞、動詞、形容詞の意味を表しているに過ぎない。[28]

さらに周作人は和文の多様な文体に触れて、次のように述べて拙速を戒めている。唐宋八家の古文を直訳するような一種の漢文調は、明治初期において、たとえば『佳人之奇遇』の作者・東海散士（一八五二―一九二二）や『国民之友』の編者・徳富蘇峰（一八六三―一九五七）などがみな用いていた。それをひっくり返して読めば確かにわかるので、「和文漢讀法」はまったくの出鱈目とも言えない。ただしその他の文体に応用してはいけない。そして文藝作品は最も難しく、口語から手を付けなければなかなか判らない。「日本語は結局一種の外国語であって、多くの漢字がそこにまざっているからといって、実際われわれにとってあまり利点がなく、やはり日に日に勉強を積み重ね、時間をかけてはじめて効き目が現われるのだ」と。

漢文訓読を特別視せず、多様な文体に注意を促し、助詞の働きや日常口語を重んじる周作人の日本語談義はもっともなものだが、とりわけ卓見とも言えない。おそらく本人もあまり意識していないかもしれないが、彼の文体変化に影響を及ぼした外来の要素があるとすれば、それこそまさにこの漢文訓読にほかならない。

批評家・阿英がかつて周作人の散文作品を前期と後期に分けて、「前期は『新青年』時代(一九一八年)から『談虎集』(一九二七年)の編集完成まで、後期は『永日集』(一九二七年)の創作から『看雲集』(一九三二年)を通過して現在に至っている」との見解を示している。[29] そして読者に与えた影響という点では、前期作品は後期のそれに遠く及ばないともいう。阿英の着眼点は社会現実をめぐる作家態度の変化にある。鋭敏に時局に関与し、「他人や社会の怨みを買うような」前期作品に比べて、『永日集』以後の周作人は、その「序文」において「時事に至っては今や決して語りはしない」と宣言したように、「草木虫魚」を語る趣味の文学へと転向したように見える。このように見れば、阿英の見解はそれなりの説得力がある。

ところが、作家態度の変化のみを考察すれば別の見方もありうる。実は早くも一九二四年前後、五・四運動の嵐がおさまった直後、その「浮躁凌励《ふそうりょうれい》の気」がまだ失われていなかった段階で、一つの転機が静かに訪れていた。新文学運動の文学理論家・批評家の周作人は、随筆家としての周作人にとってかわられ、小品文一筋の道を歩みはじめ、やがてその黄金時代を迎えようとしていた。一九二七年以後、周作人は現実政治と距離を保つ一方、決してそれに無関心ではいられなかった。何しろ、弟子・兪《ゆ》平伯《へいはく》(1900-90)の文章を批評した彼自身の言葉を借りれば、その小品文は「確かに隠遁の色彩を帯びるが、しかしその根本は反抗的なもの」(『永日集』所収「燕知草跋」)であった。「故郷の野菜」「北京の菓子」を語り、「鳥の声」に耳を澄まし、「蠅」のしぐさを観察する。「草木虫魚」を話題にしているその行間には、周作人一流の趣味とともに、冴えた文明批判が読みとれる。

作家の思想的脈絡、芸術的達成、文体意識を総合的に把握して判断を下せば、三〇年代初頭から一九三四年までの作品を集めた『夜読抄』はかつてない重みをもち、作家の創作が円熟の境に達したことを内外に示した一冊であった。長年周作人研究に携わった止庵氏（一九五九年生）も『夜読抄』の重要性を指摘して、「周氏はこれよって自分の成熟し、固定した風格を打ち立てた」という。[30] 周作人自身の言葉――「民国二十一年以後、随筆しか書かない。或いは読書録とも称して、私は読書偶記と云う」（「書房一角・原序」）――を引いて、止庵氏はその書き方の変化に注目する。つまり大量に原作を抄録しながら、文中に僅かな評言、所感を綴る形式である。後年周作人が「文抄公―剽窃家」という誹りを受けた由縁もここにある。むろん他人著書の抄録ではあるが、そこに彼自身の価値判断、審美感覚が働いていることは言うまでもなく、原作と抄録者との間に阿吽《あうん》の呼吸が感じられ、両者が渾然一体の境地に達している。しかも抄録された古文の比重が増えるにつれて、作品に蒼郁たる気品が賦与され、沈重なる文明批判と響きあうのである。

古文の抄録と相まって、周作人の行文も平明な白話口語文から白話文語混淆文へと移行しているように思われる。すなわち口語を基本にしながら、古文の語彙、修辞を多く取り入れた文体である。移行の時期は判然と画定し難いが、柳田国男著『遠野物語』（聚精堂、一九一〇年）を紹介した読書録である「遠野物語」の一篇には少なからずヒントが隠されているように思う。

「遠野物語」は一九三一年十一月十七日に執筆され、翌年の一月、『東方雑誌』第二十九巻二期に掲載され、後に『夜読抄』に収められた。エッセイの冒頭には柳田国男（一八七五―一九六二）による自序全文が抄録されている。その原文の一部分と周作人の中国語訳を以下に示す。

この話はすべて遠野の人佐々木鏡石君より聞きたり。昨《さく》明治四十二年の二月ごろより始めて夜分おりおり訪ね来たりこの話をせられしを筆記せしなり。鏡石君は話上手にはあらざれども誠実なる人なり。自分もまた一字一句をも加減せず感じたるままを書きたり。思うに遠野郷《ごう》にはこの類の物語なお数百件あるならん。我々はより多くを聞かんことを切望す。国内の山村にして遠野よりさらに物深き所にはまた無数の山神山人の伝説あるべし。願わくはこれを語りて平地人を戦慄せしめよ。この書のごときは陳勝《ちんしょう》呉広《ごこう》(31)のみ。

昨年八月の末自分は遠野郷に遊びたり。花巻《はなまき》より十余里の路上には町場《まちば》三ケ所あり。その他はただ青き山と原野なり。人煙の稀少《きしょう》なること北海道石狩の平野よりも甚だし。或いは新道なるが故に民居の来たり就ける者少なきか。遠野の城下はすなわち煙花の街なり。馬を駅亭の主人に借りて独り郊外の村々を巡りたり。その馬は黝《くろ》き海草をもって作りたる厚《あつ》総《ぶさ》を掛けたり。虻《あぶ》多きためなり。猿ケ石の渓谷は土肥えてよく拓けたり。路傍に石塔の多きこと諸国その比を知らず。高処より展望すれば早稲《わせ》まさに熟し晩稲《ばんとう》は花盛《はなざか》りにて水はことごとく落ちて川にあり。稲の色合いは種類によりてさまざまなり。三つ四つ五つの田を続けて稲の色の同じきはすなわち一家に属する田にしていわゆる名処《みょうしょ》の同じきなるべし。

(下略)(32)

此中所記悉従遠野郷人佐々木鏡石君聴来、明治四十二年二月以来、晩間常来過訪、説諸故事、因筆記之。鏡石君雖非健談者、乃誠実之人也、余亦不加一句一字、但直書所感而已。窃思遠野郷中此類故事当猶有数百件存在、我輩切望能多多聴到。国内山村有比遠野更幽深者、当又有無数的山神山人之伝説、願有人伝述之、使平地的人聞而戦慄。如此書者、蓋陳勝呉広耳。

去年八月之末余遊於遠野郷。従花巻行十余里、(案日本一里約当中国六、七里)凡有官站三、其他唯青山與原野、人煙稀少甚于北海道石狩之平野、或以新開路故、人民之来就者少乎？遠野市中則煙花之巷也。余借馬於駅亭主人、独巡郊外各村、其馬以黒色海草為韉披身上、虻多故也。猿石之渓谷土甚肥、已開拓完善。路傍多石塔、諸国不知其比。自高処展望、早稲正熟、晩稲花盛開、水悉落而帰於川。稲之色因種類而各異、有田或三或四或五相連続、稲色相同者、即属于一家之田、蓋所謂名所相同也。(33)

古雅な訓読調で綴る柳田の文体は、質朴にして幻想的だが、その筆端に現われる遠野郷は、死の匂いがみなぎる不条理な異界である。ただその自序を読むと、詩の薫りを漂わせていて、若き頃の詩人の面影が時に行間に現われてくる。桑原武夫（一九〇四―八八）がかつて岩波文庫版の「解説」でも指摘したように、「聞きたるまま」ではなく、「感じたるまま」鏡石君の話を筆録したのは、柳田の民俗採集の原点にある、人生の真実にふれた感興を作品化しようとする衝動によるものではないかと思う。

訳文は平俗な口語ではなく、簡潔な古文調で若干の口語を交えている。たとえば「馬を駅亭の主人に借りて独り郊外の村々を巡りたり」を「余借馬於駅亭主人、独巡郊外各村」と訳し、訓読文を漢文に戻す「復文」を思わせるような修辞は、原文の文体を考えれば、一見当たり前の方法のようにも思われるが、そこには訳者のしたたかな計算が感じられる。そもそも周作人にしてみれば、翻訳にあたって文体選択の準則はあくまで達意にある。つまり原作の内容を過不足なく、それらしき格調で表現せねばならない。[34]それを基準に考えれば、古代ギリシアの詩人に先秦諸子の如き調子で語らせたら滑稽だし、平安朝の女流作家のしなやかな囁きは、平明な口語体に移してはじめて再現できるであろう。『遠野物語』の硬質な美文を伝えるために、文語修辞を多く取り入れた白話文語混淆文を用いたのは当然の選択ではあったが、それと同時に、現代的事象の記述にあたって文語もなお魅力を失っていないことを読者に伝え、また自らの文体構築の糧にする意図もそこにはあったのだろう。こうした翻訳実践を通して、周作人は独自の口語表現を練り上げ、また古文を現代に蘇らせる道筋を見つけたのである。

四　晩年の白話文と江戸戯作翻訳

一九四九年一月、南京の老虎橋監獄を出た周作人は、友人尤炳圻《ゆうへいき》の家に居候しはじめた頃から、時たま坊間の新聞に雑文を書いていた。故人の逸話を伝える「魯迅と周痩鵑《そうけん》」、「劉半農と礼拝六《どようび》派」、「康有為・梁啓超を談《かた》る」や、それに

「紹興師爺について」、「人肉の食べ方」などはいずれも上海の『自由論壇晩報』に載せたものである。その年の暮れ、自宅の八道湾に戻った周作人は、上海『亦報《えきほう》』の編集長・唐雲旌《とううんせい》に頼まれて、「隔日談」と「飯後随筆」のコラムに、数百字の小品を書き始めた。一九四九年十一月二十二日の「説書人《こうだんし》」を皮切りに、一九五二年の三月まで、寄稿がほぼ二年半続き、小品の数は九百篇にのぼった。これらの小品はむろん市井の民に読ませるもので、通俗な白話口語文で書いている。しかし、周作人の白話文はあくまで書斎で練り上げられたもので、市井庶民の俗語とは大きな隔たりがあった。晩年の周作人は幾つかの日本古典を翻訳したが、本人がもっとも気に入ったのは江戸時代滑稽文学の傑作、式亭三馬（一七七六—一八二二）の『浮世風呂』『浮世床』であろう。その翻訳文体を検討すれば、周氏白話文の特色が浮かび上がってくる。

周作人は江戸の庶民文藝や中国の明清俗文学に興味を持ち、その価値を認めているものの、それはあくまで文人趣味の変奏の一つであり、書物を通しての追体験である。彼自身も告白したように、周作人は京劇に興味を持たず、民間の地方劇をあまり見ないし（エッセイ「浮世風呂」）、庶民の生きた言葉を熟知しているというわけでもない。むろん訳文は口語体で、その中には、南方系の方言や北京の俗語も取り入れられてはいるが、文体の基調と言えば書斎人の言葉である。文語の下地をよく鍛えられた上品な文体は、文人の手で潤色された中世の狂言を訳すのに合致している。実際、「骨皮」や「附子《ぶす》」などの訳文は古風で質朴であり、ユーモアの妙味を備えている。しかしながら、市井作家三馬の「会話」を再現するには、生ぬるい感を否めない。

『浮世風呂』前編巻之下の第十六段は、将棋に夢中になっている息子・太吉を探しに来る母親の愚痴から始まる。以下では、その原文と周作人の訳文とを検討してみよう。

なまける奴《やつ》に、ろくな事を考出《かんげへだ》した例《ためし》がねへ、見たくでもねへ。将棋《せうぎ》をさして飯《めし》のくはれるほどになれば能《いゝ》けれど、おのしがやうな物《もの》あきをする者《もの》は、萬一《ばんいち》に飽《あき》ツぽくて、何《なによ》を一《ひと》ツとげた事がねへ。くやしくば石垣《いしかけ》へあたまを打付《ぶっつけ》て死《しん》ででもしまつたが能《いゝ》。おのしがやうな者《もの》は、死でも親《おや》は泣《なか》ねへ。（35）

懶惰的傢伙照例誰也想不出什麼好的事情來。我看也不想看見，如果有本領，去做到下象棋也有飯吃，那倒也好了，像你那麼容易厭倦的人，一會兒就厭了，什麼事情都沒有一件做得好的。要是你悔恨的話，去把頭撞那石牆上，死了完結也好吧。你這樣的人，就是死掉了父母也不會得哭的。（36）

原文の「見たくでもねへ」という言葉は、「みっともない」の意味だが、周作人は字面どおり（「見たくもない」）に訳している。これを除けば、全体は忠実の訳にはなっているが、だらしない息子に愚痴る江戸市井の婆ちゃんの恨み節にしてはあまりお上品である。「懶惰」や「厭倦」、「悔恨」などは婆ちゃんの吐く台詞ではない。思えば江戸下町の言葉は横町の北京弁の流儀によく似ているので、今それを念頭に置いて、試みに拙訳を以下に示す。

懶鬼壓根兒就想不出什麼正經事兒來。真寒磣人，象棋要是下到能吃上飯的份兒，那倒也好了，像你這樣三天打魚兩天晒網的，什麼都沒長性，沒一件事兒幹出個樣。你要是窩心，就一頭撞在那石頭牆上，死了算了。像你這樣的主，就是死了父母也不會掉眼淚兒。

周作人は「京兆人」と自称し、北京に数十年も住んではいるが、書斎人の彼はどうやら市井横町の俗語を心得ていなかったようである。前編巻之下「午後《ひるすぎ》の光景《ありさま》」の冒頭に、手習い塾を終えて出てきた子供たちの会話が綴られている。これは周作人のお気に入りの個所でもある。幸さんの台詞で「吉さんも又さんも喧嘩《けんかぁ》するもんじやァねへよ。指切《いびっきり》をして中直《なかアなほ》んな」と言う。北京の子供たちも仲直りや約束する際、小指を曲げて引っかけ合う同じ仕草をして、「拉勾児《ラゴー》」と言う。周訳では「切一下指頭」(37)となっていて、日本語の直訳である。

三馬は言わば人を笑わせる言葉の魔術師である。もじり、語呂合わせ、洒落、冗句、方言、隠語など作品の随所に鏤めているから、それを一々外国語に翻訳するのは並大抵のことではない。周作人の訳文は、註釈に頼る一方で、工夫意匠を凝らして原作の風貌の大方を伝えている。特に二編巻之下第九段に出ている、かみさんお舌のおしゃべりの訳は原作の雰囲気をよく再現している。ただ周作人が『浮世風呂』『浮世床』の両作品に特別な思いを寄せ、本人が翻訳を比較的気に入っている(38)わりには、それに相応しい出来映えになっていないと言わざるを得ない。彼の本領と言えば、やはりあの創作の豊熟期に書かれた十数冊の散文集であろう。散文の大家・周作人の業績も、それによって不朽不滅になったのである。

註

(1) 一九九八年九月、湖南文芸出版社より刊行された『周作人文類編』(鐘叔河編)は全十巻から成り、合わせて二千九百五十四篇を収録、その内訳は下記のとおり。

① 周氏が自ら編集した文集二十八種所収の一千二百篇、

② 周氏が編集し、未刊行の『木片集』『飯後随筆』所収の四百余篇、

③ 文集未収録の「集外文」と未刊稿一千三百余篇。

(2) 陳子善・張鉄栄編『周作人集外文』上巻、海南国際新聞出版中心、一九九三年、二四二頁。「繞梁」は、音色が梁にまとわりついて離れないこと。歌う声が美しく、余韻が絶えないこと。『列子』湯問篇第五に、韓娥という歌謡の名手の「余音梁欐《りょうれい》を繞りて三日絶えず」とある故事による。

（３）福沢諭吉『文明論之概略』松沢弘陽校注、岩波文庫、一九九五年、一二頁(緒言)。

（４）「三千余年一大変局」は李鴻章の言葉。梁啓超「同治十一年五月復議制造輪船未可裁撤折」、同『李鴻章伝』哈爾浜出版社、二〇〇九年、六七頁。

（５）『周作人日記』河南鄭州・大象出版社、一九九六年、上巻、三三一頁。

（６）『周作人日記』上巻、三四四頁。

（７）『周作人日記』上巻、三四四頁。

（８）『周作人日記』上巻、三四六頁。

（９）周作人『中国新文学的源流』湖南長沙・岳麓書社、一九八九年、五一頁。「桐城派」は、曾国藩・林紓・厳復など、清代古文の一派。李笠翁（李漁　一六一一—七六）は、清初の文人。金聖嘆（一六六一年歿）は明末清初の批評家。

（10）一九一七年、両江総督などを歴任した軍人出身の張勲が国会を解散させて清朝の再興を図り、宣統帝溥儀を擁立、自ら内閣首班となったが、十日あまりで失敗した事件。

（11）周作人『知堂回想録』下巻、石家荘・河北教育出版社、二〇〇二年、三八二頁。

（12）ソログープ Fedor K.Sologub(1863-1927)はロシア詩人・小説家。長篇小説『小悪魔』(一九〇七年)などのほか、多くの短篇・寓言・童話・詩がある。「蝋燭」の一篇は周作人によって翻訳され、『域外小説集』に収められた。

（13）周作人『知堂回想録』下巻、三八三頁。

（14）『周作人集外文』上巻、二五０頁。

（15）周作人『芸術與生活』湖南長沙・岳麓書社、一九八九年、一一三頁。

（16）Lafcadio Hearn, "Bits of Poetry", in *The Writings of Lafcadio Hearn* ,Vol.9, Boston and New York: Houghton, Mifflin Company,1922, pp.313-14.

（17）周作人『自己的園地』石家荘・河北教育出版社、二〇〇二年、九五―九六頁。

（18）池田亀鑑・岸上慎二・秋山虔校注『枕草子・紫式部日記』日本古典文学大系19、岩波書店、一九五八年、二〇六頁、第百五十一段。

（19）『日本古代随筆選』北京・人民文学出版社、一九八八年、一八六頁。

（20）周作人『自己的園地』九九―一〇〇頁。

（21）暉峻康隆・川島つゆ校注『蕪村集・一茶集』日本古典文学大系58、岩波書店、一九五九年、四五六頁。

（22）周作人訳『路吉阿諾斯対話集』上下巻、北京・中国対外翻訳出版公司、二〇〇三年。

（23）周作人『自己的園地』五頁。

（24）長い間、初版の書誌情報は未詳。北京図書館所蔵「増訂第三版」には「辛丑(一九〇一年)八月無錫丁氏疇隠廬重印本」と記されている。ほかに京大所蔵「夢花蘆氏増刊本」があり、近年の研究では、沈翔雲編印本（一九〇〇年）は初版と認定されている（陳力衛『近代知の翻訳と伝播』三省堂、二〇一九年）。

（25）周作人『苦竹雑記』石家荘・河北教育出版社、二〇〇二年、一八〇頁。

（26）梁啓超「論学日本文之益」、同『飲氷室合集・文集之四』文集第一冊、中華書局、一九八九年、八一頁。

（27）黄遵憲『日本国志』王宝平主編、晩清東遊日記彙編、上海古籍出版社、二〇〇一年、三四四―四五頁。

（28）周作人「和文漢読法」『苦竹雑記』、一八一頁。

（29）阿英「周作人小品序」、同編『現代十六家小品』上海光明書局、一九三五年、二頁。

（30）止庵「夜読抄について」（編者前書き）、周作人『夜読抄』石家荘・河北教育出版社、二〇〇二年、二頁。

（31）陳勝と呉広は、紀元前二〇九―〇八年、秦に対して蜂起した農民叛乱の指導者。

（32）柳田国男『遠野物語・山の人生』岩波文庫、二〇一〇年、七―八頁。引用に際し、ルビは適宜省略した。

（33）周作人『夜読抄』七―八頁。

（34）「漢文学の行方」（一九四三年七月）というエッセイの中で、周作人は白話文のあり方について、次のような見解を示している。

「時代の変化に伴って事物と思想がますます複雑となったため、従来の語句では足りなくなった。新しい文体を用いてはじめて新しい意味を伝えることができる。その結果すなわち白話文、あるいは口語体と言って実は一種の新式漢文で、これを今文と称してもよい。それは古文と相対するが決して相反するものではない。今文と唐宋文との距離はなお唐宋文と『尚書』との距離に遠く及ばない。こうして見れば、中国の新文学は達意を求める故に口語体を用いることは疑えないが、いわゆる古文や白話等の要素を如何に取り入れ、どう配合するかに至っては、則ち完全に作家個人が自由に決めればよい。ただし唯一の制限は、漢字で書くものでなければならないことである。」周作人『薬堂雑文』石家荘・河北教育出版社、二〇〇二年、三三頁。

（35）出口米吉編『稿本浮世風呂解注』玄鹿洞書院、昭和十一年、八四頁。本書は周作人が参照した版の一つと思われる。

（36）周作人訳『浮世澡堂』北京・中国対外翻訳出版公司、二〇〇一年、六六頁。

（37）周作人訳『浮世澡堂』五一頁。

（38）周作人「私の仕事、その六」、同『知堂回想録』下巻、七〇五頁。

（東京大学比較文学会編『比較文学研究』第九六号二〇一一年）

二、歴史の探索

「同文」の国から見た日本

留学ブームと日本研究

一九八二年の十月六日、中国政府の派遣留学生総勢九十八名が成田空港に到着した（筆者もそのひとりである）。その日のニュースになったかどうかは知らないが、記憶に残すべき日である。百名ほどの留学生をいっぺんに外国へ送ることは中国人の留学史上、おそらく初めてのことであろう。しかも、その外国は日本である。空港でインタビューを受けた。例の教科書問題についてである。その時、何をしゃべったかをはっきり覚えていないが、「進出」という言葉が、それ以来脳裏に焼きつけられた。同じ漢語でありながら、中国語にはない言葉であるからだろう。

秋深き隣は何をする人ぞ―芭蕉の名句である。難解なところは毛頭ないが、この句は読む者に多くの思索と想像を与える。

日本は中国の隣人である。千年以上もお付き合いをしてきた。しかし、約一世紀前まではこの隣人について、中国人は殆ど「無知」に近い状態にあった。われわれの先祖は日本の存在を意識し、自分の史書に記録し始めたのは後漢の頃であった。しかし、中国人の手になる最初の本格的日本研究書は、清末黄遵憲の『日本国志』にまたねばならなかった。「無知」というより、「無関心」だったのである。日露戦争で、日本は北方の王者「おろしや」を倒したので、中国人の日本観も一見変ったように見える。そこで奇妙な日本留学ブームがあらわれた。

数千人もの中国の留学生は日本に殺到した。ところが、彼らは日本を勉強しに来たのではなかった。近代中国人の日本留学の誘因について、当時の湖広総督、張之洞の「勧学篇」からかいま見ることができる。

「遊学の国に至りては西洋は東洋（日本）に如かず、一、路近くして費を省き、多く遣すべし、一、華を去ること近くして考察し易し。一、東文（日文）は中文に近くして、通暁し易し。一、西学甚だ繁、凡そ西学の切要ならざるものは東人すでに刪節して之を酌改す。中東の情勢風俗相近、倣行し易し。事半にして功倍すること、此に過ぐるものなし」（実藤恵秀訳）。要するに、日本を通して西洋に学ぶことはいろいろ便利があり一つの近道だというのである。『日本論』を著した載天仇は、日本での留学生活を回顧して次のように述べている。「以前、私が日本で勉強していたころ、同学の友人が何人もいたが、かれらはみな日本語や日本文の研究をきらった。なぜきらうのか、理由をたずねると、答えは二つあった。一つは、英語なら帰国してから役に立つが、日本語や日本文は役に立たない、というのである。もう一つは、日本そのものには研究価値がない、なぜなら、中国やインドやヨーロッパから輸入したもの以外に何もないからだ、というのである」（市川宏訳）。日本の文化、とりわけ文学について、造詣の深い周作人も日本に来た最初の頃、主に英書を読んでいたらしい。留学生は留学所在国に対して、殆ど無関心であり、それに、その言葉の勉強さえ拒否している。これは世界的にもめずらしい現象と言えよう。勿論、こうした現象を考える場合、当時の国際環境、時代思潮、特に中国人の対日感情を見落してはならぬが、その根底においては、日本の文化、つまり、中国文明とインド文明をとりいれ、民族的に消化吸収し、更にそれを土台にして西洋文明を吸収した日本文化を同等価値の異質文化として認めない、認めたくない意識が働いているのである。

　近代中国人の日本留学は中国近代史上の一大事件である。中国近代文化の土台の大半はこれらの留学生によって築かれたものだと言っても過言ではない。かれらは、政治、文化、経済の各分野において、大きな足跡を残したけれども、日本研究については、われわれに残してくれた遺産は数えるほどしかない。第二次大戦後に続く中日間の冷戦と十年にわたる中国国内の「文化大革命」の鎖国時代は、更に一つの「真空地帯」をつくりあげた。筆者は中日国交正常化した一九七四年に、日本語の勉強を始めたのだが、日本語の原書を手に入れるのも困難な時代であった。

中国と日本文化の異質性

中国と日本はかつて「同文同種」と言われた。それは一種の「錯覚」にすぎないことは人類学、考古学、また言語学の進歩によって証明されたのである。数十年前、梁任公は『和文漢読法』を著し、人々に日本語速成の「秘訣」を教えた。漢字の下にある語尾を消して、語と語の位置をひっくり返して読めば、日本文は中国文になるという、いわゆる漢文読み下しの逆操作なのだ。いまでは、多少とも日本語の知識をもつ人にとっては、神話みたいな話である。しかし、一方、「同文」による「錯覚」は長くわれわれにつきまとっているのである。

この頃、外国人の日本論は頗る流行している。作者は大抵西洋人である。『外国人による日本論の名著』（佐伯彰一・芳賀徹編）という本にとりあげられた四十二篇のうち、同じアジア人の著書は五つしかない。凡そ、日本論に限って、西洋人は生まれつきの有利な立場にあるように思われる。日本とまったく異なる文化を背負う西洋の作者なら、日本人の気づかぬところに観察の目が届き、また思いもかけぬ角度から物事に照明をあてる。岡目八目といわれるが、比較文化の見地から見て、自らその存在価値がある。特に日本と西洋という二つの異文化が接触した初期において、謎と神秘の国土を踏んだ異邦人の記録は貴重な史料にもなる。このような理由で、西洋人の書いた日本論名著は日本人に珍重されるのみでなく、われわれ中国人が読んでも、面白くていろいろと教えられる。

ところが、西洋人の日本論はアカデミックな学問研究にしろ、旅行者の見聞印象記にしろ、それなりの短所がある。つまり、西洋の視点から漢字文化圏に属する日本を論じるとき、「木のみを見て、森を見ず」というおそれがある。李御寧氏のご指摘どおり、「本来東北アジア文化圏の普遍的な特性が日本だけのそれであるかのように誤解される論理の飛躍が生じて」くる。同氏の著書『「縮み」志向の日本人』には、いくつかの例がとりあげられた。日本人の側にしてみれば、西洋にばかり目をひかれると、当然視野が狭くなり、中国文明、インド文明を吸収する過程において発生する、かすかな変容、東北アジアの中国、朝鮮との比較を通じてはじめて究明できる日本文化の特性を見落としてしまいかねない。

このような視点から、中国人の日本研究を考察すると、まず、異質の目、異質の視線が必要であることを指摘したい。今日では、日本文化を単なる中国文明、インド文明、または西洋文明の模倣に過ぎないと考えている中国人は少ないかもしれない。しかし、日本文化がその幼児期においてすでに中国文化の絶対的影響下にあり、その形成される過程において、中国文化と切っても切れぬ関係に結ばれたという事実から、ことに「同文」という要素を考えると、中国人は日本文化にある種の親しさを感じると同時に、無意識のうち日本文化の異質性を見のがしてしまう。日本という文化実体に接する時、中国人は西洋人とはかなり違う反応を示すのもそのためであろう。

一八五四年、「日米和親条約」を調印するため、再び日本へ向ったアメリカのペリー艦隊に、一人の中国人がいた。その名は羅森、アメリカ人宣教師、言語学者でもあるサミュエル・ウィリアムズ（中国名を衛三畏）に頼まれて、日本遠征艦隊の漢文通訳として乗り組んだのである。羅森は日本語がわからないが、通事の役をつとめられたのは、日本の士人と漢文で筆談ができたからである。現在、その筆談稿が残されている。羅森は日本の開国という歴史的瞬間に立ち合った（唯一の）中国人であり、その『日本日記』は当時の様子を伝えている貴重な記録ではあるが、われわれはそこから通常異文化との出会いによって生じるような新鮮感、衝撃的な発見、それに伴う興奮、感動を一切読みとることができない。日本の士人と筆談をしたり、漢詩の唱和を交したり、扇に題字を記したりして、中国と殆ど変わらぬ文化雰囲気の中に、日本を体験したのである。『扶桑游記』を書いた王韜についても同じことが言える。明治時代、日本を訪れた中国人の游記類を見ても、むしろ著しくあらわれてきた西洋的事象、例えば郵便、鉄道、警察、学校、議院、新聞紙などに目を奪われてしまう（黄遵憲の『日本国志』も主として、明治維新後の西法、西学を中心に、明治十年代の日本の情勢を総合的にとらえようとしたものである。なにしろ、西洋に学ぶことは当時の中国の急務だったのだ）。

最近、知人（日本人）の一人から中国を訪問して、一番不便に感じたのは名前を中国風に呼ばれたことだという話を聞いた。欧米人なら、「Williams」「John」などはいずれも「威廉士」、「約翰」と原音に近い漢字をあてるが、「高橋」や「山本」などの日本人の名前は、原音のTakahashiやYamamotoと呼ばずに、中国の漢字音でGaoqiaoやShanbenと呼ぶのは、やはり中日間の文化異質性を十分に意識していないところに起因したのではないかと思われる。一種の「意識希薄化」現象と呼ぼう。こうした現象の背後に「同文」による「錯覚」が作用しているように思われる。

「知彼」と「知己」

十年ほど前に、日本語の教材として、『日本一物語』という作品を読んだことがある。作者名は知らず、おそらく中学校の教科書から採ったのであろう。話のプロットはこうである。生徒の卒業式に、新調した洋服とぴかぴか光る革靴姿のA先生がみえた。ふだん身なりに無頓着な彼にしてはめずらしい風景である。洋服はどうもちぐはぐな感じで、革靴も少し大きいようだ。生徒の視線を一身にあつめた老先生は、この洋服と革靴の由来について、二人の少年の話をした。一人は病弱で、もうひとりは足が不自由だった。二人とも彼の生徒であった。決して秀才ではないが、二人の少年には大きな夢がある。日本一の洋服屋さんと日本一の靴屋さんになりたいのが二人の夢であった。そして、いずれの日か、自分の作った洋服と革靴を先生にプレゼントすることを約束したのである……。十年の歳月が流れたが、この話は深く私の記憶に残った。凡そ、少年時代は夢を見る年頃で、世界のどこの国でも、似たような話はざらにある。しかし、この二人の少年の夢に私は何か異質のものを感じとった。

明末、日本に渡来した朱舜水は、日本人のお弟子さんに、中国では聖人の教のほかに、農芸の学問があるかときかれて、感慨無量であったという。『玄桐筆記』（井上玄桐著）によると、「先生（舜水）は真の経済の学者である。たとえば今、無人の野で都邑を一つ起さんとするに、士農工商の事に長じた者をそれぞれ集めなければなるまい。しかし先生一人おわせば、恐らく不足なき都邑が成就するだろう。先生は詩書礼楽のことより田畑の作りよう、家の建て方、酒、塩、しょう油の作り方まで細密に承知しておられた」と（中村新太郎意訳）。農芸のことを問うた弟子がいたからこそ、舜水の学問が役に立ったのであろう。

日本はかつて中国から多くの文物を輸入し、多くの思想を吸収したが、海にかこまれ、大陸から隔絶した地理環境によって、中国文化の受け入れは文字や文献に頼らざるを得なかった。そもそも文化というものは、ある特定の民族、ある特定の風土、ある特定の生活様式の所産である。黄河流域に発生し、育てられた中華文化は、文字や文献を介して、民族・風土のまったく違う日本に移植される時、その文献の読み手、また読み方によって、本来の文化・思想とのあいだにずれが生じることは十分考えられる。そして外来文化の刺激によって自分独自の文化が発生することもごく自然のことである。ただし、日本人は自分の独特の思想を表す時でも、中国の概念用語を借用せねばならなかった。江戸時代に隆盛した国学は中国思想に刺激されて芽生えたものであり、その初期から儒学とかかわりをもっていた。古学派の大家、賀茂真淵と荻生徂徠の古文辞学派との関係を見てもそのことがわかる（近代になって仏教用語を以て、新しい外来文化のキリスト教を解釈したことも似たような例である）。そして、当然中国の概念を表す言葉に日本的な色合いがつけられるようになる。従って、同じ用語、同じ漢字を使っても、意味がすでに違ってくる場合が多い。近代西洋文化の東漸に伴って数多くの漢語訳語が生まれた。現在中国においても無意識に使っている学術用語、近代文明に関する漢語の多くは、日本人によって工夫されたものである。その中の一部は本来中国の古典語である。「社会」、「自由」のような古典語がSocietyやLibertyの訳語として、日本人によって定着されたのは、やはり、これらの古典語は日本に移入されてから、文化的変容が生じ、原語につきまとう土着的感覚が、ある程度抜けたからこそである。

日本人は漢文化を取り入れた当初から、この異民族の文字を使いこなすため、いろいろと工夫してきた。訓読法の誕生は仮名の発明についで、日本文化史上の一大革命である。白川静氏は、この訓読について、「外国の文献や作品が、このように安定した形式で、すなわち作品と訳文との固定的な関係において理解されることは、おそらく他に例をみないことであろう。この方法によってわれわれの先人たちは、中国の古典を完全に国語領域に移し、自己所有することができたのである」（『漢字百話』）と述べている。古典ばかりでなく、江戸時代、舶来された中国の白話小説についても、この「訓」の手法でかたづける。いわゆる意訓、戯訓などの俗語訓である。滝沢馬琴の『南総里見八犬伝』や、上田秋成の『雨月物語』などをひもとくと、東西《もの》、過活《わたらひ》、什麽《そも》、剛才《わずか》などの白話俗語が平然と濶歩している。近代になって、聖書を和訳するため、またこの手法で手本となった漢訳聖書から多くの漢語をとり入れた。現在日本語の半分を占める漢語は大抵こういった操作で、日本語に変身したのである。

このように古代から近代に至るまで、中日両国の文化は、影響、吸収、変容といった、多岐にわたる関係を展開してきた。われわれは日本を研究し、日本語を勉強し、日本文化が変化してきた経路や日本語変身のプロセスを辿っていけば、当然自分自身の姿が見えてくるわけである。日本という異質の鏡に、より鮮明に、より深刻に中国文化を再認識することができるのである。「知彼」はそのまま「知己」（己を知る）にもなる。

鎖国時代の終焉

文化交流という言葉を、英語の"cultural exchange"と同じ意味で考えている人が多いようだが、果たしてそうであろうか。漢語の「交流」を文字通りに考えたほうが良いように思う。「交互に流動する」というのが私流の解釈である。exchangeは人間の意志による人為的な行為だが、文化の「交流」はそうでない場合がある。文化はそもそも流動するものである。「流れる水は腐らぬ」。いかなる文化でも、異質文化、外部世界との交流を断絶されるならば、活力がなくなり、衰えていくに違いない。月にも人類の足跡が残された今日では、文化上の鎖国はおそらく不可能である。しかし、心理上の鎖国は依然として潜在しているように思われる。ある文化に対する偏見や、ある文化に傾倒する一辺倒主義は、いずれもこういう心理上の鎮国にほかならない。

芥川龍之介はかつて『鼻』という歴史小説を書いた。主人公の悲劇は、他人の目に映る自分を通してしか自分を判断できないところにある。これはわれわれ人間の弱いところかも知れない。だが、ある民族、ある文化にとっては、逆に他人の目が必要である。中国と日本とのあいだはとくにそうである。勿論「長鼻和尚」になっては困るのだが。（一九八七年八月）

追記

この小稿を執筆したのちに、新潟大学佐藤亨教授の大著『近世語彙の研究』、『幕末・明治初期語彙の研究』（桜楓社刊）を読むことができた。佐藤先生の調査によれば、今日Societyに相当する意味での「杜会」の用例が早くも一八五六年、完成したアメリカ人宣教師禕理哲(Way Richard Quarterman)の漢文著書『地球説略』にあったという。

（国際交流基金『国際交流』第四五号、一九八七年十二月）

李卓吾——狂に生きた明末の文人

〝道徳の先進国〟とヨーロッパ人の目に映った中国。その時代を「孤独な狂者」として生きぬいた文人は、なぜ自らの書に「焚書」と名づけたのか。

小引

　昨年（一九九〇）の八月、中国湖南省の岳麓書社より、「古典名著普及文庫」の一冊として、李卓吾の『焚書・続焚書』が出版された。名前が知られているある学者は短い序文を寄せ、この文庫版の刊行を祝い、「真理のために命を犠牲にした」李卓吾の「偉大なる精神」をほめたたえた。この序文に目を通したところ、疑問というか、気になる点が二つあった。

　まず李卓吾の死についてである。序文の表現に従えば、李卓吾は、学術のことで「殺害された」（原文、被害死）たった一人の思想家だという。しかし事実は、周知のように、「獄中に自刎」である。ある人間の死に関しては、それも非常死の場合、他殺か、自殺か、あるいは事故死かは決して混同してはならない。序文の作者の言っていることは、別にわからぬでもない。李卓吾はその奇矯反俗の言動の故に、「儒教の罪人」とされ、詔獄に下ったのだから、つまり学術——異端のため、迫害され、死に追い込まれたという意味で「被害死」という表現も別に不可でもなかろう。こんなことが気になるのは、どうも揚げ足をとるように思われる。だが、ここでは自殺か刑死かといった瑣末な事実関係を問題にしているのでは決してないのである。

　南京で三回も李卓吾に面会したマッテオ・リッチ神父はその死についてこう書いている。

> 彼は、自分が捕らえられて敵から嘲笑されるのを見て、刑吏の手にかかって死にたくないと思った。あるいはそれ以上に、彼は弟子たちに、敵に、世間全体に、自分が死を恐れていないところを示したい気持ちに動かされていたために、このようにみずからの命を断ち、敵の意図を打ち砕いたのである。（『中国キリスト教布教史』第一巻、岩波書店、一九八二年。四五八頁）

気性の激しい李卓吾のことだから、リッチの推測はそれなりに一理ある。しかし死を恐れないのは死の緊迫を前提にしなければ成り立たない。だが、さまざまな関係史料で見た限りは、当時の状況はさほどそうでもなかったらしい。「その自殺は事の起こった当初、天子の怒りがいつ降りかかるかのわからぬ日に行われず、かえって小人どもの責めも下火になり、事が次第におさまったあとになされたとは、まことに不思議でならない」と身近な人も納得がいかなかった模様である。（馬誠所「李温陵外記」）

死は生死の念に囚われる者にとっては恐怖になるが、一旦生死の関門を打破した者の目には、生死はいったいどう映るだろうか。李卓吾は実は「死」に非常にこだわる人だった。彼はかつて「五死篇」を書き、世の中には死に方が五つあり、つまり、程嬰や屈原のような壮烈な死、敵陣に臨む死、屈服せずの死、功名を遂げる死をとりあげた。自分はもう年をとり、もはや右の如き「善死」ができそうもないけれども、庸夫俗子の犬死には男子の為すところではない。「一人の男が生まれてくるのはそもそもわけもなく生まれてくるのではない。その死もどうして何のわけもなく死ぬことがあろうか。その生はわけがある以上、その死も必ず何か為さなければならぬ」と李卓吾は言っている（「五死篇」『焚書』巻四）。己れは己れを知らざるものに怒りを洩らして死ぬのだ、と書いた時、彼はすでに自分の死に方を決めていたのかも知れない。吉田松陰は『焚書』を愛読し、「僕去冬以来死の一字大に発明あり、李氏焚書の功多し」と言った。およそ「死」は人間に残された最後の表現手段である。李卓吾の死は何を意味しているのだろうか。

やや長きにわたったけれども、第二の疑問に移ることにしよう。つまり李卓吾を孔子批判の第一人者として祭り上げる点である。千字余りの短い序文に、「孔子批判」や「孔子反対」（原文、反孔）に数ヵ所も言及している。確かに李卓吾は孔子批判と思われるようなことをしばしば口にしたり、文章に書いたりした。しかし、彼の著作をもう少し仔細に読めば、その意味はわかるはずである。もし孔子を偶像とした伝統の価値体系―名教・道学を批判した、という意味で言うならばともかくとして、李卓吾は「春秋」と呼ばれる、中国の歴史上の乱世に生まれ、この乱世に生きた紀元前の学者、教育家、思想家としての孔子を批判したのでは決してないのである。この点については、後に述べさせていただこう。

李卓吾の「孔子批判」と言えば、筆者にはすぐ思い浮かぶことがある。それは文革期に繰り広げられていた「林彪批判・孔子批判」の大衆運動である。林彪（当時の党中央副主席、毛沢東暗殺を企て失敗、外国亡命の途中で死亡）と孔子の名を並べる―今にして思えば、奇妙でもあり、滑稽にも感じるが―国を挙げての批判運動の中に、李卓吾は「孔子批判」の英雄としてかつぎ出され、祭り上げられたのである。「哀栄」とはこんなことを言うのであろう。筆者にして思えば、李卓吾との出会いもまさにその時であった。文革期に少年時代を送り、学校でろくに勉強もできなかった筆者はこの批判運動のおかげで、孔子の著作をはじめ、多くの古典に接する機会を与えられたのである。「怪我の功名」とはこういうことであろう。

漢代以降、清朝の末期まで、中国は「孔子独尊」の社会であった。孔子をただ人並に扱っただけなのに、「小人の忌憚なき、聖人に叛くを敢えてする」（顧炎武）と叱られるはめになる。李卓吾はその好例であろう。「五・四」啓蒙運動（一九一九年）以後、孔子はしばしば血祭りにあげられるようになる。それは主として長く続いた封建社会とその表徴である「孔子独尊」に対する反動であった。文革期の「孔子批判」も一種の政治芝居にすぎなかった。

一九七九年以後、中国の改革・開放が深まるに伴い、中国人もかつて李卓吾がしたように、自分の目で、自分の歴史をもう一度見直すだけの余裕を取り戻したのである。『中国社会科学』一九八〇年第二期に発表された、中国思想史家李沢厚氏の「孔子の再評価」はまさにその発端を示す一文であるといえよう。

あれから十年、李卓吾の書は「普及文庫」版も出されることになったけれども、彼は依然として「反孔」の印を押されているとは、いささか理解に苦しむ。だが、ある人物、あるいはその思想が一旦神聖化されると、それに対する批判どころか、異なる意見を抱く者はすなわち異端とされる、といったこの国の精神風土に思いを致せば、「孔子の是非」を自分の是非としなかった李卓吾はまぎれもなく「反孔」の人物なのである。

つい長い「小引」となってしまった。李卓吾の「反孔」は事実か否かはともかくとして彼もまた孔子と同様に乱世に生き、思想をしていた人であった。彼は悲劇的な最期を遂げたのだが、その悲劇は明の亡国を予言した。この人物に筆者は深い興味を覚える。いま『焚書』を読みながら、この明末を生きた文人のスケッチを、私なりに描いてみることにしよう。

狂狷の人

李卓吾（一五二七―一六〇二）、本名は李贄、字の卓吾で知られている。嘉靖六年、福建の泉州で生まれた。泉州は古来海外貿易で栄えた地である。先祖の中に、「色目女」を娶り、ペルシャ湾までアラビア貿易でゆききしていたものもいる。早く母に死なれ、父の白齋公に従って読書詩文の手ほどきを受ける。父は侠気に富む男で、ひどく貧乏であっても、いつも母の簪などの装飾品を金にして、友人の結婚の急用にあてたという（「卓吾論略」『焚書』巻三）。李卓吾は父の影響を大いに受けたらしく、晩年思齋と号した。二十六歳で郷試に合格し、挙人の資格をとったけれども、その受験勉強について、なかば自分をあざけるように、かなり辛辣な筆触でこう書いている。

やや大きくなると、また頭が鈍くなり、受験のために伝記や古典の注釈書を読んでもいっこうわからず、朱子の奥義がなかなか理解できなかった。それで自分でもいぶかしく思い、こんなつまらぬ勉強をいっそやめようかと思った。しかし、ぶらぶらしてすることもなく、暇をもてあましていたので、こう嘆いた。「これなんか全く遊びみたいなものではないか。ただ他人の文を剽窃して試験官の目をごまかせばいい。それに主任試験官だからといって、いちいち孔子聖賢の教えの精微に通じるわけではない」。そこで八股文の模範、前衛的でしかも味読にたえるものを選んで、一日数篇を暗記しておき、試験日までに五百篇を覚えた。試験問題が出ると、ただ写字生のまねをしただけで合格したわけだ。（「卓吾論略」）

この告白はやはり俗世間への彼一流のあてこすりとしてうけとめてよいように思われるが、それにしても、自分の「剽窃」を公然と言い切るのはやはりどこか狂気を匂わせる。そして八股文を五百篇も暗記したことは今日の受験生には望まれぬわざであろう。

唐代の詩賦、宋代の経義（古典解釈）と違って、八股文――煩瑣な修辞上の制約に固定された文体――で士を取る明代の科挙はますます形骸化してしまい、一代の文運を阻害したとも言われている。黄宗羲は明三百年の間に大作家が出なかった理由を八股文に求めた。李卓吾も右の如く科挙の虚妄をあばいたけれども、八股文を「古今の至文」の一つに数えた。（「童心説」『焚書』巻三）

彼自身もよほどの名手であったかも知れない。父が年をとり、弟妹もそれぞれ結婚適齢期に入ったという事情がなければ、彼はさらに上級の試験を受け、進士に合格できたかもしれない。李卓吾は後世の護教者によって、儒教の裏切り者と罵られ、その著書も予言どおり『焚書』となったが、実は彼ほど儒家の倫理――それも綱常としての「孝」「悌」ではなく、人間なら親を養い、子を思いやり、兄弟に親しむという人間自然の感情が昇華した「礼」、あるいは「原始儒教」と呼ぼうか――に忠実に従った人間はそう多くはなかろう。

　年老いた父を養い、弟妹たちを結婚させるために、彼は進学をあきらめ、就職し、兄としての責務を果たした。三十五歳で家族をつれて北京に入り、職を求めたが、欠員がなく、塾の先生をしながら飢えをしのいだ。二年後、やっと国子監の教官の口にありついたが、まもなく、祖父の訃に接し、故郷へ帰らなければならなかった。祖父を含め、先祖三代の霊柩を葬り、心喪三年に服していた間に、かつて任官していた地、河南省の共城に残された家族、娘二人も飢饉で夭折し、妻と長女だけが生き残ったという（「卓吾論略」）。彼は「私は十余年の間、ただ家事のために南北に奔走していたのだ」と人生の荒廃を惜しみながら、五十三歳、姚安府の知事の任期が満ちると、仕官の途を棄て、湖北に入るまで、彼は怠らずに自分の果たすべき責務をきちんと果たし、「決して自分を人倫の外に棄てたのではない」と弁明したとおりであった。（「復鄧石陽」『焚書』巻一）

　退官した李卓吾はいったん湖北省の黄安に入り、耿定理のもとに身を寄せた。のちに麻城に移り、黄安の家族も故郷の泉州へ帰らせ、六十二歳で落髪して僧となった。彼の目覚ましい文筆活動もこの前後から始まったように思われる。親友の焦弱侯にあてた手紙によれば、

> ただ朝晩に読書にあけくれ、手から書物を離したことはなく、筆をはしらせるのをやめたこともなく、五十六歳から今年七十四歳になるまで、毎日かくの如きでした。（「与焦弱侯」『続焚書』」巻一）

　李卓吾の著作は歴史、文学、哲学など多岐にわたっているが、明・清を通してことごとく禁書とされていた。民間ではひそかに流布され、日本にも持ち込まれていたけれども、「妖人」「異端」のイメージがぬぐい難く、民国二、三十年代、他の明末文人と共に、周作人などによって掘り出されるまで、ほとんど顧みるものがなかった。

しかし、同時代の記録を見れば、卓吾の声望が高く、名士として多くの文人学者にあがめられていたことがわかる。リッチの手記によれば、「彼は文学にも科学にも深く通じており、七十歳にもなっていたので、高い名声を得て、彼のおこした新しい宗派は多くの弟子たちの信奉を集めていた」という（『中国キリスト教布教史』第一巻、四二〇頁）。親友の焦弱侯は彼のことを「必ずしも聖人ではないにせよ、狂の一字をつけるべく聖門の第二席に座すべきだ」と言っている。

聖門の第二席に座る狂者とはどんなものであろうか。焦弱侯は卓吾を「狂」と格づけした時、いうまでもなく、孔子の人物評が念頭にあったのである。つまり世の中には中行の士、狂者、狷者、郷願の四種類の人物がいる。中行の士は中庸中和のとれた思考行為を果たす人物。狂者とは積極的に行動するが、その壮大な志に追いつかない、俗世を蔑み、古人を慕うが、言行一致たらざる者の謂である。狷者とは常に孤独にたえ、人との付きあいを避ける、俗世の不潔を憤り、孤高を守る者。郷願とは「公を役して私に殉う小人」の典型的存在、社会的通念になれあい、世渡りする術に通じ、こまわりがきく。人に媚びるが、私利をはかるためである。いわば「徳の賊」である。孔子の理想とした人間は中行の士であるけれども、その人を得られざる場合、その次位の人物は狂者である（「論語」子路・陽貨篇）。人間社会に対する孔子の深い洞察をのぞかせる文章である。現代のわれわれもこれらの人物の中に多かれ少なかれ、自分の一部を発見するであろう。

李卓吾は自分のことをどう見ていたのだろうか。彼は自画像ともいうべき「自賛」で、次のように言う。

その性格はせっかちであり、その態度は傲慢であり、その言葉はやぼであり、その神経は狂痴であり、その行動は軽率であり、その交際は狭く、人に会えば、親切のように見えるが、人と付き合うにあたって、人の過ちを求めるのを好み、人の長所を喜ばない。……とかく世間とぶつかり、口と心とは一致しない。（「自賛」『焚書』巻三）

この「自賛」を読めば、狂者のイメージを強く意識していることがわかる。公安袁氏三兄弟の末弟小修は、卓吾を深く知る人であるだけに、彼の性格風貌を実にいきいきと伝えている。

> 先生の人となりと言えば、心の中は温かく、外面は冷たい。したたかで骨太である。甚だせっかちで、よく面と向かって人の過ちを咎める……読書三昧の日々を送り、床を掃くのが好きで数人が箒をつくっても間にあわない。衣服を綺麗に洗濯、顔を洗ったり体を拭いたりしてまるで潔癖症。……気に入る者なら、一日中にこにこするが、気が合わなければ、一言も語らない。その冗談俳諧は口をついて出るが、人を笑わせもするが、骨を刺すほどきつい。（袁中道「李温陵伝」）

自他ともに狂者と認める李卓吾は、六十二歳の時、剃髪して僧形となった。すでに五年ほど前に、彼の面倒を見ていた耿定理は亡くなり、その兄定向との確執はますます顕在化したので、卓吾は麻城の芝佛院に居を移した。この出家はそもそも彼の人生に一線を画すような出来事でもなければ、その剃髪もよほど覚悟して踏み切ったものとは思えない。「ある日、頭がひどく痒く、櫛を入れるのがおっくうなので、いっそ思い切って剃り落してしまった」らしい（「李温陵伝」）。この無造作で軽率とも思われる行動は平素彼の言動を憎む連中をさらに刺戟した。李卓吾の「狂」が日増しにつのり、護教者はますます異端者として彼を白い目で見るようになった。

龍湖を離れた時、李卓吾は別れの手紙を耿定向に送り、次のように書いている。

> 新任の知事は聡明なお方ですけれども、やはり貴公のお宅のお子様の二、三人は上等のお話しができそうです。ともに話し合うことができるのにそうしなければ人を失うことになります。これは不肖の罪です。その他の少年は

蒙を啓かれていないのもいれば、思想が固まっていないのもいます。いわゆるともに話し合うべきでないものと話をしますと、言を失うことになります。こんなことは小生はいたしません。しかし、たとえ言を失っても人を失ってはいけないと思います。……ああ、顔回が亡くなってから学を好むものをいっこうに聞きません。孔子様の時代においてさえ、すでに人の得難いことに困っていたのですが、まず七十人の弟子の中に求めて得ず、さらに三千人の衆に求めることにしました。三千人に求めても得られないので、ついに四方に奔走して求めましたが、やはり得られなかったのです。そこで夫子は郷里へ帰り、嘆きました。「帰りましょう、わが村の若者の中にも仕立てられる人物もありましょう」と。これほどに人を失うことを恐れたその切なるお心のうちをお察しいたしましょう。
（「与耿司寇告別」『焚書』巻二）

　李卓吾は狂者の識見、狷者の節操を高く評価したけれども、人を失うという点でその不足を指摘した。空を高く飛ぶフェニクスの如き狂者、虎の如く信じるところを守る狷者、両者とも他の鳥獣を自分の同類と思わない、と李卓吾はこう比喩している。孔子は乱れに乱れた世に生涯を送ったけれども、ついに人間に絶望しなかった。「この人という名で呼ばれている輩と共に生きるのでなくて、他の何ものと共に生きようというのであるか。所詮、鳥獣の群れに入ることはできないのだ」。（『論語』微子篇）訳文は、先日物故された作家井上靖によって書かれた小説『孔子』の一節を引用させていただいた。孔子の心境をよく捉えている文章である。李卓吾は狂者を認め、狂者に与しながらも、人を失うことを恐れた。彼は仏門に入ったけれども、ついに人間社会を捨てようとしなかった。孔子への切なる共感を右の手紙の行間から読みとることができよう。「孔子の徒」に愛想を尽かされ、常に「異端」とされた彼ではあったが。

童心の人

李卓吾に見られる「狂」は、中国思想史上の特記すべき一現象である。同時に、多くの明末文人に共通する一種の生活態度でもある。江戸時代以降、明末の文人の著書が渡来するに伴い、この「狂」と呼ばれる生活態度は日本の儒者にも影響を与えた。荻生徂徠及びその門弟たちの中に「狂」に近い生活態度が見られる。両者の間にどんな関係があるのか、または、物狂、風狂から戯作にいたるまで、いわゆる日本古来の「狂」の系譜にどうかかわるのか、比較文化史、比較思想史研究のよいテーマとなろうが、いずれ稿を改めて論じたい。

李卓吾は生涯の約半分を万暦朝で過した。彼が官を辞した一五八〇年は万暦八年にあたる。万暦朝（一五七三—一六一九）はほぼ三百年におよんだ明代において、まさに消えようとした灯が一瞬だが最後の光に輝いた感がある。若き日の神宗帝は名君とは言えないが、決して暗愚の皇帝ではなかった。その治世の初期は社会生産力が回復され、工商業活動の活発化に伴い、都市化が進み、繁栄の景況を呈した。中期に起こった「三大征」は明王朝の財政を深刻な赤字に追い込む結果となったが、逆に言えば、豊臣秀吉が「朝鮮の役」を起こした時、王朝の威儀にもかかわることとして、大軍を朝鮮に送り込んだ「余裕」があったともとれる。金陵（南京）の旧院に流れる管弦の響きや、秦淮の水楼に映る紅灯緑酒は爛熟した万暦期文化の象徴であろう。

マッテオ・リッチ神父がはじめて中国の土を踏んだのは万暦十一年（一五八三）であった。マルコ・ポーロ以後、中国の内陸に入り、実地考察ができた西洋人はリッチをはじめとするイエズス会宣教師たちであった。彼らにとって、中国布教は「一つの別の文明の発見だった」。「そこにはその文明を無視しては宣教事業も行えぬ偉大な何かがあった」（平川祐弘『マッテオ・リッチ伝』平凡社刊、一九六九年。四六頁）。リッチは産業革命以前のヨーロッパ、しかも凶作の頻発、疫病の流行、農民一揆、宗教戦争が相次ぐ、歴史家によって「鉄の世紀」（一五五〇—一六六〇）と名付けられたヨーロッパから来たから、万暦期の中国は富と秩序の国、少なくとも道徳における「先進国」と彼らの目に映ったのであろう。

広大な王国は儒教の道徳規範に従い、長年儒教の経典を勉強し、さらに文官試験によって選ばれた学者、哲学者ともいうべき官員の手で運営されている。「プラトンが『共和国』の中で理論として述べたことがシナにおいては実践に移されているかと思われます」。リッチ初期の観察にはかくの如く中国の姿を理想化するところがあった。彼の書簡や翻訳した儒教経典がヨーロッパで公刊されると、啓蒙思想家にも多くの影響を与えた。ドイツ人のライプニッツ（一六四六―一七一八）、フランス人のヴォルテール（一六九四―一七七八）などは口をそろえて、中国の実践哲学と政治道徳思想を賞賛した。しかし実態はどんなものであろうか。

中国系アメリカ人学者黄仁宇氏(Ray Huang)の『万暦十五年』（原題 ***1587. A Year of No Significance*, Yale University Press**, 1981) はユニークな書である。著書は万暦十五年に焦点を絞り、神宗皇帝をはじめ、大臣、裁判官、将軍、学者を登場させ、彼らの挫折、失敗を通して、明朝衰亡の原因を鋭く分析した。本書の日本語版には「一五八七文明の悲劇」というサブタイトルがついている。李卓吾は最後の登場人物で、彼の生涯はこの「文明の悲劇」の一齣であった。

エトランゼの目には土地の人々が気づかぬ些細なことが映る。あたりまえと思って、誰も心にとめない事柄が異邦人によって記録されることはよくある。従って、大航海時代以後、西洋の旅行者、宣教師たちが残した記録は当時の社会生活を知るための貴重な史料となる。しかし一方では、言語、風俗習慣などの障害によって、彼らの観察はなかなかその社会生活の裏に届かない。特に人々の深層心理などは文化が異なる外国人にはそう簡単にわかるものではない。リッチの書簡には次の一節が書かれている。

王国全体を支配しているのは、先に述べたように、文官である。また真の総合的支配権も文官が握っており、兵士や司令官もすべて彼らの支配下にある……。わたしたちにとってさらに不思議なのは、事実、文官の方が軍人に比べてはるかに高貴な魂をもち、国家に忠実であり、危急な際には、もっぱら軍事に携わる者に比べていとも易々と祖国や国王のために死んでゆくことだ。（『中国イギリス教布教史』第一巻、七一頁）

「これは学問が彼らの魂を高貴にするためかもしれない」とリッチはこのように解釈している。

いま西ヨーロッパの町を旅行して、たいていの地下鉄は改札口もなければ改札員もいない。しかし人々はたいてい切符を買っていくのだ。「多分生活水準が高ければ、道徳水準も高い。人々の道徳心を信じる措置だろう」と判断するのはやはり一面の観察にすぎないであろう。発達した都市機能や社会福祉を支えるために人々は高い税金を払っていることを忘れてはならない。

リッチの観察はどうだろうか。文官は皇帝のために喜んで死ぬ。これは事実であろう。昔から「武官はいくさに死に、文官は諫めに死ぬ」といった伝統がある。それは果たして「学問が彼らの魂を高貴に」したためであろうか。李卓吾は耿定向にあてた手紙で、君臣と朋友を比較して、その間の消息を伝えている。

この度、ご教示を賜りまして、まことに真の講学と称すべく、真の朋友と言えましょう。……ああ、朋友の道が絶えてから久しいものです。小生はかつて昔から君臣はあるが、朋友はないと言ったことがありますが、それはなんと過激な言論であろうか。およそ主君とは龍のようなもので、喉の下に逆鱗があり、これに触れる者は必ず死にます。しかしそれでも諫死するものはあとを絶ちません。それは何故でしょうか。諫死した、という名誉を得るために死んでも、志士には願ってもないことです。況んや必ずしも死ぬとは限らないし、死に損うと巨大な利益さえあるのだから。害を避ける心より、名利を追う心のほうが強いので、それ故に死の危険をも顧みず、ましてその危

険があまりない上に、大きな利益があるのだから。（「答耿司寇」『焚書』巻一）

李卓吾のこの手紙をもしリッチが読んだら、どういう感想を抱くだろうか。リッチは「天主実義」を書けるほど漢文に長け、三淮和尚を言い負かしたほど中国語に堪能な人であるけれども、「文官の道徳」について言えば、その観察は皮相だと言わざるを得ない。

もっとも古来の諫死（死ぬ覚悟でいさめる）は全部李卓吾が皮肉ったように「巨大な利益」に賭けた行為では決してなかった。「理」―それも皇帝の権威をも含めたすべての世俗の力を超越した「原理」、いうならば儒教の道徳規範を信じ、死をもってそれを全うした、「忠臣」がいたのも事実であろう。もちろん、この「原理」を信じ、「原理」に徹する姿勢は、渡辺浩氏も指摘したとおり「道」のため、「天下」のために生きようとする良心的な士大夫が精神的拠り所、心の支えをそれによって手に入れる一方、士大夫層の全体の社会的存立と威信を守るための最善策でもある。（「儒学史の異同の一解釈」『思想』一九九〇年第六号）

この知（この場合、儒教の原理）と言と行三者の一致はいうまでもなくもっとも望ましい状態である。しかし士大夫全体に関して言えば、知・言・行三者の統一はむしろ文字通り、一種の「理想」でしかなかった。その統一をもっとも要請される、いわゆるペダントクラシー（学者支配）が確立した宋代でさえそうであった。この三者の関係を考察する場合、知と言、言と行、知と行の三つが考えられる。いったい、知と言の統一はある意味で易しく、言と行は難しい。そして知と行の統一はもっとも実行しにくい。逆にその三者の乖離を考える場合はどうなるだろうか。言と行の乖離は目に見える形ではっきりと現れてくるのに対して、知と言の乖離はあまり目に見えない。ところで、この知と言との乖離は何を意味するだろうか。つまり「言」によって表現される主体である「知」に対する「言」の持主である人間の信仰が崩れたことを意味するのである。もっと明白に言えば、脳裏で考えていることと、口先で言っていることとの乖離であり、嘘の発生である。

明末は知と言の乖離がかつてなく深刻だった時代である。知—儒教の「天理」を真剣に信仰し、しかもそれを実践に移そうと考えていた士大夫は絶無とは言えないけれども、非常に少ないであろう。大量の科挙志願者—彼らが官僚士大夫の予備軍である—を儒教の経典、いわゆる「道学」の勉強に駆り立てる原動力はまさにその「知」の敵である俗悪な功利、金銭、権勢にほかならなかった。しかし信仰が崩れたからと言って、「天理」を公然と否定することは士大夫全体の存在理由、そしてもっと現実的に言うと、特権への道をとざしてしまうことになる。従ってそんな野暮なことを誰一人するものはいない。それで「知」と「言」の表面上の統一が一応維持される。知と言の乖離が深刻化すると局外者、例えば、リッチのような外国人の目にはなかなか見えなくても、枠の中の人間にとってほとんど公然の秘密となる。ただ、誰もこの紙一重をつき破りはしない。あるいは「知」と「言」の表面上の一致を自ら信じたほうが安全であり、自らの心の慰めにもなるかもしれない。

ところが、士大夫の「自らを欺き、人を欺く」偽りを喝破する人物が現れた。李卓吾その人である。「王様は裸だ」と彼は叫ぶ。ただアンデルセンの童話と違うのは、王様の裸を指摘すると同時に、彼は自分自身も、周りの観客も含めて、皆、裸でいる状態に目をそらそうとしなかったということである。

耿定向—卓吾の論敵、戸部尚書にもなった高級官僚士大夫—にあてた手紙で、李卓吾はあまりにも露骨に士大夫の偽善をあばいた。引用させていただく。

貴公の行ないを見てみましょう、特に他人とひどく違っているものではありません。人々は皆そうだから、小生もそうします。貴公もまたそうします。朝から晩まで、もの心ついてから今日まで、皆同じく食うために田を耕し、耕作するために土地を買い、安らかに暮らすために家を建て、科挙に及第するために書物を読み、栄達を求めるために官吏となり、子孫に幸せをもたらすために広く風水を調べた上で墓を作ります。日常に行なわれていることはいずれも自分と家族のことだけ慮っていて、少しも他人のために考えていないのに、学問のことを口にすると、たちまちお前は自分のためにするが、私は他人のためにする。お前は自分のことしか考えないが、わたしは他人のことを考える……、これらのことを反省してみると、かえって市井の俗人のほうが正直です。彼らはやっていることを口にするのです。商売をするものは商売を説き、農事につく者は農事を語り、実に味があり、これこそ道徳の言です。聞く人をうんざりさせません。（「答耿司寇」『焚書』巻一）

李卓吾は士大夫層の偽善をあばきながらも、自分もその一員であることを忘れてはいない。彼は科挙に合格し、官吏の経験者でもある。枠の中の人間であるだけに、その観察眼が鋭い。「老吏の獄を断ずるが如き辛辣」で有名な近代作家魯迅も自分が旧陣営から来た人間なので、旧陣営の事情に詳しいだけに、恐ろしい巻き返しができるというような意味のことを言っている。李卓吾は士大夫層の「異端者」でありながら、この陣営を離れては自活ができないから、魯迅と比べて立場が弱い。それだけに彼のかかえている矛盾、悩みも魯迅よりずっと深刻である。ある意味で彼は魯迅よりも厳しく自分自身を解剖していたのである。

自分の住む世界には嘘が満ちているとすれば、その中にどう生きていくのだろうか。自分も嘘を言って仲間入りしたほうが一番安全であり、身のためであろう。しかしそれには良心に苛まれるのを耐えられるだけのずぶとい神経が必要である。「建前」と「本音」があるのは良心がまだ生きているということである。李卓吾は官を辞めるまで、仮人、仮事、仮言、仮文をあまりにも多く見聞させられてきた。もうこれ以上偽物に耐えられない、本当のことを言わなければだめだ、と彼は仮の世に対して「真」を宣言する。それが「童心説」である。

童心とは真心であり……少しも虚仮を許さず純真そのもので、もっとも本然たるありのままの心である。もし童心を失えば真心を失うことになり、真心を失えば、真人を失うことになる。人として真でなければ全く人間の本質をもたないものとなろう。（「童心説」『焚書』巻三）

童心とは、つまり赤子の心、これを絶対失ってはならないと李卓吾は力説する。しかし世の中を見れば、人々はこの「赤子の心」をもっているとはとても思えない。とすれば、どうしてこの童心を失ってしまったのだろうか。李卓吾は次のように分析している。

そのはじめは、見聞するものが耳目から入って、内で主位についてしまうと童心を失うのであろう。大きくなると、道理が見聞を媒介に内に入り、主位についてしまえばまた童心を失うことになる。久しくそうなれば、道理や見聞が日増しに多くなり、知識もますます広くなるにつれて、ついには名誉の好ましいことを知り、しかもそれを手に入れようとすると、童心を失ってしまうのである。そして不名誉の恥ずかしいことを知り、それを隠そうとすると、また童心を失うのである。道理や見聞は、たいてい多く書物を読み、義理をわきまえるところに由来するものである。（「童心説」）

この一節を読めば、思わずベーコンの四つのイドラ説を思い出させられる。つまり風俗や習慣による偏見（種族のイドラ）、受けた教育によって形成された偏見（洞窟のイドラ）、人々の交際によって与えられる偏見（市場のイドラ）、舞台演劇のように人々を魅了するような、いわば書物、学説による偏見（劇場のイドラ）の四つである。（ベーコン『ノヴム・オルガヌム』）

李卓吾にほぼ二百年遅れて生まれた三浦梅園（一七二三―一七八九）も「童心説」に近い考えをもっていたらし

い。そして書物による学習の弊害（偏見）の恐ろしさについて、梅園と卓吾とは見解が完全に一致している。「俗習による偏見は学問をすることによって克服できますが、学問による偏見はもうどうにもならぬ」と梅園は言っている（『玄語』）。李卓吾は童心をふさぐ弊害、この弊害をもたらす学問、書物の根源を儒家の経典に求める。『論語』『孟子』などの書物はたとえ本当に聖人の手によるものであっても、それは当時の状況を踏まえて、つまり愚かな門人弟子を救うために書かれたものである。薬は病気によって与えるもので、百病を治す処方はそもそもありはしない、どうして『論語』や『孟子』を千古の至文とすることができようか。

「童心説」は偽や嘘があふれる世界に対して、李卓吾が提出した「処方箋」であったと言える。しかし彼はこの孤独な戦いを十分に承知しており、それに勝つ自信ももっていなかったらしい。「ああ、私はどうして真正の大聖人で、童心をいまだ失わない者とめぐり会い、ともに学問を語ることができようか」。

李卓吾の思想は三百年後の今日に蘇り、異国でも読まれているのはそれなりの理由がある。人々は彼の中に個人主義の萌芽、ユマニスムの先駆、フェミニズムの夜明けを見出すであろう。島田虔次氏は彼の中に中国における近代思惟の挫折を見た。コロンビア大学教授ウィリアム・セオドア・ドバリー氏は李卓吾のことを最も激越な因習破壊主義者、個人主義者であり、自由意志論者であったと呼んだ。（『朱子学と自由の伝統』山口久和訳、平凡社刊、一九八七年）

李卓吾は「他人の管束」を嫌い、礼教の束縛を嫌い、個人の自由を追求し、欲望を肯定し、伝統や権威を無視した。これらはいずれも事実であろう。しかしこれら「近代的」と思われる諸価値は、当時の社会の全体にとって普遍的なものであり、万人が分かち持つことができるものとは彼は考えていなかったし、それらの諸価値を社会全体に推し及ぼすためには、どうすればよいか、ということも最初から念頭になかったのであろう。人々の正当な欲望を抑圧し、個性の自由を抹殺しようとする社会は前近代的社会であり、専制社会である。

しかしこれらの正当な欲望へ自由を、特権による一部の成員ではなく、社会成員の全てが公平に享受できるように、しかも自分の欲望が他人の欲望の邪魔にならず、他人の自由も自分の自由の妨げにならぬように、ともに生きていく「知恵」、社会全体の「約束」を作らなければ、新しい社会は生まれてこないであろう。この「知恵」を李卓吾は提出しなかった。彼の「童心説」は結局一種の道徳論にとどまり、人々に「聖人になれ」と言うにすぎなかった。

卓吾と孔子

人々は皆孔子を大聖となし、私もまた以て大聖となす。皆は老子（道家）、仏を異端となし、私もまた以て異端となす。人々は大聖と異端のことを真に知っているのではなく、ただ父兄や先生から教わり、その説になれているだけである。父兄や先生も大聖と異端のことを真に知っているのではなく、先儒から教わり、その説になれているだけである。先儒もまた大聖と異端のことを真に知っているのではなく、孔子にこの言葉があるからである。それは曰く「聖は則ち吾能わず」と、これは謙遜の言葉で、また曰く「異端を攻む」と、これは必ず老子と仏家を指しているのである。（「題孔子像於芝佛院」『続焚書』巻四）

李卓吾の「孔子批判」について、彼を褒める人にしろ、貶す人にしろ、この一文を見落とすことはなかろう。芝佛院の内の孔子像は「祭る」ためのものであろう。明末の中国を訪れた宣教師たちは、孔子崇拝の儀礼について記録を残している。それによれば、

どの市にも学校のそばに孔子を祭るための廟ないし礼拝堂がある。「もっとも神聖で、かつ至高の学者孔子の霊魂のありか」と金文字で書かれた木牌がどの廟にも置かれている。（矢澤利彦「孔子崇拝儀礼（釈尊）について」

『思想』一九九〇年、第六号。七〇頁」）

「祭孔」はたんに学問の世界の一大事のみではない。れっきとした国家行事でもある。明太祖は全国の支配権を確立したあと、すぐ国子監に孔子を祭らせ、使者を曲阜に遣わして祭りを行なわせた。そして毎年の春、秋に皇帝が自ら香を焚き、国学において孔子を祭らせることを定例とした（『明史』）。この「孔子独尊」の社会気風に思いを致せば、李卓吾の「狂」に対してあらたまって敬意を表せずにはいられない。もうしばらく、彼の「孔子批判」を引用させていただくことにしよう。

天が一人の人間を生むからには、一人の用を授けます。別に孔子から取ってはじめて用が足りるというわけではないでしょう。もしどうしても孔子から取ってはじめて一人前の人間になれるのだとするならば、千古以前まだ孔子がいなかった頃は、誰ひとり人間になれなかったというのでしょうか。（「答耿中丞」『焚書』巻一）

六経、論語、孟子などは、実は道学の口実であり、仮人の淵藪である。（「童心説」）

およそ、ある人間の思想、言論を都合よく解釈するためには、その人の「語録」を作るのが上策であろう。右のごとき李卓吾の言論を並べてみると、彼を「聖人冒涜」の「妖人」とみなしてもいいし、「孔丘批判」の「英雄」と祭り上げてもよろしい。ところで、李卓吾の文章を終わりまで読めば、彼の考えが実によくわかる。この節の冒頭に引いた「題孔子像於芝佛院」の後半を引用させていただく。

先儒は憶測してこれを言い、父兄や先生は踏襲してこれを暗記し、俗人はぼんやりとしてこれを聞く。万人も口をそろえてそう言うので、破ることができず、千年も一律にそう伝えられてきたから、自らわきまえようとしないのである。

李卓吾の真意と言えば、孔子の学問を真に知らず、知ろうともせず、ただ憶測し、踏襲し、盲従する先儒、父師、俗人のことを批判したのだ、ということを、おわかりいただけるかと思う。孔子の徒たちはひたすら孔子を尊ぶ。しかし、何故孔子が尊ばれるかはわからない。ちょうど背の低い人間が芝居を観るように、自分は何も見えないのに、他人の喝采に迎合する。李卓吾は、五十歳以前の自分も前の犬が吠えたから、驚いてその声に吠える一匹の犬だった、と言う。（「聖教小引」『続焚書』巻二）

権威にすがるのは世の常である。家に居れば父母にすがり、役人になれば上司にすがり、朝廷の大臣となれば宰相にすがり、辺境を守る将軍となれば中官にすがり、聖賢となれば孔孟にすがり、文章をかけば班馬にすがる。ひたすら権威にすがり、他人の庇護ばかり求めたら、死ぬまで見識をもつことはなかろう。豪傑と凡夫の違いは人を庇うか人に庇われるかにあると李卓吾は言う。（「別劉肖川書」『焚書』巻二）

権威主義批判は権威そのものの否定につながる。李卓吾は既成の因習や権威から個人の自立を強く訴えているけれども、「五・四」時代の陳独秀、胡適らのように、激越な伝統破壊主義者とは一線を画する。「権威」「偶像」とされてきた孔子に対する態度を見ればその異同がよくわかる。王位を棄て雪山の中に苦しい修行に励むお釈迦様の姿をすっかり忘れて、ただ成仏のコツを手に入れようとする昨今の仏教徒のように、いまの孔子の徒は在家の修行者孔子の真の姿を知ろうとせず、ひたすらに孔子になるコツを学ぼうとするのだ、と李卓吾は指摘する。（「復鄧石陽」『焚書』巻一）

彼は先儒、父師、俗人どもにあがめられる「偶像」ではなく、生身の人間として孔子を評価し、埋もれていた孔子の思想、学問の原の姿を掘り出し、蘇らせようとした。この点においては、孔子の教えを儒教の教条主義から洗い出して「原始儒教」の復帰を唱えた周作人の態度を想起させ、周作人の先蹤と言える。

既成の秩序が音を立てて崩れ、それに代る新しい社会の光がいっこうに見えぬ暗闇の、停滞の、混沌とした明末に李卓吾は懸命に生きて、思索をつづけていた。彼の目には、同じく乱世に懸命に生きて、思索をつづけていた孔子の姿が同じく「孤独な狂者」として映ったのである。孔子の姿に親しみを感じ、その人間的魅力に引かれていく。「小生は中国に生まれて、しかも中国に半分なりとも小生を知っている人を得られませんでしたから、いっそ塞外へ出てゆき、胡地の白骨となったほうがましかと思います」と親友に心の寂しさを洩らしたとき、彼の脳裏には、陳蔡の間に飢え、匡で囲まれ、ついに海に浮かび、九夷の中に住もうとする孔子の姿が去来していたに違いない（「与焦弱侯」『焚書』巻二）。自分の家ではなく、天下を家とし、田宅ではなく、多くの人材を命とした孔子こそ「万世たった一人の儒者」だ、と李卓吾は言う（「何心隠論」『焚書』巻三）。そしてもう少しながらえたら、孔子の著作をいちいち読み直し再評価しようとさえ考えていた。（「答焦猗園」『焚書』巻一）

親に孝行すべきだと孔子は教える。子供を生み、育てる親としては当然そう願うのである。子が成長するに伴い、親も年をとる。老いて病気にかかる時、床に臥して体を動かし難い時、薬湯を施してもらいたい時、五臓が破れそうになり、苦しさに耐えられない時、臨終にあたって訣別して息も絶えようとする時に人々は子の孝行を願う。もしこんな時に力になってくれないなら、子がないのと同然である。「孝」はこのように人間の自然の感情に根ざすもので、葬式に奔走し葬礼にこだわるように、他人にみせるためのものでは決してないのである。孔子自身も葬儀を簡素にしたのではあるまいか、と李卓吾はこのように孔子の教えを復元しようとした。（「復鄧石陽」）

この人間の原点に立ち返り、人間主義に徹する姿勢はルネサンス期のユマニストたちの精神に一脈通じるように思われる。「キリスト教の復元」を終生希っていたエラスムスのように、ユマニストたちはキリスト教の根本義を逸脱した言動に対して、「それはキリストと何の関係があるのか」と問いかけ、常にキリスト教の歪められない原の姿を求めようとした。（『渡辺一夫著作集』第五巻参照。筑摩書房刊、一九七七年。一一四頁）

だがこのような類比は、あるいはある種の誤解を招くかもしれない。明末は中国のルネサンスでもなければ、李卓吾は本来の意味でのユマニストでもない。一九三九年ヒットラーがナチスドイツの首相に就任した時、ユマニスムについての議論がヨーロッパで盛んになった。狂信的なものに対する理性の力を人々は過去のユマニスムに求めた。「人間の理性」という普遍的かつ超越的価値を信仰しているユマニストと違って、李卓吾は常に現実的であり、「功利」を否定せず、世俗的姿勢を貫いた。彼は孔子を「在家」の修行者と称し（「書黄安二上人手冊」『焚書』巻三）、自分は仏門に入りながらも、「儒」を語るのをやめなかった。（「答鄧明府」『焚書』巻一）

一九二七年ジュリアン・バンダは「知識人論の古典的名著」ともいわれる『知識人の裏切り』を出版した。バンダによれば、知識人の責務は普遍的、かつ超越的価値を説くことである。現実主義を称揚する知識人はこれに背いた。知識人の裏切りとは、普遍的価値、超越した倫理を拒絶することであり、現世的なものに精神的なものを屈従させることである（「アンドレ・ルヴォッフの序論」参照。『知識人の裏切り』宇京頼三訳、未来社刊、一九九〇年。九頁）。ちなみにバンダは「ユマニスム」という言葉を生んだ国、フランスの学者である。

儒教の開祖である孔子の思想は、常に現実を踏まえるものである。バンダの意味するような知識人はそもそも中国には存在しない。バンダが「知識人」の意味で使っている原語「clerc」は本来、聖職者という意味であるらしい。李卓吾は剃髪して仏僧となったけれども、俗世を離れた「聖職者」になれなかった。彼は「人世に徘徊し」、人生を忘れられなかった故に、ついに殺身の災を招いた、とさえいわれた（「李温陵伝」）。李卓吾は自分のことを「吏隠」と称した。官吏と隠者を一身に兼ねたような存在、という意味であろう。この「吏」と「隠」の間に徘徊しているのが多くの明代文人に共通する精神状態であったと言えよう。

「異端」という言葉にあたる英語は「heresy」。フランス語は「heresie」。その語源である「haireomai」は「選択」という意味らしい。異端を抹殺しようとする社会はすなわち「選択」の自由を許さぬ社会である。李卓吾はこの「選択」の自由を極端に抑圧された明末に生き、自らの言動が厳しく処断されることを予想して、自分の著書をそれぞれ『焚書』と『蔵書』と名づけた。しかし官憲の厳しい目をくぐり、この両書は今日まで読みつがれてきた。この一事を見れば、「選択」の自由を抹殺しようとすることはいかに難しく、かつ虚妄であるかがよくわかるはずである。

後記：この小稿に引用した中国語文献の日本語訳は、本文中に記したもの以外、すべて拙訳による。『焚書』について、増井経夫訳『焚書――明代異端の書』（平凡社刊、昭和四十四年）、溝口雄三訳『近世随筆集』（中国古典文学大系、平凡社刊）を参照させていただいたことをここに記す。

（TBSブリタニカ『アスティオン』No. 21　一九九一年夏季号）

中国伝統文化における政治と精神

はじめに

去年（一九九一年）は中国の辛亥革命の八十周年にあたる年であった。二千年にも及ぶ王朝支配を打ち倒し、アジアにおいて最初の共和制国家を創ったという点では、世界中の中国人はそれを誇りに思っているに違いない。しかし、と同時に、共和革命という輝かしい目標を提起したがゆえに、その抱えている課題があまりにも多く、あまりにも深刻であるがゆえに、今日にまでわれわれがその負債を背負わなければならず、おそらく次の世代もそれを相続しなければならないであろう。

辛亥革命の遺した民族的課題とは、いったいどんなものだろうか。

いかなるパースペクティヴでこの問題をとらえるかによって、答えがちがってくるように思われるが、私なりの答えを言えば、そのもっとも大事な一つは政治と精神との分離ではなかろうか。辛亥革命を契機に新しいタイプの知識人、すなわち革命という政治的解決の限界を見極め、より普遍的な価値に目をむける人間、政治に訣別することによって精神の独立に目覚めた人間が登場したことの意味を深く考えてみる必要がある。これこそ画期的な、しかも中国文化の将来を考えるにあたって、はかり知れないほどの深い意味をもつ貴重な遺産ではなかろうか。これらの知識人の知的営為を分析し、その非政治的姿勢がいかに貫かれてきたか、あるいは挫折したかを追体験することは、中国の近代思想史のある重要な側面を浮彫りにするばかりでなく、中国文化の未来像を展望するうえで極めて重大なる示唆を与えてくれるのではないかと思う。しかし、紙幅の関係で、ここではこういった問題に触れる余裕がなく、いずれ別の機会にゆずる。この小稿は、上述した仮説――政治に訣別し精神の独立に目覚めることの重要性、政治と精神とが分離するその画期的意味を確かめるための前提操作である。つまり、中国の伝統文化における政治と精神のメカニズムの解明である。もちろん、この大きな課題をそう簡単に解明できるかどうかは別問題である。敢えて未熟な考えを示し、一つの問題を提起したい。

マックス・ヴェーバーの政治学

政治の本質的属性は暴力であり、権力の追求である。政治は政治であって、倫理ではない。政治の背後には、常に暴力が控えているが、だからこそ政治は「倫理的に問題の領域」である。これは一九一九年一月に行われた、あの有名な講演『職業としての政治』の主旨である。ヴェーバーのこの痛烈な問題提起は依然として今日的意味をもつ一方で、中国の伝統文化における政治と精神との関係を考察する時の一つの視座を提供してくれる。

暴力である政治と倫理とを峻別する発想は、別にヴェーバーに始まるものではない。政治権力をめぐる闘いは通常の倫理的行為規範の例外であるとする見解は、古代世界で広く承認されていた。しばしば『職業としての政治』に比べられる『君主論』の著者マキャヴェリはすでに政治における力の役割を公然と認めていた。彼の『君主論』は後のマキャヴェリズムの理論的源泉となったが、本人もしばしば誤解され、十六世紀では悪の教師と見なされた。マキャヴェリの真意はともかく、ある目的のために、手段を選ばない、平気で人を欺き、人を裏切り、嘘をいい、罪を犯し、殺人も辞さない——これは人間行動のレベルだけではなく、今日でも行われている政治世界の実像の一面ではなかろうか。

ヴェーバーは政治の固有法則や技術的側面を重視する一方で、いかなる政治の自己聖化、倫理的絶対化をも拒否していた。現実政治の世界の脱倫理は決して、政治権力の行使を倫理的に免責できることを意味しない。政治にタッチする人間、「悪魔の力と手を結ぶ」政治の実践者たちは、いかなる倫理の準則に従うべきか、「政治と倫理」との関係をどう見ればよいのかについて、ヴェーバーは有名な「責任倫理」と「心情倫理」（「信条倫理」という訳もある）を提示した。それを要約すれば、自らの政治行為による、予見しうる結果の責任を負うべきだというのが責任倫理の準則であるのに対し、純粋な心情から発した行為の場合は結果が悪くても、その責任は行為者にはなく、世間の方に、他人の愚かさや――こういう人間を創った神の意志の方にあると考えるのが心情倫理家である。そしてヴェーバーはその心情倫理による行為の実例として、興味深い事実を指摘した。すなわち、チンマーワルド派の革命的社会主義者たちが第一次大戦の最中に宣言した原則である。――「もう数年戦争が続いて革命が起こるのと、いますぐ講和して革命が来ないのと、どちらを選ぶかとなれば、われわれはもう数年戦争のほうを選ぶ」というのである。やや突飛な発想かもしれないが、「中国によい暦書がなくてもよい、だが、西洋人がいてはならん」という明末儒者の姿を連想せずにいられない。

儒家の徳治と哲人政治

中国伝統文化における「政治と倫理」の実態を考察するにあたって、まず外部の目を通してみよう。マッテオ・リッチ神父がはじめて中国の土を踏んだのは万暦十一年（一五八三年）であった。マルコ・ポーロ以後、中国の内陸に入り、実地考察ができた西洋人はリッチをはじめとするイエズス会宣教師たちであった。彼らにとって中国布教は「一つの別な文明の発見だった」。「そこにはその文明を無視しては宣教事業も行えぬ偉大な何かがあった」。

リッチは産業革命以前のヨーロッパ、しかも凶作の頻発、疫病の流行、農民一揆、宗教戦争等が相次ぎ、歴史家によって「鉄の世紀」（一五五〇―一六六〇）と名付けられたヨーロッパから来たので、万暦期の中国は富と秩序の国、少なくとも道徳における「先進国」に見えたのであろう。

広大な王国は儒教の道徳規範に従い、長年儒教の経典を勉強し、さらに文官試験によって選ばれた学者、哲学者ともいうべき官員の手で運営されている。「プラトンが『共和国』の中で理論として述べたことが、シナにおいては実践に移されているかと思われます」とリッチは感嘆をもらした。

リッチが連想したプラトンの理論とは、実はその『国家』篇で述べられた主要な思想――哲人政治の主張である。その一節を引用させていただく。

「哲学者たちが国々において王となるのでないかぎり、あるいは、今日王と呼ばれ、権力者と呼ばれている人たちが、真実に、かつじゅうぶんに哲学するのでないかぎり、つまり、政治的権力と哲学的精神とが一体化されて、多くの人々の素質が、現在のようにこの二つのどちらかの方向に別々にすすむことを強制的に禁止されるのでないかぎり、……国々にとって不幸のやむことはないし、また、人類にとっても同様だ」。

政治が哲学をどう取り扱うかという問題は、結局のところ、一国の支配者、あるいは政治指導者における哲学教育の問題だということになる。したがって、一国の政治指導者となるべき者は、その教育過程において形成されるとともに、試験され、選抜されなければならない、とプラトンは主張するのである。これは一見、儒家の徳治政治――儒教の実践哲学に基づく任官試験（科挙）によって選ばれた哲学者の手で政治を運営する――のしくみによく似ているように思われるけれども、両者は決して同じ性格のものではない。

決定的な違いは、「哲学」というものの理解の仕方の中にあるように思われる。「正しい意味において真に哲学しているような部類の人たちが、政治的支配の地位につくか……」という時のプラトンの意味する「哲学」とは何か。一言でいえば、「真実を知ることを求める」ことであり、ギリシア人の「愛知」の思想である。ヨーロッパのエラスムス以来のユマニストたちの思想や、知識人論の古典である『知識人の裏切り』（ジュリアン・バンダ著）に説かれる「普遍的価値」「超越した倫理」の思索は、いずれもギリシア人のこの「哲学」伝統の延長線にあることは疑いない。これら真に「哲学」をめざす人間は、政治の現場にどうかかわるかについて、プラトンは明確な答えを示していないけれども、この「哲人王」の理想は決して政治の自己聖化を意味しない。例えば、彼が容易に政治的デマゴギーへと転落する技術としてのレトリックを批判したことを見てもわかるはずである。彼の『国家』篇は結局、「理想国家の理想政治」についての書であり、一つのユートピアであった。面白いことに、トマス・モアの『ユートピア』にも何よりも学問と徳を問われる政治家、哲人王たることを要求される君主がとりあげられ、知性と権力の一致をめざすモアの理想社会が描かれているのである。

一方、儒教の実践哲学とは、いかなる性質のものであろうか。儒教はいかにしてシャマニズムの「原儒」から「原始儒教」へと脱皮し、ついに国家の政治支配にかかわる「哲学」に変身したのか。ここでは、その成立のプロセスを述べるだけの余裕がない。一つだけいえることは、「真実追求」の意欲ではなく、「政治参入」の志向こそが（原儒の）小人儒と君子儒とを分離させるための重要な契機を作ったということである。儒教はその成立した当初から、強い政治志向の色彩をもち、しかも余りにも人間的な動機――しばしば現実の政治を「哲学」の高貴なる意図から引き下ろした人間的常識――に基づくものである。「父は子のために罪を隠し、子は父のために罪を隠す」という孔子の言葉（『論語』子路篇）はあまりにも有名である。「哲学」あるいは「精神」としての儒教は、はじめから一種の政治的イデオロギーであり、のちにヴェーバーの批判した政治の自己聖化・倫理的絶対化にまでエスカレートしていく。

中国のマンダリンとペダントクラシー

次に中国伝統文化における政治の実践者について考えてみることにしょう。ご承知のとおり、伝統中国の政治支配は、皇帝を頂点として、儒教的教養を身につけた「士大夫」で構成される官僚組織によって行なわれる。それは一見、J・S・ミル（一八〇六―一八七六）のいうペダントクラシー（学者支配）の典型である。ミルによれば、一国のすべての幅広い教養と訓練された知性が競争試験で強力な官僚制組織に集中するとき、しかもこの組織自体が完全であればあるほど、官僚制の成員をも含めたすべての人々への専制の束縛はそれだけ完全になる。この官僚制のもとでは、いかなる意味の改革も実施されえない。そして統治体それ自体の知的活動と進歩性も阻害され、停滞してしまう。こう語るミルの脳裏に浮かんだ実例は、帝政ロシアの官僚と中国のマンダリンである。

中国のマンダリンは果たしてミルの意味するところの「ペダント」であろうか。「一国の高級な才能」とか、「幅広い教養」とか、国家の公僕という「職業」を語るとき、ミルはあきらかに一国の政治支配に携わるパワーエリートたちの技術者としての側面を意識していることを見落としてはならない。渡辺浩氏は「儒学史の異同の一解釈」という論文において、中国の「学者支配」が成立した宋代を考察し、士大夫のあいだで知的活動が停滞するどころか、「学」をめぐって、むしろ活発な知的活動が展開されていた事実に注目した。そして、彼らの功利を否定し、観念的、非現実的な「原理」に徹する姿勢は、実は士大夫層全体の社会的存立と威信とを守るための最善策である、とも指摘した。この事実は、また同時に中国のマンダリンの特殊な体質に光をあてることになる。すなわち、政治の実践者・指導者としての彼らは実に非政治的である。いわば非政治的政治家。政治の現場においても、彼らは往々にして責任倫理ではなく、心情倫理の準則に従って行動する。

儒教は単に泰平のための技術的知識にとどまらなかった。同様に、中国のマンダリンは決して政治の実務家、あるいは地道な行政官に甘んじなかった。彼らはある面の専門家でなくてもよいのだ。それどころか、専門家になることを低く見るふしさえある。これは中国のエリート社会で「アマチュアを尊ぶ理念」が優位を保っていたことを意味している。南宋以後、法律的、医学的、財政的な専門科目が科挙試験から排除されていたことは一つの表徴であろう。

以上は、「哲学」あるいは「精神」としての儒教の実態と、政治の実践者であるマンダリンの体質についての概観であるが、伝統中国における政治と精神のメカニズムを一言でいえば、政治と精神との不可分、あるいは、政治と精神との癒着とでも呼ぶことができる。これこそ儒教誕生以来、中国の社会を動かし、社会生活の全般に影響をおよぼしつづけたメカニズムであり、権力側と反体制側を問わず、中国人全体に共通する思考のパターンであり、民族のイデオロギーである。度重なる革命にもかかわらず、ついに手が届かなかった伝統の深層部であり、コアであろう。だからこそ、政治に訣別し精神の独立に目覚めた知識人の登場は画期的なできごとであり、まさに「革命」の名にふさわしい事件であった。

政治と精神との不可分、――これは中国文化のみの特徴だろうか。結論はそう簡単にはでない。ヨーロッパでは、人文主義的な教養を身につけた文人たちが、君主の政治顧問や、とくにその政治文書の起草者になる目的で、ラテン語の演説やギリシア語の詩を学んだ時代があった。しかしその時期は非常に短く、また政治的な影響はそれほど深くなかったようだ。マックス・ヴェーバーは中国のマンダリンと比較して、西洋の文人を次のように論じている。

> 当時の西洋の人文主義者に、これと同じような立身出世のチャンスがほんの僅かでも与えられていたら、われわれの運命も中国と似たものになっていたかも知れない。（『職業としての政治』）

またフリッツ・K・リンガーの著書『読書人の没落』によれば、ドイツには、かつて「文化国家」の理念があり、十九世紀に「国家と精神の結婚」の一時期があったという（リンガー著書の英文名The Decline of German Mandarins は極めて示唆的である）。しかしそれは決してドイツ文化の伝統ではない。例えばトーマス・マンの『非政治的人間の考察』を読めばよくわかるはずである。

中国儒教文化の影響を比較的強く受けた日本に目を向けることにしよう。これは中日儒学の異同にも関わる問題なので、すでに多くの研究がなされている。一つ言えることは、聖人の道を倫理から切り離し、技術としての作為――政治に限定する一方、責任倫理をも重視した荻生徂徠のような政治家、あるいは政治の機能を限定し、市場社会の理念を説いた福沢諭吉のような知識人が伝統中国には遂に登場しなかったということである。

現代に生きる伝統

洋の東西を問わず、「精神的支配」を求めざる政治権力はありえない。したがって、権力の思想としての政治的イデオロギーは必然的に発生し、しかも支配という行為のもっとも本質的な部分をなしている。政治権力とイデオロギーとが不可分であるがゆえに、権力が崩壊すれば、イデオロギーの生命もなくなる。

中国伝統文化における政治と精神との関係は、上述した構図にかなり似ているように思われるけれども、実は同じ次元の問題では決してないのである。なぜなら、ここに言うところの「精神」とは、「政治的イデオロギー」の同義語ではないからである。

哲学、芸術、科学、倫理、形而上学としての「精神」は、本質的に「政治からの自由」の所産である。つまり「政治社会」の中に生きる「行為主体」としての人間の、権力による支配や拘束を受けない行動の領域に「精神」が誕生するのである。儒教は単なる体制イデオロギーではない、というのはこのような「精神」としての側面を備えているからである。孔子や孟子の晩年の失意と不遇は、もとより彼らの思想の非現実性、政治理論としての失敗を意味しているが、と同時に、氏族社会の血縁共同体的人間関係の再建をめざす彼らの思想が権力の論理ではなく、権力から疎外された「外側」の思想であることを物語っている。のちに拡張した権力が国家規模の「共同体幻想」をつくるために、儒教を国家イデオロギーに採用するときまで、そうであった。

このように、儒教は権力の「内側」と「外側」との二つの顔をもち、政治的イデオロギーをつとめる一方、「精神」の代用物として長く機能していたのである。だからこそ、王朝体制が倒壊したのちも、儒教文化が根強く生き残り、民族のイデオロギーとして機能しつづけ、現代に生きる伝統となっているのである。

この現代に生きる伝統——民族の思考様式について、山田慶児氏は次のように説明している。

> 中国の哲学はひたすら人生の目的を追求してきた。哲学者たちの思索は、ついに人間という関心領域をはずれることがなかった。自然にかんする思索といえども、人間にかんする思索の自然主義的立場からの基礎づけとして展開された。いいかえれば、哲学はなによりもまず人間学だったのである。（「中国の文化と思考様式」）

> 中国においては、思想それ自体に価値があたえられ、したがって思想がそれ自体として追求されたことは、かつてなかった。思想はつねに実践のための指針であった。社会的実践のための必要性＝有効性をこえて思索をすすめるのを悪として拒否する態度が、思考を基本的に規制するものとしてあった。（『未来への問い』）

したがって、伝統中国においては、体制の「内側」に活動し、支配階級の特殊な目的とイデオロギーに隷属し、その知的関心が基本的に「技術的」であるインテリゲンチアはいても、「知識人」――人間全体にとっての普遍的価値、超越的理性を追求し、その関心が主として批判的、開放的、解釈的であり、それゆえしばしば政治的でもあるようなインティレクチュアルズはいなかったことになる。

現代に生きる伝統として、政治と精神との不可分という構図は、依然として現代中国の社会生活の多くの領域に見られる。斉藤哲郎氏の論文「現代中国の知識人と政治的粛清」は、哲学者馮友蘭の「自己批判」を中心に、中国における政治粛清と哲学思想論争とのかかわりを考察したものであるが、この伝統の生態と息遣いを如実に伝えている。そこでは政治過程への知識人の参与の実態を観察したマール・ゴールドマン教授の研究を引用しているが、中国の知識人の伝統的体質に光をあてるものとして実に興味深い。「政治家の権力争奪闘争と、知識人の学術思想論争の奇妙な融合がおこる」というのはゴールドマン教授の所感であるが、やはり中国ならではの「現象」ではなかろうか。

政治と精神との不可分という思考様式が今日にまでながらえてきたのは、やはりそれなりの理由がある。伝統の社会構造を支える効果的なメカニズムとして、社会の発展にプラスに機能していたことも、また否めない事実であった。しかし伝統の止揚に民族の活力を求める以上、中国人の思索を限定しつづけてきたこの民族のイデオロギー、いわゆる「最後」の伝統に手をつけるのも自然の成り行きであろう。「職業としての政治」と「独立した精神」の確立こそ、現代を生きるわれわれにとっての最大の民族的課題である。

＊本稿は、一九九一年十二月、東京国際文化会館で行われた「辛亥革命八十周年記念シンポジウム」に提出した報告に加筆したものである。なお、主な引用参考文献は以下の通りである。

マックス・ヴェーバー『職業としての政治』（脇圭平訳、岩波文庫）一九八〇年。

脇圭平『知識人と政治』岩波新書、一九七三年。

マッテオ・リッチ『中国キリスト教布教史』第一巻、岩波書店刊、一九八三年。

平川祐弘『マッテオ・リッチ伝』1、平凡社刊、一九六九年。

『プラトンⅡ』（世界の名著7）中央公論社刊、一九六九年。

加地伸行『儒教とは何か』中公新書、一九九〇年。

渡辺浩「儒学史の異同の一解釈」『思想』一九九〇年六月号所収、岩波書店。

『J・S・ミル』（世界の名著38）中央公論社刊、一九六七年。

ジュリアン・バンダ『知識人の裏切り』（宇京頼三訳）未来社刊、一九九〇年。

フリッツ・K・リンガー『読書人の没落』（西村稔訳）名古屋大学出版会刊、一九九一年。

F・ギルバート他『国家への視座』（佐々木毅他訳）平凡社刊、一九八八年。

中屋敷宏『中国イデオロギー論』勁草書房刊、一九八三年。

斉藤哲郎「現代中国の知識人と政治的粛清」『思想』一九九〇年十二月号所収。

山田慶児「中国の文化と思考様式」岩波講座『哲学』第十三巻「文化」所収、一九六八年。

森嶋通夫『政治家の条件―イギリス、ＥＣ、日本』岩波新書、一九九一年。


（日本文化会議『文化会議』一九九二年四月）

中国における「翻訳」と近代ヨーロッパ―言語に見る中日文化変容の軌跡

一九五〇年代、六〇年代のアメリカにおいて、すこぶる影響力を持っていた中国史家のジョセフ・レベンソンは、その大著『儒教中国とその近代の運命』のなかで、近代中国の文化的変容を言葉というユニークな視点でとらえている。彼が言うには、近代中国との出会いが、西洋文化の「語彙を拡大した」のに対して、西洋が中国にしたことは、おそらく後者の「言語を変えた」ということであろう(Levenson,Joseph.*Confucian China and Its Modern Fate*. A Trilogy. Berkley University of California Press, 1968)。

ここで使い分けられている「語彙」と「言語」とは、ヨーロッパと中国の歴史の上に発生した現実を示す一方、「部分」と「全体」の隠喩でもあった。レベンソンによれば、外来文化の衝撃がある社会の全体に及び、その社会文化の枠組みを覆すような事態になれば、思想の伝播の方式に質的変化が起こる。これこそ、ある社会における言語の変化にたとえられるべき現象だ。そしてそのような事態が、十九世紀以降の中国で、実際に起こったのである。

しかし、西欧文化の圧倒的なインパクトを念頭に、近代中国の文化的変容の解明を試みたレベンソンの研究は、西洋中心論の一つの典型として、ジョン・フェアバンク教授らの論とともに、次の世代の研究者によって批判されることになる(Cohen,Paul A.*Discovering History in China.* 佐藤進一訳『知の帝国主義』平凡社、一九八八年)。

近代中国の歴史的展開は、中国社会自体の文脈でとらえられるべきだ、という批判者の主張はもっともなものであろう。だが、言語に着目したレベンソンの観察には、やはり彼を凡百のチャイナウォッチャーと区別する鋭いものがある。近代的文体の誕生を丹念に跡づけることは、とりもなおさず中国近代文化史の一部を書くことになる。またレベンソンの視点は他の非西洋社会、たとえば、日本の近代が歩んだ軌跡を描くのに、あるいは普遍的な意味を持つかもしれない。何しろ日本と中国は、ともに「翻訳」という言語的実験を通して、社会変革を試みた経験を持っているからである。

中国における「翻訳の時代」

中国における「翻訳」は、古き漢唐時代の仏典翻訳をのぞくと、宣教師が訪れた十六世紀の明末に遡る。中国人の手によるものではないとはいえ、イエズス会士たちの漢文著述はすでに一種の翻訳的性格を備えていた。なかには『況義』(1)(一六二五年)のような『イソップ物語』の漢訳本もあった。(ちなみに一五九三年に刊行された日本における同書の最古訳天草版ローマ字本より三十年余り遅れている。)

この近代翻訳前史とも言うべき時代に蓄積された言語資料は、次の時代の翻訳実践におおいに生かされ、中国のみならず、日本の近代語彙の供給源の一つとなった。たとえば、地球、香料、熱帯、病院、大学、文科、理科、紅海、地中海などはいずれも、一六二三年に刊行されたアレーニの『職方外紀』(2)に登場する訳語である。

日本と同じく、中国において翻訳活動が盛んに行われるようになったのは、やはり十九世紀以降である。西洋文明の力に抵抗しつつ、それをわがものにする努力の一環としてなされた翻訳は、民族の存亡を賭けた国家事業であった。安政四年(一八五七)徳川幕府によって蕃書調所が設置されたように、李鴻章が上海に設けた江南製造総局に傅蘭雅(John Fryer)などを中心とする翻訳局が置かれたのは、その十年後の一八六七年であった。「世を挙げて西人の機知の民たるを知りて、その徳義の民たるを知らず」(森鴎外「しがらみ草紙の本領を論ず」)という時代だったから、翻訳された西洋の書物も、「格物窮理」「声光電化」[3]といったものに限られていた。それらの訳業はあくまで、まずは物質面から導入し、それが浸透するにつれて次第に精神面の受容へと拡大する、いわば異文化移植の法則どおりのものだったが、その文化史における意味はなお不滅である。ロプシャイド(W.Lobscheid)英華辞書の刊行や聖書の翻訳などといったミッション系の翻訳活動が加わり、中国人はかつて経験したことのない、語彙の飛躍的増加の時代を迎えたのである。

言語の近代は、言語への感受性から

異質の文明を伝統社会の固有の知的枠組みのなかに置くという翻訳の営為は、まさに言語の実験であった。それがやがて伝統社会の文体の変革を引き起こすのは、ごく自然の成り行きであろう。ところが近代中国における「翻訳」を日本のそれと比較した場合、両者はほぼ同じ時期にはじまり、似たような道をたどったにもかかわらず、中国における口語文体の成立は日本より三十数年も遅れた。なぜだろうか。

そもそも、伝統中国語では副詞、助詞、助動詞などが発達せず、名詞が大きな比重を占めていたので、翻訳によって創られた大量の新名詞は、文体の変化を起こす触媒とはならなかった。また漢文に訓点をつけて日本語に置き換えるという翻訳の方法を工夫した日本人に比べて、中国人の漢語に対する感受性は、母国語であるだけにかえって鈍いものであった。したがって、欧文の造語法——たとえば-ism,-ization,-ologyなど——に対応する発想、また、

ものごとの性質や効果、あるいは感情にまつわる表現が、ついに生まれなかった。実際、共産主義・封建主義、近代化・工業化、哲学・生理学、可能性・創造性、心理作用・精神作用、緊張感・優越感などの新造語の類いは、ことごとく日本から借りたものなのである。

福沢諭吉と厳復に見る、「世俗の翻訳」と「学理深遠の翻訳」

中日間には、こうした言語構造上の差異が認められるものの、しかし、それ以上に、近代文化の創造を担った中日知識階級の精神構造に差異があったように思われる。日本人を世界の舞台に導いた啓蒙家福沢諭吉は、生涯の大半を著述・翻訳に費やした。彼は晩年、自らが演出してきた数々の歴史の大活劇の、「筋書き」や「台帳」をまとめるに際して、こう記している。「自分の文章は最初より世俗と決心し、世俗通用の俗文をもって世俗を文明に導くこと、恰も真宗の開祖親鸞上人が自ら肉食して肉食の男女を教化したるの顰《ひそみ》に倣《なら》ひ、何処までも世俗平易の文章法を押通し、世俗と共に文明の佳境に達せんとするの本願にして、曾《かつ》て初一念を変じたるなき」（「福沢全集緒言」）。

つねに文章の平易を心掛けている福沢は、文章の草稿をまず「文字に乏しき家の婦人子供ら」に読ませ、わからないと訴えた箇所にたいてい難しい漢字があてられているのに気づいて、それを書き直したことがしばしばあったという。福沢には漢文の素養があったが、新しい知識を万人に伝えるため、文章をずいぶん苦心したらしい。彼は俗語俗文を避けず、漢語も巧みに利用する。都合次第で、ときには「俗文中に漢語を挿み、漢語に接するに俗語を以てして、雅俗めちゃ〳〵に混合せしめ、恰も漢文社会の霊場を犯して其文法を紊乱《びんらん》し」てまで、言葉の実験を積み重ねてきた。福沢の時代は、いわば文体上の模索期であった。彼自身の文章は口語文に至らなかったが、漢文調を崩し、新表現を生み出す格闘が、のちの言文一致運動に受け継がれることになる。

一方、清末の中国において、福沢と似た役割を果たし、しばしば福沢と比較される人物は、厳復である。彼がハックスレーの『進化と倫理』の一部を翻訳して世に問うた「天演論」は、中国の思想界に旋風を巻き起こし、「物競」「天択」は世の流行語となった。ところが、厳復が西洋の書を訳す際に念頭にあった読者とは、決して万人ではなく、中国の教養ある知識階級であった。「天演論」は古典中国語、いわゆる桐城派の古文辞によって翻訳されたのである。

　西洋近代の学術思想を伝えるのに、なぜあえて古文を用いるのか。厳復自身の説明によれば、深遠なる西洋の学理はそれにふさわしい文章で表現されなければならない。「私は文を草するにおいて、決してひたすら雅に努めるのではなく、正しい筋に従っているだけである。欧州昨今の文章を中国の古文に訳し得るか否かを問う者があるが、……私の従事しているのは学理深遠の書である。これは学童に与えるものではなく、まさに中国の古書を多読する人物に期せんとするものである」（「梁任公に与えて『原富』を論ずるの書」）。

　表向きの論理はそのとおりだが、厳復の選択の裏には、当時の知的状況に迫られたそれなりの事情があったに違いない。あのころ世間では、留学生のことを「毛唐の言葉がしゃべれる」程度のものとしか認めず、読書人扱いをしなかった。新帰朝者厳復が士大夫的世界と対話する資格を手に入れるには、「晩周の諸子と相上下す」という芸当をやり遂げねばならなかったのであろう。

　中華民国になってからも、古文の勢力は衰えなかった。守旧派陣営のみならず、伝統文化の変革を訴えた人々の間にも、文語と口語を差別する意識が根強く残っていた。陳独秀が上海で『青年雑誌』を創刊したのは民国四年（一九一五）のことで、それがのちに中国における新文化運動の本拠地となったことは周知のとおりである。『青年雑誌』は外国の思想学術、文学作品の紹介に力を入れていたが、その初期の翻訳はほとんど文語体であった。雑誌の一巻一号には陳独秀が訳したフランス人マックス・オレール(MaxO'Rell)の「婦人観」（*Thoughts on Women*)が掲載されている。その冒頭の一節を引けば、「婦女、天人也。或化而為夜叉」(Women is an angel who becomes a devil)といった調子であった。

魯迅・周作人兄弟の国語改造へ

日本の明治二十年代における「言文一致」の動きは文学に深くかかわる文体革新運動であったが、はじめから国語の創造が視野に入っていたように思われる。日本近代文学の第一作を飾った「浮雲」の作者二葉亭四迷の晩年の述懐が象徴的である。「自分は日本には日本語の文章を成り立たせ、通俗語で書いた文章が立派に成り立つようにしたいと考えて努力したものだ」（「文談五則」）。

中国において、文学の改良を国語の改造と結びつけなければならない、という意識が明確になったのは、胡適の論文「建設的文学革命論」（『新青年』第四巻四号、一九一八年）以降だったように思われる。彼の主張は「国語的文学、文学的国語」の一言に尽きる。そして、同じ時期に魯迅、周作人の兄弟による日本近代文学の翻訳がはじめられたことは、注目に値する。実際、「翻訳」を国語改革の手段に生かすよう、大声で呼びかけたのは、やはり彼らであった。魯迅は「直訳」の手法を唱え、新しい内容を輸入すると同時に、新しい表現法を輸入することの意義を力説した（「翻訳についての手紙」）。『東方雑誌』第十九巻十七号に載った周作人の「国語改造の意見」は、さらに詳しい青写真を示している。彼が描いた現代国語とは、国民が誰でも理解し、運用でき、あらゆる崇高な思想と繊細な感情を表し、しかも芸術と学問の道具となりうるような、古今東西の要素を合わせ持つ中国語のことである。それはもはや、ただの空想には終わらない。兄弟の脳裏にはすでに、見習うべき手本があった。それは言うまでもなく、三十数年前から積み上げられてきた、近代日本の経験だったのである。

註

1　マッテオ・リッチの布教報告書を整理、刊行し、また『西儒耳目資』で知られているイエズス会士トリゴー・

ニコラ(Nicolas Trigault　金尼閣、一五七七—一六二八)の作といわれ、一六二五年西安府で刊行。原書は現存せず、新村《にいむら》出《いずる》がパリの図書館で二種類の写本を見つけ、その一部を『南蛮広記』に抄録している。

2　イタリア人イエズス会士アレーニ(Julio Aleni　艾儒略、一五八二—一六四九)の著書、全五巻。天啓三(一六二三)年に成る。五大洲に分けて各国の風土、民俗、気候を紹介し、ヨーロッパの社会政体や、コロンブスの新大陸周航などの新知識を伝える世界地理書。

3　音響、光学、電気、化学などの自然科学をさす。

(『国際交流』第73号、一九九六年。後に山川出版社『翻訳と日本文化』所収、二〇〇〇年)

ドナルド・キーン著『日本文学史』近世篇を読む

一　個人の作品としての文学史

おそらく洋の東西を問わず、歴史著作というものは、その成立の初期においてしばしば個人の作品でした。中国を例に取り上げれば、すぐ思い浮かべたのが司馬遷の『史記』、班固の『漢書』、陳寿の『三国志』です。ただ時代がくだるにつれて、史料文献が膨らみ、個人の手に負えなくなるという面もあるでしょうが、複数の作者の共同作業によるものが主流になっていく。しかし個人の作品『史記』などに比べた場合、複数の作者によって書かれた歴史書、例えば宋、金、元、明などの正史はどうしても印象が薄く、読者に感銘を与える迫力に欠けている、と言わざるを得ません。

文学史についても、同じことが言えるのではないでしょうか。ただし今日のように、洪水の如き情報、史料文献に囲まれて、更に時代により、ジャンルによりあるいは甚だしいことに作品ごとに学問研究の分業が進んでいる状況のもとでは、古代より現代に至るまでの通史を個人の独力で以て完成させるのは至難の業であるに違いない。ところが一方、将来どんなに情報化社会が成熟し、コンピューターの技術が進み、森羅万象の文学事典のデータベースが実現して指一本で知りたい知識が検索できるという時代になっても、個人の作品としての文学史は、やはり抗しがたい魅力をもつものと私は信じます。『詩経』『尚書』などの古代文献を整理し、『春秋』を添削した孔子さまが自分の執筆態度に触れて、「述べて作らず」という言葉を残しました（論語述而第七）。述べて作らずということは、すなわち前人の蓄積を祖述するのみで、みずからの知見を付け加えるようなことをしない態度です。しかし真にすぐれた個人の著作は、「述べて作る」ものでなければならないと思います。

この度、この国際セミナーに出て発表することがきっかけで、これまで個人で書かれた日本文学史の大作を三部読む機会を得ました。すなわち加藤周一先生の『日本文学史序説』、小西甚一先生の『日本文藝史』とドナルド・キーン先生の『日本文学史』です。『日本文学史序説』は上下二巻だから読破しましたが、小西先生とキーン先生の著書は厖大な分量なので、近世と近現代篇を中心に読み通しました。（小西先生の場合、近世という分類をしておらず、中世第三期以降）一言で感想を述べさせていただきますと、文学史はやはり個人の作品でなければならず、文献操作の限界と不備が考えられるでしょうが、それを補う技術的な面の進歩が個人作品の魅力に取って代わることはなかろうとつくづく思いました。

加藤周一先生の『日本文学史序説』は狭義的文学史の枠を破り、思想、宗教、芸術活動をも視野に収めて、その相関した様相をダイナミックに捉えた一種の日本文化史、精神史です。それに「歴史」の解釈と叙述には、「世代」という視点を導入することによって、文学流派や時代の思潮と作家という縦の関係のみならず、個別の作家と事象が流れのなかにどう位置づけられているかが立体的に見えて鮮烈な印象を読者に与えます。

小西甚一先生の『日本文藝史』全五巻を貫くキーワードは、「雅」と「俗」というパラダイムです。その起伏消長の流れを辿り、また時代の美意識を織り交ぜながら独自の文芸史観で日本文学の全体像を浮き彫りにする手法は鮮やかです。そして『日本文学史序説』と『日本文藝史』のどちらも比較の視点（中国文学、西洋文学、あるいは非ヤマト系文芸との比較）を取り入れたこと、さらに外部に開かれた文体を意識的に採用することが注目に値する。より普遍的な観念でもって日本文学の歴史を語るということは、すなわち世界に通ずる文法と言葉で民族の経験の理論化を試みることです。この意味において、ドナルド・キーン先生の『日本文学史』は日本の内部ではなく、外部からこうした理論化の意味を問う先駆的なアプローチです。

『日本文学史』の先駆的意味について、実はその日本語版が刊行された当初、すでに多くの識者によって指摘されました。例えば、大岡信氏と山崎正和氏は、『日本文学史』にそれぞれ次のような推薦の言葉を寄せました。

> 面白い文学史が成立するための条件はかずかずあるが、私はその重要な一つに、ある個人が終始一貫執筆した通史であること、という条件をあげたい。（中略）ドナルド・キーン氏の『日本文学史』の出現が鮮烈な意味をもっているのはそのためだ。氏はこの至難の業に多年いどみ、すぐれた学者の書いた通史の魅力というものをしたたかに味わわせてくれる大著を実現してきた。（大岡信）
>
> ドナルド・キーン氏の『日本文学史』は、今日の世界で、ひとりの筆者によって書かれたただひとつの日本文学通史である。ひとりの手によって書かれたといふことは、これが論理的に一貫した、体系的な歴史であることを意

味するだけではない。これはまさに「文学」の歴史であるにふさわしく、一つの趣味と批評精神に貫かれて、それ自体ひとつの文学的な世界をかたちづくってゐる。（山崎）

真にすぐれた個人の著作は、かならず「述べて作る」というものでなければならない。つまり前人の知的遺産を踏まえて、さらに自分の創造的知見を積み重ねるということです。『日本文学史』はもちろん作者個人の批評精神に貫かれています。作品の取捨選択や作家の好悪褒貶などには、作者個人の美意識、趣味が滲み出ています。しかしそれよりもっと重要なことは、『日本文学史』は日本語以外の言語で書かれたということではないでしょうか。あまりにも自明のことのようですが、それは非常に大事な点だと思います。全く異なる文化伝統を背負う、日本語以外の言語、具体的に英語で日本文学の歴史を語るということは、作品の翻訳や概念の解釈などはそれ自体一種の日本文学を相対化する作業です。こうした対象を解体してまた組み立て直す作業は、日本人にはもちろん、日本以外の国々の日本研究に大いに示唆を与えるに違いない。『日本文学史』はロシアで翻訳され、大きな反響を呼び起こしたのもそのためではないでしょうか。

一方、英語圏の読者を念頭に、英語で執筆するということは、作者自身をはぐくむヨーロッパ文化の伝統と知性によってユニークな視角が開かれるとともに、それ自体一種の相対的アプローチであることを意味します。私は『日本文学史』を読んで、大いに蒙を啓かれた思いですが、それと同時に、もし中国の読者のために、日本文学の通史を誰かひとりで書くとすれば、どうアプローチすればよいか、というようなことをあれこれ空想致しました。従って、今日はある一つのテーマをほりさげての研究発表というより、中国人が日本文学をどう受容し、どう語ってきたか、といういわば比較文学、比較文化の視点より『日本文学史』近世篇を読んださささやかな感想を述べさせていただきます。

二　『日本文学史』近世篇を読む

儒者の文章

　徳川時代の文学を扱う近世篇は、大枠において元禄、天明、文化文政という時代順にそって作家の活動やさまざまな事象を取りあげますが、ただ厳密に年代を追うよりむしろジャンル別に記述するという方法をとっています。つまり和歌、俳諧、小説、演劇の四つの分野です。それ以外の、例えば近世の随筆、あるいは儒者の書いた作品については、文学として優れたものもある、と認める一方、一応この文学史が取り扱う対象の外に置くとの説明があります。この点に関しては、儒者の文章を多く取りあげた加藤周一先生の『日本文学史序説』と対照的です。中国では、文学としての散文は韻文の漢詩と共に古今を貫く二大ジャンルです。韻文の分野では時代の変遷に伴って、さまざまな変容（詩経楚辞より漢代の賦、六朝の楽府、唐代の律詩、宋代の詞、元代の散曲）を見せたものの、五言、七言の漢詩がずっと清末まで製作されましたように、散文も秦以前の諸子の時代から六朝の批評、唐宋の古文八家、明代の公安竟陵、清代の桐城にいたるまで、その伝統命脈が綿々と伝わってきました。その間小説（六朝の志怪、唐宋の伝奇、明清の長編小説）や戯曲（宋の戯文、元の雑劇、明の南戯崑腔）が起こりましたが、散文は不動の地位を保っています。文人としての素養や才能を評価する場合、漢詩の才能はもちろん一つの尺度ですが、「文章がうまい」すなわち中国語散文の成熟練達の度合い、その文体の磨きはやはりもっとも権威のある尺度ではないでしょうか。実は漢詩の伝統が廃れた今日においてもそう変わらないと思います。魯迅、周作人兄弟は近代中国の一流の作家ですが、二人はどちらもまず屈指の文章家です。小説家、あるいは劇作家として才能があるとか、詩の技巧がうまいとか、これなどとは全く次元の違う評価です。

　この一貫した中国の散文の伝統に比べて、徳川儒者の文章は、いうまでもなく十七世紀以降のものです。その文体はそれまでの日本語の散文、例えば中世の随筆、日記、紀行の和文脈と違って、基本的には漢文脈を受け継いだもので、なかの一部は、漢文そのもので書かれています。明治以降例えば漱石の小説に見られる知的内容の密度、時代との深い関わり合い、というようなものを徳川時代に求めれば、滝沢馬琴の小説ではなく、やはり儒者文人の作品にほかならない、と加藤周一先生が言っています。しかしドナルド・キーン先生の『日本文学史』の全体のバランスを考えると、儒者の文章をとりあえず叙述の対象から除外するのもやむを得ないと思います。

近世篇を読んで歌舞伎と浄瑠璃を論ずる部分となると、特にいきいきと文章が冴えている、と感じました。近松との出会いはキーン先生の日本研究の最初期に遡り、長年の研究を積み重ねたということはもちろん、日本を訪れるたびごとに足繁く能、文楽、歌舞伎、新劇などの舞台鑑賞に通っていたという感性の経験が大いに物を言うように思われます。例えば能の「安宅」と歌舞伎「勧進帳」の舞台効果を論ずる文章（十八世紀の歌舞伎）は、そのよい例でしょう。[1]ただし自分の知識不足でこの部分の詳細に立ち入って批評する力がありません。従って以下は自分も多少噛っていた俳諧、小説、漢詩文などを中心に私見を述べさせていただきます。

松尾芭蕉の文学について

芭蕉の文学は俳諧というジャンルの最高の達成です。しかし俳諧連歌より脱皮した、いわば一種の機知を競う言葉の遊びを世界でもっとも凝縮し、もっとも洗練されている、人生の一瞬も自然の永久をも盛り込める芸術形式に磨き上げるのに、多くの前人の試行錯誤があり、長い道のりがありました。このことをとかく疎かにして、芭蕉を孤絶した高嶺と見なし、その句作と主に漢詩文との関係を詮索するのが中国における芭蕉受容のしかたです。もちろん出典研究は作品解釈の重要な手がかりとなりますが、ただし漢詩文の摂取は芭蕉の創作過程のすべてにかかわるものではない。芭蕉の文学を真に理解するためには、やはり彼が背負っている伝統、それに何よりも俳諧そのものが一つの詩形として形づくられている流れの中に置いて考察しなければなりません。こうして見ると、近世篇のなかで、キーン先生が提示した視点、つまり「芭蕉その人も、必ずしもまったく他の俳人たちから孤絶してひとり俳諧の極致に到達したのではなく、徐々に彼と同じ俳諧観に達しつつあった少数のグループの中にあって、そのぬきんでた一人であったと言うことができるようである」[2]という指摘はとても大切だと思います。蕉風の形成に貢献した同時代の俳人たちを論じた「蕉風への移行」やそれ以前の松永貞徳の活動と談林俳諧を扱うくだりは、文学史の叙述には必要であるのみでなく、芭蕉の作家としての形成を把握する上でも必要不可欠ではないでしょうか。

独自の作風を模索していた時の芭蕉にとって、漢詩文の摂取は、大切な工夫の一つですが、同じ漢詩文調で、あるいは漢詩に触発された句と言っても、すでに小西先生が指摘しましたように、きわめて外面的なもの、新奇さをねらって語句や故事を借用したに過ぎないものと、そうでないもの、例えば、

　雪の朝独り干鮭を嚙み得たり

芭蕉野分して盥に雨を聴く夜かな

との違いがあります。ただ単に出典の指摘に終わってしまうのではなく、発句の話主(speaker)と作者(author)の一致を指摘した小西先生が試みたような理論分析も必要でしょう。こうした点はいずれも中国の芭蕉研究にとって大いに参考になると思います。

蕪村と一茶

近世篇の第一巻は、ほぼすべて俳諧に充てられていますが、さらに芭蕉に関わる部分を見ますと、もし「蕉風への移行」や「芭蕉の門人」の章も計算に入れれば、実は一巻の半分を占める分量になります。近世文学における芭蕉の重みを考えると当然の扱い方ですが、ただしそれに比べて、蕪村と一茶に充てられた筆墨の簡素さは、全体のバランスを考慮した結果でしょうが、私にはやや意外でした。個人の好みから言えば、一茶よりも私は蕪村のほうが好きです。その耽美的な作風、その文人趣味、その色彩の使い方、その繊細で瑞々しい感性により多くの共感を覚えます。ところが蕪村と一茶の句を中国の読者に紹介するとなると、人々に強いインパクトを与えるのは蕪村で

はなく、一茶だろうと思います。中国趣味や漢詩文調と無縁の土壌で育まれた一茶の生活感覚とその筆の荒々しいタッチは、かえって中国人読者に新鮮で、全く未経験の世界を見せてくれるのです。

小林一茶は俳諧史において孤独な作家でした。俳諧史上から彼の存在を消してもさほど大きな狂いはなかろう、といわれるほど一茶は前人未踏の境地を切り開きながら、その後継者をついに育てませんでした。一茶が親しみやすい真摯なる庶民の詩人として世に広く迎えられ、再認識されたのは、自然主義文芸思潮が流行っていた明治四十年代以降だったと思います。日本における一茶の再発見とほぼ同じ時期に、海の彼方の中国では、一茶に並々ならぬ関心を寄せている若者がいました。後に中国を代表する大作家となる周作人でした。彼は一茶の句を空前絶後の作品と評価し、一茶の特色を子供っぽさと捉え、「一茶の人柄と文章にはこれが一様にはっきりと現れている」と語りました。[3]作家の思想史において特筆に値する、この一茶との出会いについては、ここで詳しく触れませんが、あどけなく無邪気で、飾り気がなくありのままに自己を表現した一茶作品の紹介は、とかく儒教思想に抑圧されていた当時の文壇や知識人に強い感銘を与えたに違いない。我が子を亡くした経緯を記し、あの悲しい句、露の世は露の世ながらさりながら、と詠んだ『おらが春』の一部を周作人が翻訳しました。それは彼の作品のなかでもっとも感動的な文章の一つです。キーン先生の一茶評は、簡潔ではあるが、実は見事に要点を抑えています。俳諧史の中で異彩を放ち、真心と人間的温かみのある句を残した一茶を高く評価する一方、ついに社会と真剣に取り組むことをしなかった[4]というキーン先生の批判に、私も同感です。一茶は結局狭い視野の中で厖大な量の句を作りました。その句より、むしろ彼の散文作品、その日記などは他者と社会への視線を幾分感じさせてくれます。

上田秋成の作品

上田秋成は近世日本が生みだした優れた散文作家です。近世篇の第十六章は、多くのジャンルにまたがる秋成の文学活動（初期の浮世草子より晩年の春雨物語まで）を詳細にわたって論評しました。秋成研究の水準は近世文学研究のなかでもトップレベルにある、と言われます。その傑作『雨月物語』について実に夥しい論考が発表されました。論者は一様にその文体の美しさを取りあげますが、しかし翻訳を媒介にそれを外国の読者に紹介するとなると、どれだけその文体の美しさを伝えられるかは疑問です。実はキーン先生もこの点に触れて、秋成一流の雅文体の中でも珠玉の一編「白峰」についてこう語ります。「歴史的な背景をよく承知している日本人の読者なら、崇徳院と西行の対決のさまに心を奪われ、それを叙述する秋成の文章に酔うことができる。しかし「白峰」を翻訳で読む人々には、その話の真価が、そして秋成が日本では生涯を賭しての研究に値する大作家であるとされている理由が、呑み込めないことであろう」。[5]中国人読者にとっても、同じことが考えられます。もちろん訳者の技量を問われるところですが、『雨月』に引用されている和漢の古典の数々、それに醸し出される、あの知性的な文体を中国語に移すには限界があると思いますし、むしろ白話小説を模倣した影響の痕跡を浮き彫りにしてしまうことになると思います。

しかし、優れた散文作家としての秋成は、小説の技巧、修辞のみに長けているというわけではない。同じ白話小説の借用にしても、筋や構成ばかりに目を奪われる世の読本作者と違って、例えば李卓吾や馮夢龍の小説論に目をつけたところは秋成の資質をよく物語っています。そしてそれを実践に移して、真に迫るように書かなければ、と心がけているからこそ『雨月』の傑作がうまれたのでしょう。彼は文学史に名を残した作家であるのみでなく、日本思想史の文脈で捉えるべき人物でもあります。宣長との論争に現れている秋成の冷徹な懐疑の目と痛烈な批評精神は、彼の作品に思想の深みを与えます。確かに『春雨物語』は小説としての達成の度合いから言えば、キーン先生が指摘しましたとおり、『雨月物語』に遠く及ばないけれども、他の散文作品、例えば『胆大小心録』『癇癖談』などと同列に読めば、秋成の個性が発揮されている無類の思想の書と言えましょう。ただし文学史は、どの程度まで思想史の範疇に踏み入るべきか、という問題を考えなければなりません。実はこの点について、キーン先生のお考えをお伺いしたいところです。

人情本と滑稽本

江戸時代のいわゆる後期戯作の中で、今日においても人気を保っているもの、あるいは明治以降の近代文学に影響を与えたものとして、滑稽本と人情本があります。この両者についてキーン先生が下した批評は、私にはとても面白く興味深いものです。手短にまとめますと、人情本に比べて、滑稽本についてはあまり高く評価していません。例えば十返舎一九の『東海道中膝栗毛』に関しては、その人気の秘密は庶民の心を完全につかんでいたと認めながらも、ユーモアとしては、きわめて卑俗なものであると評し、『浮世風呂』『浮世床』の作者式亭三馬の著作は、さほど文学的に価値あるものとは言えない、と書いています。[6]かつて中国の『紅楼夢』があまり好きでないという（日本との出会い）キーン先生が為永春水の『春色梅児誉美』を評価したことは、別に意外ではないが、考えてみると、『紅楼夢』の細々した生活の細部に注がれた視線や、そのたわいない会話などは江戸の市井生活、庶民の日常に費やされた三馬の筆墨にどこか繋がっているという気がしないでもない。近世篇の第十七章で取りあげた『春色梅児誉美』の巻の三の場面を読んで、思わず中国清末の遊女の生活を描いた『海上花列伝』を連想せずにいられません。その両者を比較したら、さぞ面白いでしょうが、春水の人情本が中国語に翻訳されたことがつい最近までなかったと思います。やはりこの種の遊郭言情小説は、中国人読者に特に新鮮感をあたえていないためではないでしょうか。

そもそも中国において、江戸戯作の紹介はあまり為されていませんが、馬琴の『八犬伝』の中国語訳がつい数年前に出たばかりです。それに比べて，式亭三馬の『浮世風呂』や『浮世床』が約半世紀前に周作人によって翻訳され、人民文学出版社より刊行されました。一九三〇年代周作人は一連の日本文化論を発表しました。その中ですでに式亭三馬や十返舎一九の作品に触れて、その滑稽さ、そのユーモアの感覚は全く西洋の影響を受けていないし、また中国の文化になかったものだ、と周作人は言っています。[7]もっとも周作人の滑稽本評価は、彼の道学批判の延長線にあると思われます。また中国文化になかったものだから、評価すべきだ、というわけではない。その滑稽さとユーモアは、時によって確かに卑俗で下品と思われます。しかし百数十年も前の江戸人の日常と表情をあれほど丹念にあれほど克明に観察し、描き尽くしているこれらの作品に接して、やはり有難いものだ、という感を禁じ得ない。少なくとも中国の文化と比較して、滑稽さあるいはパロデイのセンスは、確かに古今を貫く日本文化の特色の一つです。古代の本歌取りから狂歌、俳諧、また今日の物まねブームに至るまで、滑稽のセンス、パロデイの精神が一脈相通ずるところがあると思います。そして今日古典として読む三馬や一九の作品がいずれも江戸の今様の文化を記録したものだと思うと、百年の尺度で、後世の人々が今の現代人の日常を振り返った時、さび、わび、もののあはれではなく、一つの美意識としてあるいは一つの文化の型として滑稽のセンス、パロデイの精神が東京人、大阪人、日本人の中に生きていることを見て取ることでしょう。

滝沢馬琴について

かつて夏目漱石について論文を執筆した時、同時代の文人学者による漱石評の幾つかを調べたことがあります。その中に、正宗白鳥の批評が私には一番面白い。初期の作品「虞美人草」に触れて、白鳥は漱石のことを「近代化した馬琴」と呼びました。日本の近代文学は馬琴を権威の座から降ろしたことによって始まったという通説を思えば、「近代化した馬琴」は実に興味深い逆説を含んだ名言と言わなければならない。そして白鳥は、明らかに「近代」の価値の向こう側に「馬琴」を置いたわけです。ここで思わず周作人の馬琴批判が思い出されます。一九二六年、雑誌『語絲』第七九期に発表された「馬琴日記抄」において、自分はどうやら馬琴のことをあまり好きではない、と周作人は書いています。その理由を四つあげています。まず歴史小説にそもそも興味をもたないこと、二番目は馬琴の勧善懲悪主義に不満を抱くこと、三つ目は馬琴の小説は中国物の模倣だから、中国人読者には面白くない、そして四つ目は宮武外骨の『山東京伝』を読んで、そこに描かれている馬琴の人柄、例えばその師である京伝のことを誹ったり、その葬式にも出ないとかいうようなことについて、嫌悪感を覚えたことを挙げたわけです(8)。一と四は、周作人個人の好悪、あるいは誤解によるものだからともかく、二番、三番は広く中国人の馬琴観を代弁しているように思われます。特に馬琴の道徳主義に対する批判はその典型的例です。昔から中国人はとかく政治や道徳の尺度で文学を測ってきました。文学を以て道を載せるというような態度に周作人がいち早く反対を表明しましたが、しかし彼の馬琴批判は皮肉なことにまさに一種の道徳主義に基づくものでした。

近世篇では、キーン先生が馬琴の文学、特にその傑作『南総里見八犬伝』について与えた評価は、公正でかつ説得力のあるものでした。文学を文学の基準で鑑賞し、面白い小説の面白さを素直に感得することは、一見当たり前のことのようですが、そこには評者の曇らぬ批評眼が要求されます。何世代もの読者を魅了した馬琴のことを、日本小説作家最大の四、五人のなかに数えるべきであろう。(9)というキーン先生の言葉はとても印象的でした。

以上は『日本文学史』近世篇について、中国人の独自な視角を交えながら素朴な所感を述べたわけですが、キーン先生の文学史家としての見識は、中国人の日本文学理解や、中国の日本研究にも必ず多大の刺激と示唆を与えるに違いない、と私は信じています。先生の『日本文学史』が中国においても翻訳され、刊行されることを切に待ち望んでいる次第であります。

註

1 Donald Keene, *World Within Walls, Japanese Literature of the Pre-Modern Era, 1600-1867*.Holt, Rinehart and Winston New York, 1976.p.442.

2 Ibid. p. 57. （引用文の日本語訳は徳岡孝夫氏のそれに従う、以下同）

3 周作人『自己の園地』人民文学出版社、一九八八年、九一頁。
4 *World Within Walls*, pp. 367-368.
5 Ibid. p. 381.
6 Ibid. p. 414, p. 416.
7 周作人「日本文化を語る書」『周作人文類編』湖南文芸出版社、一九九八年、第七巻、五八頁。
8 周作人「馬琴日記抄」、『周作人文類編』第七巻、三五〇頁。
9 *World Within Walls*, p. 428.

(第十回日本研究国際セミナー、福岡ユネスコ協会刊、第三六号、二〇〇〇年)

張岱と袁枚―明、清文人の自伝を読む

司馬遷の『史記』以来、人物の事跡行状を書き留める、いわば「紀伝体」は、中国人の歴史記述の基本的スタイルとして、受け継がれてきたにもかかわらず、書き手が自らのライフストーリーを記録する、いわゆる「自伝」というジャンルはつい近代まで育ちませんでした。そのわけを問われても、そう簡単に説明できませんが、それはどうも中国人の古来の世界観に深く関わっているように思われます。孔子や老荘の思想が示しているように、この世

の人間の生き方に、人々が強い関心をもっていながら、「物」（客観世界）と「我」（自己）との境界線がぼやけて、ついに渾然一体と化してしまう境地を求めてきました。詩人の描く草木山川には、実は詩人自身が投影されています。当然ながら、その「自身」を記録する時も、「詩と真実」というゲーテの言葉に示されたような、自分を客観視した視点、つまり客観世界のなかにいる自分の姿を、もう一人の自分が見つめている、という歴史意識が伝統文学の中についに生まれてこなかったのです。近代の意味での「自伝」作品が成立しなかったものの、作者が自分の生き方を描いた文章が存在しない、ということを意味するものではない。むしろ多くの文人は、その伝記的事実を記し、あるいはそれをほのめかす作品を数多く残しています。そのなかで、明末の乱世を生きた張岱と十八世紀、清朝の隆盛期に生を享けた袁枚の二人は、私には特に興味深い作家です。

張岱（一五九七―一六八九）は、号は陶庵、明末清初の文人、歴史家でもあります。江南の風物人情を書きとめ、若き日の「美しかりし夢」を追憶して成った『陶庵夢憶』は、彼の名を不朽たらしめた一書です。明末の随筆小品の「最高の達成」[1]といわれたこの書物は、作者張岱の「自伝」と見なしてもさしつかえない性格のものです。まずその「序文」を読んでみよう。

国を破れ、家も滅びて、この陶庵は帰るところがなく、さんばら髪のまま山奥に入り、恐ろしい野人となった。古くからの知人などは私の姿を見て、毒薬や猛獣でも見たかのように、驚き震えて敢えて接してくれる人がいなかった。そこでおのれを弔う詩を作り、何度も自決しようと思ったが、十数年も費やして書きかけた明の歴史である『石匱書』は未だに完成できないため、なおこのように生き長らえている。しかし米を入れた甕もしばしば底をつき、ご飯を炊くこともできない。この境地に追い込まれてはじめて、かの首陽山に隠れた殷の遺民の二老人が周の粟を喰わず、さっさと餓死してしまうというのは、後世の人々の体のいい作り話だとわかった。

飢えをこらえながら、好んで文筆を弄んだ。そこでいろいろと思いめぐらしたのだが、昔自分が六朝貴族の王、謝のような名門の家に生まれて豪華な生活をおくっていたために、今日こんな報いを蒙ったのだろう、と。頭に笠をかぶり、足に草鞋をはく、これはその昔簪をかざし、靴を履いていたことへの報いである。毛皮の代わりに和尚のぼろを、絹緞子の代わりに麻布を、これは昔軽くて暖かい華麗な服を身にまとったことへの報いである。肉の代わりに豆の葉っぱを、極上の米の代わりに玄米を、これは昔山の幸海の幸を食べていたことへの報いである。寝台の代わりに藁草の筵を、枕の代わりに石ころを、これは昔暖かく柔らかな寝室に寝そべっていたことへの報いである。とまらの代わりに藁縄を、窓の代わりに甕を、これは昔立派な邸宅に住んでいたことへの報いである。目が煙にむせび、糞尿の臭いが鼻をつく、これは昔芳ばしい薫りや鮮やかな色に囲まれていたことへの報いである。旅に出れば足が棒になるほど歩き、肩には重たい荷物を担ぐ、これは昔大勢の召使いに侍られ、駕籠に乗っていたことへの報いではあるまいか。このようなかずかずの果報には、みな昔の私のさまざまな罪が現れているのだ……（「夢憶序」『瑯環文集』巻一）(2)

『陶庵夢憶』は、明が滅びた直後に執筆されたものです。「天崩地解」の激変を経験した張岱は、半生の繁華を振り返ると、すべてが夢の如し、という虚しい思いが込みあげてくるのも無理はなかろう。「私の生い立ちを思いやるに、甘美華麗な暮らしも眼を過ぐれればすべて空しく、五十年来ことごとく夢となった」と彼はいう。ところが夢のなかにこそ、滅びた故国の面影や若き日々の思い出をいつまでも心に留めて常に味わえることができる、といえるかもしれません。そのためだろうか、張岱の筆致は亡国の怨みと裏腹に、甘く潤っており、淡々とした口調はいささか諧謔の響きさえ聞こえるのです。この作者の心境を考えるにあたって、私は思わず『細雪』を書いた谷崎潤一郎を論じた加藤周一の言葉を思い出します。戦後に完成した小説『細雪』は、三〇年代に作者が同居していた三度目の妻とその二人の妹を「モデル」にして、関西の上流中産階級の家庭の日常生活を、そのあらゆる細部にわたって、克明に描く作品です。戦時下において、谷崎はなぜこういう小説を書いたのか、それに上流中産階級の瑣末な日常がなぜ読者にとって退屈でないのか、その理由について、加藤周一はこのように語っています。

> 太平洋戦争の間の谷崎は、彼がそのなかで生きていた環境の全体が永久に失われて、そのどんな細部も、建物も、食器も、土地の言葉の抑揚も、着物の趣味も、女たちの表情や動作の優美さも、そのすべてに一貫していた様式的統一と共に、二度と甦ってはこないだろう、ということを、痛切に、かぎりない愛着をこめて、感じていたにちがいない。失われた時を甦らせる唯一の可能性は、小説を書くことの他にはなかった。だから彼は、長い間彼の関心の中心であった性的生活の理想ではなく、具体的な小社会の全体を描こうとしたのである。(3)

思えば、張岱も永久に失われてしまった、彼の属していた文化の全体にかぎりない郷愁をこめて『陶庵夢憶』を執筆したのでしょう。自分も、故人も、故国も、江南の山川草木も、風物民俗も、飲食遊戯も、すべてあの夢の小世界に甦らせて無類の筆致で書き留めようとしました。年譜のように年月の順序に依らず、また部門によって分類せず、あの思いのまま筆を走らせる書きかたは、彼がそのなかで生きていた世界の全体への執着を実によく物語っているのではないでしょうか。『陶庵夢憶』は、いわば張岱の「自伝」風の小説だ、といってよいかと思います。

「金山寺夜半の芝居」を引いてみよう。

> 崇禎二年(一六二九)、中秋の一日後、私は鎮江から山東省へ赴く途中、日が暮れる頃北固山に着き、揚子江の入り江に船を繋いだ。月の光が水に映され、揚子江の波がうねっていた。すべてが冷《ひや》やかで湿っぽい空気に覆われ、

天辺も白く塗られているように見える。私は驚くと共に大いに喜び、船を金山寺のほうへ進めた。着いた時はすでに夜の十時だった。龍王堂を通りすぎて、大殿に入った。まわりは闇に包まれシーンとして静まり返っていた。林の下は月光が漏れこぼれて、まばらに雪が残っているようだった。私は仕えの小僧を呼んで、芝居の道具をもって来させ、大殿のなかで燈火をこうこうと点し、韓世忠の金山や長江の大戦などの芝居を唱っていた。銅鑼や鼓の喧しさに、寺の僧たちがみな起こされて見に来た。一人年輩の和尚は手の甲で寝ぼけた眼をこすりながら、大きく口を開け、あくびと笑いの嚔を同時に吹き出し、つとめて目を凝らして、そのわけを見分けようとした。しかし、誰が何のため何時ここに来たのか、敢えて問おうとしなかった。芝居が終わる頃、夜も明けはじめ、私どもは船の綱を解いて揚子江の対岸へ去っていった。山僧たちは山の麓まで来て、いつまでも私たちを見送っていた。結局人間か、化け物か、それとも幽霊か、わけのわからぬままで。（「金山夜戯」[4]

ある茶人との交際をも紹介しよう。

周墨農が私に向かって、閔文水のお茶をしきりに絶賛してやまない。そこで崇禎十一年（一六三八）の九月、私は南京に来て、船が着岸すると、その足で桃葉渡にいる閔文水を訪ねた。黄昏の時、閔がちょうど外出していた。遅く帰ってくるのを見ると、よぼよぼした老人だった。ちょっと挨拶を交わしたかと思うと、急に立ち上がって「杖をどこそこに忘れたから」といって、また立ち去っていった。「せっかく今日来たのだから、無駄足を踏むものか」と私は心の中でこう自分に言い聞かせた。それからかなり経ってやっと閔老人が帰ってきた。もう一更（夜の八時頃）すぎだった。私を見かけて「お客さんはまだいなすったか、いったいなんのご用かい」といった。「かねがね閔老人のご高名を慕っていたものです、今日は思う存分にご老人のお茶を飲ませていただかなければ決して帰りません」と私がこう答えると、閔老人がたいそう喜び、自ら竃に火を起こし、茶をすばやく煮立て、あっという間にできあがった。別室に案内されると、窓も机も綺麗に拭かれて、そこに並べた荊渓の急須、成窯、宣窯の茶器十数種類はいずれも絶品である。燈の下でお茶の色を見ると、茶碗との区別がつかず、芬芬たる薫りが人に迫り、私は思わずうなった。そして私は閔老人に聞いた。「このお茶はどこの産ですか」。「閬苑《ろうえん》の茶です」と老人が答えた。私は再び啜ってみると、「ごまかすなよ、これは閬苑の製法ですが、味は似ていない」と私はいった。閔が笑いを隠して「お客さんはどこの産だと思いますか」といった。私はもう一度啜ってみて、こう答えた「何と羅岕に似ている何だろう」。閔は舌をぺろりと出して「そりゃ、驚いた」といった。私はまた聞いた「水はどこの水」。「恵泉じゃ」と聞くと、「だましちゃいけません、恵泉までは千里の道のりがあります。この水は疲れているはずなのに、全然角がとれていないのは何故です」といった。閔老人が答えた「もう敢えて隠しますまい。恵泉の水を取る時、必ず井戸を浚え、夜も深まり、新しい泉水が湧き出るのを待って、すばやくそれを汲み取るのです。それに水瓮の底には山の石を敷いて、順風の時しか船を走らないのです。故に水は新鮮で冴えているのです。普通の恵泉水なぞもこれと比べると一段劣りますが、況や他所の水など全く話にならん」。そしてまた舌を吐き出して、「不思議じゃ、不思議じゃ」といった。言葉が終わるやいなや、閔老人がどこかへ消えた。しばらくして、急須を持ってきて、満杯にお茶を注いでくれて、「どうぞこれを」とすすめた。私は「薫りが烈しくて味は甚だ濃厚です。これは春茶でしょうか。さっき煮立てたのは秋に摘んだものです」というと、閔老人は大に笑っていう「わしは七十になるが、あなたほどお茶の鑑賞に詳しい人はいない」。そこで私との交友を決めた。（「閔老子茶」）(5)

張岱は自分のことを「茶淫」（茶のマニア）と呼んでいます。さすがにその名にふさわしい鑑識眼を持っています。『陶庵夢憶』はいわば江南生活の百景図です。そこには山水名勝、庭園花草、技芸百工、骨董特産、飲食日用、演劇娯楽、風習民俗などがすべて克明に描かれています。かといって、『東京夢華録』や『武林旧事』などのように歳時記や事典筆記にならなかったのは、描かれた対象の背後には、どうやら粋人であり、エピキュリアンの張岱の影が見え隠れしているからでしょう。一代の見果てぬ夢ではあるが、落ちぶれた豪族の道楽息子の自慢話に終わってしまわないのは、蒼桑の変を体験し、明の遺民に徹した張岱の醒めた歴史眼によって貫かれているからでしょう。

この張岱がもし泰平の盛世に生きていれば、袁枚のような生き方をまっとうするのではないか、と私は想像します。美女を好み、美少年を好み、精舎（趣向を凝らした庭園）を好み、芝居、音楽、詩作を好み、食と生活の細部の愉しみをこよなく愛した点について、張岱と袁枚とは実に甲乙つけがたい。そして張岱が自伝風の小品文を書いたように、袁枚も数多くの「自伝詩」を後世に残しました。

袁枚（一七一六―一七九八）、字は子才、また「随園」の名で知られている清代の大詩人です。生涯の最後の日まで、著述の筆を置かなかった袁枚は、厖大の量の詩文を著しました。『小倉山房詩集』には古今体の詩が四千四百余首収録されております。しかもたいてい年代順に並べているから、まさに「詩」による袁枚の人生記録です。そのほか、『小倉山房文集』三十五巻、『小倉山房尺牘』十巻、『随園詩話』二十六巻、『随園随筆』二十八巻などは、いずれも多くの伝記資料を含めています。アーサー・ウェイリーの名作『袁枚』（**Arthur Waley, *Yuan Mei,Eighteenth Century Chinese Poet*,1956**）も、主としてこれら袁枚自身の著作に取材して書かれたものです。

袁枚はいわゆる「性霊」を唱える詩人です。つまり人間のあるがままの性情を尊重する態度です。人間の生来の欲望を肯定し、その内なる「自然」を重んずる点においては、彼は明末の李卓吾の後裔である、ということができます。「性霊」は作品に一貫しているメロディーのみでなく、袁枚の私生活にも実践されています。色欲への愛着はその一例です。袁枚は妻のほかに、何人もの妾を置いていました。それでも遊女遊びなぞ楽しんでやまない。彼の詩文集などを繙くと、しばしばその漁色の記述が見えます。『随園詩話』にある逸話を紹介しよう。

乾隆十三年（一七四八）揚州の知事を務めている李宗典君から手紙が来た。王という姓の女性が訴訟沙汰で役所に身柄を繋がれていて、よければ妾として贈ってくれてもよいとのことだった。私は船を雇って、揚州へ向かい、観音庵に母親と同居しているその女性に会った。年は十九、しとやかな美人である。私に見られても全く平気で、衣の裾を巻くり上げたり、長い鬢髪をかき上げたりして、不機嫌な様子は少しもなかった。私は彼女を娶りたかったが、肌の色がやや気になるので、とりやめたのだった。船の綱を解いて、蘇州に着いた時、再び使いをまわして訪ねさせたところ、すでに江東のある小役人のものとなったのである。

（『随園詩話』巻十一）(6)

袁枚は道学先生ではなく、自分の「好色」を覆い隠したりはしなかった。旧知の楊潮観は袁枚の筆のすさびで書いた怪談『子不語』をまるで経書、正史のように、真顔で一々訂正し、明末の名妓李香君と夢の中で一夜を共にした自分の体験譚も収められたことに対し、非難の手紙を送りました。楊がいうには、自分が夢に見たのは貞淑な女性の幽霊でした。そして遊女遊びなぞ自分の趣味ではない、と言い張ったのです。袁枚は返信の中で楊の道学ぶりをからかい、例の「好色」について、次のように告白しています。

お手紙に「私は別に色を好まないというわけではないが、ただ妓女の色だけは好まないまでだ」とありますが、この言葉はなおさら筋道が通らない。お聞きしますが、妓女の色を好まないというなら、何人の色を好むというのでしょう。妓女の色を好むことはその罪が小さく、良家の女の色を好むことはその罪が大きい。おおよそ色はちょうど酒の如きものです。生まれつき飲まないものもいれば、大いに飲んで少しも酔っぱらわぬものもいます。人の心はちょうど人間の顔のように、それぞれ違います。色を好むことは覆い隠すことはない。色を好まざるもなおさら覆い隠すことはない。人柄の良し悪しは、何も色を好むか好まざるかによって判断されるべきではない。（「答楊笠湖」『小倉山房尺牘』巻七）[7]

この一節を読んで思わずかの永井荷風を連想してしまうのは私だけでしょうか。実際は、荷風は随園先生の著書を愛読していたらしい。しかし女性を遍歴しながら、結局誰をも愛することなく、孤独な生涯をとげた荷風に比べて、袁枚は真摯に女を愛したのです。「聡娘に寄せる」は彼のもっとも寵愛した女性へのラブソングです。


君と別れて半年にもなり、肩を並べて寄り添っていた日々を思い出す。

はぐれた雁の如く風雨に晒されて旅に彷徨っている私のことを君は知っているだろう。

恋しい人に伴われていればもう十分だ、何も万戸侯の富を望むまい。

金で離別を買うようなまねは、私を不幸にし、また愁いのもととなった。

……

舟が海の上を滑り、朝の雲を眺めて物思いに耽っている私、
馬の背に乗り、市中を通り過ぎて、日はまだ暮れぬ。

児女の想いをしばらくほうってしまおうかと思うと、
美女の眉の如き青々とした遠山を目にして、また君に会ったような気がする。（「寄聡娘」『小倉山房詩集』巻八）[8]

すぐれた訳詩『珊瑚集』を世に出した荷風は、決してこのような「恋の歌」を作りませんでした。

人間への関心、またその人物観察に関しては、張岱も袁枚も一様に強く、一様に鋭い。袁枚の四歳年下の妹素文は、美人で読書も好きでした。父親が決めた許嫁のもとへ嫁いだが、その結婚は不幸に終わったのです。相手の男の高は実に愚劣で、人間のクズでした。その人物を袁枚は次のように描いています。

ひどく背が小さく、猫背で、おまけに斜眼である。癇癪持ちで、陰湿であり、その仕業は人間のすることではない。書物を見れば怒るから、妹はそれより詩を作ることをやめてしまった。縫い物をしているのを見ても、また怒るので、妹はつい縫い針などを手にしなくなった。妹の嫁入り箱を強要して女遊びや遊蕩の金を作り、見つからないと、手でひねたり、足で蹴ったり、火で焼いたりしてあくどい手口をすべて使った。（「女弟素文伝」『小倉山房文集』）（9）

袁枚は大の坊主嫌いで、仏を阿る徒などは常に彼の嘲笑の対象でした。こんな逸話があります。

ある禅宗の和尚さんは僕の利口さが気に入って、無理矢理に僕に佛教の勉強をさせようとした。僕は聞いた「仏さまは結婚できますか」。「結婚しない」と和尚さんがいった。また聞いた「殺生しますか」。「殺生しない」と答えた。そして僕はこういった。「もし佛教を大いに行わせると、四、五十年経たないうちに、天下の人類が尽く死に絶えて、ただ牛、羊、鶏、豚などが天下に満ちあふれてしまうでしょう。仏様はまた誰に道を伝えますか。牛、羊、鶏、豚などにでも伝えるというのですか」と。和尚は答えられなかった。（『牘外餘言』巻一）（10）

茶目っ気のところがあるが、皮肉が効いて実にぴりりと辛い。二人の息子に書いた「遺言」にも諄々と次のように諭しています。「姉や妹たちに、私に供え物をしに来るよう言うがよい。そうすれば、私はきっとそれを享受するだろう。泣き悲しんでくれれば、私はきっと心をうたれるだろう。しかし、坊主は戸口に来て、連中の木魚が敲かれると、私の魂は耳をふさいで逃げ出すに違いない。おまえたちはそれで安心していられるか」と（「随園老人遺囑」）。[11]

死に直面しても、なおユーモアを忘れない袁枚は、泰平の世に生きた逸民らしく、八十二歳の人生をまっとうしました。

註

1 鄭振鐸『挿図本中国文学史』巻四（人民文学出版社、一九八二年）九五三頁。

2 『張岱詩文集』（夏戌淳校點、上海古籍出版社、一九九一年）一一〇。日本語訳については、松枝茂夫訳『陶庵夢憶』（岩波文庫、一九九一年）のそれを参照した。

3 加藤周一『日本文学史序説』下（ちくま学芸文庫、一九九九年）四一六頁。

4 『陶庵夢憶』（金楓出版社、一九八六年）一〇。

5 同右書、三九—四〇頁。

6 『袁枚全集』第三巻（王英志校點、江蘇古籍出版社、一九九三年）三七二頁。なお、このエピソードは、アーサー・ウェイリーの『袁枚』にも紹介されている（Yuan Mei, p46）。袁枚の人と作品について、ウェイリーの同書、及びその日本語訳である『袁枚—十八世紀中国の詩人』（加島祥造、古田島洋介訳、平凡社東洋文庫、一九九九年）は参考になる。

7　『袁枚全集』第五巻、一三四頁。
8　『袁枚全集』第一巻、一四四頁。
9　『袁枚全集』第二巻、一三三頁。
10　『袁枚全集』第五巻、一六頁。
11　『袁枚全集』第二巻、三頁。

＊　＊　＊　＊　＊　＊　＊　＊

このエッセイはもともと二〇〇〇年十月、東京大学で開かれたシンポジウム「東アジアにおける随筆文学の伝統」において発表されたもので、その日、以下の如き趣旨の発言もあり、それを付記しておく。

金素雲先生の自伝エッセイ『逆旅記』（日本語訳『天の涯に生くるとも』所収、崔博光、上垣外憲一共訳、新潮社、一九八三年）を読んだ後の感触は穏やかなものではなかった。日本と韓国の狭間に生きて耐えてきたその人生の凄まじさは、抑揚起伏に富んだ、稜線の太い文体を通して読む者に迫ってくるような気がします。「物」と「我」との融合を追い求める中国の伝統文人の境地とは無縁のものだが、ひたすら「人間」だけに向けられた関心、その人間への洞察という点においては、張岱や袁枚などに一脈通じるところがあります。あの韓国版の「阿Q」である金学秀にしろ、あの作者には「犬畜生」に見えた、頽廃派の李箱にしろ、また自分の短歌を売り込んで三百円を工面してくれた、大詩人北原白秋、それに客を必ず玄関まで見送っていく、荒々しい風貌の岩波茂雄。いずれも鮮烈で個性のある筆致で描き出され、呼べば出てくるような気がしてならない。そしてもっとも私の印象に残ったものは、やはり数人の日韓の女性たちとの愛の葛藤でした。単なる男女の情愛を超えたその人生のドラマに、谷崎潤一郎も、永井荷風も、そして袁枚も描いたことのない、別様の「詩」を私は感じました。

（東京工業大学外国語研究教育センター紀要『言語文化論叢』第六号、二〇〇一年）

個人主義時代の『宮本武蔵』

一　世代論から見た吉川英治

かつて加藤周一先生は『日本文学史序説』のなかで，明治維新以後に育った近代日本の知識人を三つの世代に分けて論じました。まず、一八六八年世代。つまり明治維新を経験せず、一八六〇年代と七〇年代に生まれた文学者や思想家の世代です。彼らは新制度の大学で西洋流の教育を受けたという点で、福沢諭吉や中江兆民の世代とは異なる。露伴、鴎外、漱石はこの世代に属します。次は一八八五年の世代。一八八五年前後に生まれ、日露戦争の時期に青春を過ごし、国家から離れて、またしばしば国家に対して、自分自身の問題を考えることに専念する世代のことです。小説家の志賀直哉、谷崎潤一郎、詩人の木下杢太郎などがその代表的人物です。そして三つ目は一九〇〇年の世代。いわば「大正デモクラシー」の時代に成人を迎えた世代で、そのなかには、創作活動が戦前に集中し、短い生涯を終えた芥川龍之介もいれば、戦時中に特高警察に殺された小林多喜二もいるが、また中野重治や石川淳、川端康成のように、この世代の多くの作家、文学者は戦後にもその影響力を行使しました。

吉川英治（一八九二―一九六二）は、世代的にむろん第三のグループに属しているが、しかしその生い立ち、育つ環境、身につけた教養によって、彼はその他の大多数のタイプと異なる、一味違う作家となったのです。作家として吉川英治の異色が二つの側面に現われていると思います。まず外来思想との関わり、あるいは対決の契機が彼の内部に欠如していることを取り上げねばならない。明治以降の日本の知識人にとっては、外来思想はおおよそ西洋思想です。西洋をモデルにしてその文明を取り入れる近代国家建設は、明治政府の至上目標でした。この明治国家の建設とともに成長した鴎外、漱石の世代は、絶えず「西洋」と「伝統」とのはざまで格闘しました。もちろんこの世代の者は「伝統」や「西洋」あるいは「社会」に対する反応のしかたがそれぞれ違います。頑なに伝統的な美学に徹する者（例えば、露伴と紅葉）、普遍的言語で日本の伝統を叙述する者（例えば岡倉天心と正岡子規）、西洋の歴史的な挑戦を内面化し、二つの文化の対立を自ら生きることで、むしろそれを創造力に転化する者（鴎外と漱石はそのよい例）、またキリスト教や社会主義思想に共鳴する者、それに西洋の十九世紀の文藝思潮をはき違えたことで、個人の内面探索に向かった「自然主義」の小説家たち。それぞれの文脈で、スタンスで外来の西洋思想と関わっていたことはいうまでもない。

次の世代の、例えば谷崎の場合を見てみよう。谷崎は西洋の土を踏んだことがないが、若き頃ひどく西洋に憧れていた時期があった。大正七年の中国旅行で、上海で植民地の「西洋」を体験する。その前後に書かれたいわゆる「支那趣味」の作品はまさにオリエンタリズムの産物でした。晩年の谷崎は日本の古典の世界に立ち戻ることによって、西洋を相対化する視点を手に入れたのです。

谷崎よりもっと若い世代の芥川龍之介は、西洋志向型の「大正教養主義」の申し子であり，書物を通して西洋文学を知った最初の作家だと加藤先生は見ている。その芥川が絶えず意識し、小林多喜二などのプロレタリア作家たちが信奉しているマルクス主義はいうまでもなく外来思想です。

小泉八雲はその代表作『心』の第十章で、洋行帰りの、ある明治人の物語を書きました。「ある保守主義者」と題するこの長文は、近代日本精神史を考察する上で、普遍的な意味をもっていると思います。なぜなら明治、大正の教養層の多くは、あの話の主人公のように、西洋に憧れ、西洋に深入りしたのち、日本の伝統に帰ってくるという人生の曲線を描いたからです。

ところが、吉川英治はそうではなかった。年譜によりますと，彼はあまり恵まれない家庭に育ち、社会底辺の泥沼でいろいろと苦労を経験しました。十一歳の時、父親の事業の失敗で家運は傾き、学校を中退せざるをえなかったという。家計を助けるために、吉川英治は働きに出なければなりませんでした。印章店の小僧、印刷所の活版工、税務局の給仕、雑貨商の店員、建築現場の日雇い労働者、さまざまな職業を変えながら、ほとんど独学で文筆の修行を積み重ねたのです。後年の作家としての成功と成し遂げた業績を思うと、一つの「奇跡」としか言いようがない。外国作家の例ですと、ロシア、ソビエトの小説家ゴーリキーの経歴を思い起こせます。西洋との接点を持ち得なかったのもこうした生い立ちと生活環境に一因があると思いますが、本人の趣味のおもむくところによるものと思われます。少年時代から文才をあらわした彼は、貸本屋を利用して手当たり次第に講談本や古典ものを読破したという。大正時代はちょうど吉川英治の二十歳から三十代にかける青年期にあたり、『白樺』の同人たちがロダンに傾倒していた頃、吉川英治は俳句や川柳にうつつを抜かしていた。多くの職業の経験と川柳の修行が、後の吉川英治の小説創作に大いにプラスに働いたことは疑いない。

「忘れ残りの記」において、吉川英治は次のように書いています。

> 横浜の下層と、東京の下町との、違いもわかった。その前に読んでいた一葉の作品やら、明治から江戸期の文芸にも見えた風物やら人の生態などにも少しずつは触れている気がした。また、この頃から再び江戸文芸にあらためてなじみはじめた。それも秋成や西鶴などの高踏的なものより、鯉丈の八笑人のような作品の人物に、より多くの親しみを感じていた。

上田秋成は中国の白話小説などを脱胎換骨して見事な翻案作を書きました。いわばハイカラ趣味で、洗練された都会派です。吉川英治はどうやら「ハイカラ」が性に合わないらしい。彼の作品のほとんどは「時代小説」で、たいてい日本の歴史から素材を取っています。史料を丹念に掘り起こし、考証を重んじる鴎外の「史伝」と違って、歴史題材を巧みに扱い、伝奇性にとんだ空想力ゆたかな作品群を創りました。だからといって従来の講談風のものと一線を画して、明らかに近代人の歴史意識、近代人の視点で対象を捉えています。しかもそれは芥川の歴史小説のように、江戸以来の文人趣味と西洋の近代的知性から生み出された「パロディー」でもない。また日本伝統の美意識に徹するという点で、露伴、紅葉、鏡花の流れを汲むものと思われますが、社会的関心と歴史意識という点では、前者に比べて吉川英治は現代のわれわれに近い。これは作家として吉川英治の特色の二点目です。

二　『宮本武蔵』のテーマ

吉川英治の創作のプロセスを眺めますと、前期の奇想天外の物語から徐々に個人の死生観や時代状況を念頭に置く、作家の歴史意識を深めていく歴史文学へと移行しているように思われます。そしてその推移を『宮本武蔵』を回転軸として捉える点では大方の見方が一致しています。

吉川英治は『宮本武蔵』で何を伝えようとしたのでしょうか。『東京・大阪朝日新聞』に小説を連載して半年以上経った昭和十一年（一九三六年）四月、つまり第一巻が出版された時、執筆の動機に触れて彼は序文でこう書いています。

「あまりにも繊細《せんさい》に小智にそして無気力に堕《だ》している近代人的なものへ、私たち祖先が過去には持っていたところの強靭《きょうじん》なる神経や夢や真摯《しんし》な人生追求をも、折には、甦《よみが》えらせてみたいという望みも寄せた」。

講談風の、戯作のなかに現われた従来の武蔵観を是正して、「一般の近代感とも交響できる武蔵」を再現してみたいというのが作者のモチーフらしい。古代祖先の骨太さ、強靭なる神経と近代人の繊細と軟弱と対比しているあたりは、西欧からの借り物的近代知性を否定し、民族的美的伝統への回帰を説いた「日本浪漫派」の口ぶりと幾分相通じているところがあります。物語の始めに、作者は武蔵のことをこう描いています。

武蔵の性格は、元来そういう質《たち》なのだ、幼少からのことである、血液の中に、古代日本の原始的な一面を濃厚に持って生まれて来たらしい、それは純粋なかわりに甚だ野生で、文化の光にも磨かれていないし、学問による知識ともまだなっていない生れながらのままのものだった。（地の巻「おとし櫛」）

沢庵という人生の師に出会う以前の武蔵は、まさに本能で荒野に立ち回る縄文人の風貌を見せています。例えばこんな描写があります。

武蔵は腹をきめて、歩みかけたが、明るいうちは里へ出られなかった。小石をつぶてにして、小鳥を狙い撃ちに落し、すぐ毛をむしって、その生温かい肉を裂いては、生のままむしゃむしゃと食べて歩いていた。（地の巻「茨」）

一方「日本浪漫派」の中心人物保田與重郎は一九三八年、『文学界』に発表された「エルテルは何故死んだか」において、こう語っています。

私は近代人の古代復原のイデーを空想と思ふ、堕落した近代人の理論的な思惟や生活の中には、古代人が荒野に裸体の生命を維持したところの、あの冒険と正気と勇気に共通する何ものもすでにないからである。もし近代人のもつもので前代の盛華にまで還しうるものがあるとすれば、それは文化の堕落から近代を救ふものである。（「全集」第三巻）

文面の上では、吉川英治の寄せている望み――つまり無気力の近代人的なものへ、祖先の強靭なる神経と勇気を吹き込むという希望を否定しているようにも読みとれるが、古代文化の優位を認め、近代文化の堕落をなじる点では両者の発想はそう変わっていない。吉川英治と「日本浪漫派」との間には、何らかの関わりや交渉があったとは思えないが、ただ、この小説が『朝日新聞』に連載され始めた一九三五年に「日本浪漫派」が創刊されたことを考えると、日本社会がいわば全体主義へ向かいつつある一九三〇年代の雰囲気がある程度想像できると思います。そしてこの時代に渦巻いているナショナリズムの情念を両者は共有していたことも確かなようです。

連載は一九三五年八月から三七年五月まで、一旦中断して、一九三八年一月に再開、そして連載が終わったのは一九三九年七月でした。その間、昭和期のもっともショッキングな二・二六事件が起こり、間もなく日中戦争が勃発しました。そして戦火が拡大していきます。

執筆当初から完成までの間、時代と社会の状況が大きく動いたわけです。戦時体制と社会状況は吉川英治の創作に陰を落したのか、あるいは作家は意識的にこうした時代雰囲気に反応するのか、それはともかく、この小説は戦時中にも多くの若者に愛読されました。愛する者と引き裂かれ、そのまま戦場へ巣立ってゆかねばならなかった多くの若者に読まれていたのです。中には特攻隊員もいるといわれております。戦後になって作者は表現の一部を書き直したが、いま出回っている戦後版でも、読み方によっては、戦争を支持し、人々の戦意を煽り、奮い立たせるものだ、と受け止められる記述が数々あります。おそらく当時の吉川英治もそう読まれることを予見し、あるいはそれを期待していたのかもしれない。なぜなら彼は歴史を単なる過ぎた時の流れではなく、常に現代の「合わせ鏡」として捉えているからです。歴史と現実の循環往復の中に、対象をみつめ、対象を表現するのが吉川英治の歴史文学の方法論です。

公平な批評の立場から考えれば、『宮本武蔵』は戦争を煽る軍国主義の小説ではない。いやむしろこの作品のテーマは軍国主義の向かい側、全体主義の対極にあるというふうに私は思います。通俗的に言えば、この作品は主人公武蔵の精神の成長を描く一種の「教養小説」です。「剣禅一如」の境地を求め、「精神の剣」を手に入れるため、肉体と人格を磨き、修行に励む武蔵の姿を作者は深い共感をもって描いていく。一九三六年の九月、「火の巻」を書き終えた時吉川英治は朝日に「閑話一夕」の一文を寄せ、小説のテーマについてこう記しています。

この小説を読んでいただく人に分ってゐてもらひたい第一の要所は、この小説の主人公は、飽《あく》まで絶望を持たないといふことである。従って、この小説は飽《あく》まで、読者と共に主人公が、常に人生に希望を希望をと見つけて歩んでゆく。然《しか》しその実なか〳〵現代社会のやうに生活し難い、又息ぐるしい世の中であるのだが、他に勝ち自己に勝ち、処生の百錬《ひゃくれん》を超えて、自分を完成する―つまりどんな穢濁《わいだく》な世の中にでも、世の中を見かぎらず自分を打捨てゝしまはずさういふ時代の中ほど、よく生きぬいて最後の果実をつかむ、といふ所にある。

「息ぐるしい世の中」とか「どんな穢濁な世の中にでも」などの言葉は作者の状況認識を仄めかしています。そもそも世の中には人間の力ではどうにもならぬものがあります。

小説の冒頭の一行目にすでにそれを暗示する虚無の言葉が書かれております。

――どうなるものか、この天地の大きな動きが。

もう人間の個々の振舞いなどは、秋かぜの中の一片の木の葉でしかない。なるようになッてしまえ。（地の巻「鈴」）

しかし、たとえ抜き差しならぬ状況に陥っても人間的努力を放棄すべきでないことを作者は説く。閉塞している時代を一個人としてどう生き抜くのか、その生き様の一つの形を提示したのがこの小説『宮本武蔵』です。人格の錬磨である「精神修養」を強調する点では、この作品は大正教養主義の色彩に染まっていることを意味する。

日露戦争あたりから大正初期にかけて、いわゆる煩悶、悩みの時代がありました。一九〇三年、藤村操は悩みの末、華厳滝に飛び降りて自殺したのが象徴的な事件でした。この時代の若者にとって、明治はすでに遠い。明治国家の運命と自己の運命とを結びつけて考えたのは彼らの父の世代、祖父の世代でした。天下国家よりも、彼らは自分自身のことを深く悩み、真剣に考えるようになる。修養や教養という観念が出てきたのもその頃だった。作家、文学者はそれぞれ個人の生き方、個人の内面世界に目を向けるようになる。自然主義の小説家たちは私生活の中に個人を表現する手段をさぐり、「人間の真実」を描こうとしました。白樺派の作家たちは西欧の文藝、宗教を砦にして個人の価値や自分自身に忠実な生き方を模索しました。吉川英治も大衆小説の中で、個人の生き方、煩悩、欲望、闘争の本能を表現し、それがどうあるべきかについて、一つの答えを提示しようとしています。大正時代は「個人主義」をはぐくむ時代でした。吉川英治はむろんこの時代の洗礼を受けた作家の一人で、そして彼の代表作『宮本武蔵』は、「個人主義」がはぐくまれた時代の産物だったと思います。この小説は戦後になってもなお広い読者層に支持されてきたのは何故か、さまざまな要素が考えられますが、恃むものをすべて退け、素肌の自分を時代にぶつけていく一個人の生命の記録として、選択の自由に恵まれてかえって戸惑い、個性が大切にされてかえって自己を見失う、とかく時代に流されてしまう平成の現代人の心に、この小説はいまもなお何か訴えるものがあるに違いない。

三　『宮本武蔵』と日本文化論

吉川英治の「個人主義」は舶来のものではない。例えば漱石が考えているような、西欧市民社会の理念としての「個人主義」と違う。他人に貸しはしないし、借りも作らないという永井荷風の「個人主義」とも違います。「孤剣、このむはただこの一腰」、と武蔵は常にこう自分に言い聞かせる。しかし孤独に歩き回る武蔵は実は常にまわりの人々に気を遣う。はぐれてしまったお通を方々に探し、城太郎のことも心配する、伊織のことも心配する、朱実や又八の安否も気になる。そして武蔵はまた常に他人の恩義を感じる。天地の恩、古人の恩、父母の恩、自分を導いてくれる者の恩、自分を支えてくれる者の恩。小説の最後の場面に武蔵と佐々木小次郎との対決が描かれてい

ます。無数の者がこの二つの命のぶつかり合いを息もつかずに見守っていました。武蔵を見守る者に、

「島には，伊織や佐渡。赤間ケ関《あかまがせき》の渚《なぎさ》には，お通やばばや権之助《ごんのすけ》や。小倉の松ケ丘には，又八や朱実なども」いる。（円明の巻「魚歌水心」）

ここでは個人と他人との絆、個人と共同体との絆が意識されています。武蔵の個人の苦闘の姿をまた「修身、斉家、治国、平天下」という伝統的倫理の枠内で浮かび上がらせていく。だから吉川英治の「個人主義」はもっと土俗的なレベルのものです。大正時代に「個人主義」の洗礼を受けた世代の中から、後に超国家主義者が出てきます。北一輝はその一人です。しかし吉川英治の世界観、倫理観に比べて、北一輝やあるいは「日本主義」を標榜している「日本浪漫派」の同人たちのそれはもっと西洋臭いものでした。

土俗的なものだからこそ生命力も強い。吉川英治自身の言葉でいうと、彼は常に庶民の目線でものを観察し、大衆の中でものを考える。従って彼の作品には、日本庶民層のエトスが浸透しています。『宮本武蔵』のなかに潜む日本人の信念、価値観をいち早く察知し、「日本文化とは何かを考える場合のあたらしい通路の一つ」として、この小説を分析したのは、桑原武夫先生、鶴見俊輔先生たちの共同研究グループでした。その研究によって析出された「武蔵イデオロギー」は、日本文化論を語る場合、いまも多くの示唆を与えてくれる。私はこの小説を読んで感じたことを二、三もうしあげますと、

まず職人魂―一技、技術への尊重。小林秀雄はかつて武蔵を「精神主義」と無縁の人として捉え、その「五輪の書」は「実地経験から得た思想」と評しました（「私の人生観」一九四九年）。吉川英治の武蔵像に異論を唱えたわけです。しかし吉川はあながち「精神主義」のみを説いたわけではない。例えば陶器師《すえものし》の細工場を見た時の描写。

人の技、人の芸、何につけ優れたものに持つ尊敬である。わずか二十文か百文の雑器をつくる翁にさえ、じっと

見ていると、武蔵は、怖いような三昧境の芸味と技を感じさせられる。（水の巻「坂」）

それにあの有名な柳生石舟斎の白い芍薬の切り口の場面（水の巻「芍薬の使者」）。本阿弥光悦の焼いた茶碗の土を切ってあるへら目のするどさ（風の巻「生きる達人」）、いずれも日本人好みの職人魂の描写です。儒教文化の伝統によれば、「君子は器にならず」という考え方があります。つまり立派な男は事柄を成し遂げるための道具を担うべきではないという意味です。言い換えれば小手先の器用さを潔しとしない態度です。この思想から当然技術論が生まれてこない。精魂をこめて技を磨き、磨きの上にまた磨きをかけるという発想は生まれてこない。徳川日本は儒教思想を国家イデオロギーに採用しましたが、この点に関して、日本と中国は徹底的に違う。思えば、戦後日本の経済復興を支えたのはこの職人魂だったと思います。この伝統が生きているかぎり、日本の技術は不敗の地にあるであろうと思います。

吉川英治の人間論――作家の人間観察は当然作品に反映されています。何気ない一言でも、作者の長年の人間観察が滲み出て、なかなか鋭いものがある。丑の助という田舎少年が登場しますが、柳生兵庫に可愛がられて、とても気が利く小僧です。兵庫が坐る場所をさがしていると、丑の助はさっそくどこかで一枚のむしろを見つけてきて、程よいところへ敷いた。そこで作者は次の一行を書きました。

何かにつけ、兵庫は彼の機敏なことに感心したが、――また、その気の利くことが、将来の大成という上には、すこし懸念される点でもあった。（円明の巻「草埃」）

吉川の人間論を読むと、作家は普遍的人間性を描いているつもりでしょうが、私にはかなり日本的だな、と感じるところがあります。例えば小説の後半に、不手際で藩を追われてしまった侍青木丹左に沢庵は偶然巡り会った場面があります。その時の青木は荒れ野にさまよっていて、眼病を患い、菰をかぶり、どじょう髭を生やした侍大将の往時の威風も見る影もない落ちぶれた姿だった。この後に、かなり長い品評の言葉が書かれております。

この人間は，自己の社会的な地位から転落して、すべてに滅失《めっしつ》した時に，仏陀《ぶっだ》の救いとか、法悦の境というものがあることまで、見失ってしまったに違いない。勢いのよい時羽振に乗って、人いちばい権をふるったり意慾を恣《ほしいまま》にしたけれど、こういう人間ほど反面には、頑《かたく》なくらいな道徳的良心をもっているので、失脚すると共に自己の良心で、自己の余生を全く自身で縊《し》め殺しているような心理になってしまったものらしいのである。（二天の巻「大事」）

青木という人物は現代に生き延びたら、どこかの会社に勤めているサラリーマンになるだろう、というような気がする。たぶん大企業に就職し、四十代で部長のポストにまで出世したが、何かの失敗で、例えば女性スキャンダルで会社を辞めさせられてしまう。その後の人生はもう青木丹左そのものになる。こういうタイプの人間で自殺してしまう人もいるが、ただ自殺は吉川英治のポリシーに反するもので、青木に自殺させなかった。いま公園や駅のホームに寝泊まりしている浮浪者の中に青木丹左のような人がいるのではないでしょうか。

吉川英治の教育論——武蔵が弟子の伊織の教育について考えている場面があります。

「人間の本来の性質の中には、伸ばしてもいい自然もある。だが、伸ばしてはならない自然もある。放っておくと、得て、伸ばしてはならない本質は伸び、伸ばしてもいい本質は伸びないものだった。」（二天の巻「露しとど」）

戦後日本の教育は後者——伸ばしてはならない自然の性質——に傾きすぎるのではないかと思う。

一口人物評

武蔵――志の強さ、直向《ひたむ》きなところが好きだが、あまりにも超人的で人を寄せ付けない風がある。お杉ばばは、自分は善の権化で、善人無欠の人間と信じているらしいが、実は武蔵もこういう独り善がり、独善がある。

お通――作者が理想の女性として描いたが、あまり成功していない。正宗白鳥によれば、「作中これほど面白味の欠乏している人物はなかった」というが、私にはお通がつまらぬ存在というより、何か怖さを感じさせる。あれほど男性に一途な思いを寄せて、あのように尽くしていれば、男も完全無欠な人格者でないといけない。ただ世の中の男はやはりどこか「又八的な部分」があるから、お通をお嫁にもらったら大変だと思う。

沢庵――この坊さんは筋の展開、舞台まわしに必要な人物で都合のいい時にひょっこりと現われる。説教はたいてい正論だが、時にくどい、冗長な感じがする。

又八――息吹と体温が伝わってくるようなもっともよく描かれている人物です。人間の弱さを思い知らされる。

私の好きな三人――吉野太夫、本阿弥光悦、小野忠明

　いずれも歴史上実在の人物ですが、ここでは吉川英治が作り上げた小説人物として、この三人が私に強い印象を与えました。まず吉野太夫の場合、美貌と見識を備えた彼女は廓という格式の世界で客の相手をつとめるが、彼女の魅力は厳然たる遊戯の世界に身をおきながら、人間的な炎を時たま見せるところにある。牡丹の枝を炉にくべるシーンも美しいが、琵琶を裂いて武蔵に糸の切れる暗喩を聞かせる時の彼女は凛とした美しさがある。こういうタイプの女性は彼女たちをはぐくむ文化が滅びた時になくなるわけですが、『日本論』の著者戴季陶を感心させたのもこういう青楼の女性です。

　光悦は芸術家です。絵もよく描くし、陶器もやれば蒔絵もする。私はその才能に感心しているだけではありません。その優雅さ、物腰の優しさ、センスのよさなどは、生活の深い味わいを、その甘さも苦さもよくわきまえてい

る一人の人格の備えたものです。一言で光悦は人生の達人です。

小野忠明について。作者の筆墨は決して多くはないが、深い情愛をもって書いたに違いない。智恵と勇気の人間です。対戦相手小次郎の侮り難い鋭気を察知し、「自分の敵するところではない」と潔く思い捨てたのは彼の智による判断であり、それでも最善を尽くし、門人たちに侍の取るべき道を示したのは彼の勇気の現われであった。まさしく武士道の真髄を一身に体現した人物です。隠遁した忠明に対する作者の深い情愛を次の言葉から読みとれると思う。

> 恬淡《てんたん》で、真直《まっすぐ》で、柳生のように、政客との交わりなどもなく、粗朴な武士気質《かたぎ》の人で通って来た治郎右衛門忠明の姿が、江戸から見えなくなったのは、それから間もなくであった。（円明の巻「忠明発狂始末」）

文化の型と武士道

『宮本武蔵』を読む場合、「武士《さむらい》の道」「武士道《ぶしどう》」は一つのキーワードです。歴史概念としての「武士道」はちょうど武蔵が生きていた頃、徳川の初期から徐々に形成されていく。その誕生を促した客観的条件は戦の形態の変化でした。例えば鉄砲の登場。そして戦乱から平和へ、破壊から建設へという時勢の推移も従来の侍の役割や存在のありかたについての再検討を迫る。小説の中でもこの時勢の推移がリアルに書き込まれています。野性の人間が野性を大きく買われる時代は過ぎた。武蔵が伊織への躾を厳しくしたのも「次の時代の侍を作り上げねばならぬと思った」からです。剣術はもう人を殺す技ではなく、心の修行の「剣道」へと変わり、兵法ももう戦の技術ではなく、国を治める学問へと変身したのです。新しい文化の型が誕生して、その中から「武士道」が生まれた。命知らずの蛮勇や野蛮な殺戮は真の武士道ではない。むしろ、弱者へのいたわり、同情心、人に対する礼儀、信義、自制心、身を処する心構えなどが真の武士道と見なされます。昭和期に入って、二人の中国人——周作人と戴季陶の日本批判は典味深い。二人とも日本文化のよさをよく知っている知日家でした。二十年代、三十年代の日本人の振る舞いを見て、彼らは日本の「武士道」が地に落ちたと批判しました。

一つの文化の型――生活様式の統一が失われた時、その文化の育んだ人間の類型も消えてしまう。こうした文化の型が幕末から明治にかけて失われていく過程に、もっとも辛辣な観察を試みた文人は成島柳北でした。柳北が揶揄した、薩長武士の殺伐の盃が飛び交う花柳界には、もう吉野太夫がいない。しかし長い年月にわたって、その生活様式に培われた人間のメンタリティーが長く生き延びることはある。それは次の世代にプラスにも作用するし、マイナスにも作用する。古き日本の倫理観、美意識と現代社会との関係を考える場合、次の二人の見解が参考になります。一人は谷川徹三、大正・昭和期で活動した哲学者です。谷川は近代日本の姿を、明治以降、日本文化の様式的統一が失われた後の過渡期の混乱として捉え、「個人文化」の問題を提起しました。つまり真の国民教育は社会人としてもつべき個人文化を育てなければならないと彼は主張する。もう一人は小泉八雲です。八雲は消滅しつつある古き日本の倫理観、美意識に深い哀惜の念を抱きました。一方、これらのモラルは長年剣の下に養われたもので、個性の束縛個人の抑圧の結果でもあることを見落としていない。そして日本の未来は個人の自由の有無にかかっているという。

平成の日本社会では、個人の自由が保障されているかに見える。しかし多くの場合、この「自由」はただ「放任」と「耽溺」の代名詞でしかない。谷川の提唱した「個人文化」が育てられたのでしょうか。人々は懐疑的になり、古き時代の価値観に関心を持ち、もう一度目を向けるのも自然のなりゆきです。新渡戸稲造の「武士道」の文庫版がよく売られているのはその関心の高さの証明です。そしてバブルの崩壊後、集団の中の居場所を見失った現代人にとって、吉川英治の『宮本武蔵』は、この個人主義時代をどう生きるのかについて、多くのヒントを与えてくれる書物です。もちろんただの娯楽としても存分に楽しめる小説です。

四　武侠小説家金庸との比較

共通点――歴史的題材、奇抜な空想力、綿密で巧みな構成、筋の展開の意外さ、登場人物の多様さ、細部の考証、庶民のエトス国民的人気。

相違点――人間性への剔抉の度合い

　吉川は人間性の闇をあまり書いていない。骨まで腐る悪いヤツは登場しない。これは吉川の性格、人間性によるもので、基本的に善意で人を見ている。人格者です。吉川さんと呼んでいる人であろう、吉川先生と呼んでいる人であろう、一致している見方です。救いのない悪人を書かなかったところに、吉川文学の限界があるという見方もあるでしょうが、人間性への信頼にもとづく吉川の文学に、私はある種の救いを感じたのです。（了）

（第十三回日本研究国際セミナー、福岡ユネスコ協会刊、第四〇号、二〇〇三年）

講舎と書院――近世日中の儒学と教育

問題提起

　はじめに、発表のタイトルに使われている用語について、若干の説明をしたいと思います。講舎と書院はいずれも江戸時代の日本、あるいは明、清時代の中国に存在し、活動していた様々な教育機構の一つの名称に過ぎません。

講舎は、テツオ・ナジタ氏の説明によると、「精神的目的を共有する共同体（講）と、所定の場所への集合（舎）との合成からなっている。この言葉は、一八世紀日本における、庶民の間におけるもっとも重要な、唯一の組織上の概念であった。教育活動を含めて、さまざまな仕方でその言葉は使用された。」という（*Visinos of Virtue in Tokugawa Japan*, 日本語訳『懐徳堂――一八世紀日本の「徳」の諸相』一二七頁）。一方、書院の名称は、唐代に考案されたもので、もともと官立図書館に近い性質のものでした。宋代に至ってはじめて、著名な学者が、そこを講義の場にしたわけです。南宋の思想家朱熹（一一三〇――一二〇〇）が白鹿洞書院で講義したことは有名な一例です。明代の書院は、のちの清代のように、府学や県学といった官立学校の付属物になってしまうまでは、まだいくぶん書院教育上の特色――自由な哲学探究の雰囲気や批判精神などが留められていたそうです。

初期の講舎も書院も聖職者の活動に深く関わっていたように思われます。講舎の組織上の特徴が、中世以来の共同の宗教的実践の場――念仏講に由来していると言われますが、それと同様、人々は書院と禅宗の寺との間に、組織作法について多くの類似点を見つけるでしょう。それに、明代の陽明学と石田梅岩の心学は、庶民層にまで浸透した知的運動として知られていますが、その活動の拠点が書院と講舎であったことは注目に値します。しかし、この両者の内在するつながりをさぐり、それを比較するのがこの発表の目的ではありません。ここでは、講舎と書院を、あくまで公権力のもとに、あるいはその行政的指導、あるいはその財政的援助を受けて運営されていた官学と一線を画した私的な教育の場として取りあげます。つまり、儒教によって特色づけられていた江戸時代、あるいは明、清時代の教育の現場を、こういう私学の一角を透して、その変容と行く先を見てみたいと思います。もっとも、ここで取りあげる問題は私学一般に共通するものではなく、むしろ個別の例に過ぎないことを断っておきます。

徳川日本の教育について、すでに多くの先学の研究があります。なかでも、一九七〇年に刊行されたロナルド・ドーア教授の大著『江戸時代の教育』は、先駆的業績でした。この小論も実は先生の研究に負うところが多いのです。この本のしめくくりの第一〇章「遺産」の冒頭に、こんな一節があります。

> 江戸時代が多くの社会的・技術的分野において停滞の時代であり、また行政改革と頽廃を交互に繰返す周期的変動の時代だったとしても、少くとも教育の分野においては着実且つ一貫した幾つかの傾向が見られる。学校教育の絶対量増大の傾向とその内容および目的の進化がそれである。これらの発展は、明治日本で生じた様々な変化を、何らかの意味において条件づけていただろうか。何故日本が、アジア諸国の中で日本だけが、独立を保持し、高度工業国家に脱皮するために政治を主導因として遂行された変革の過程を全うすることができたのかという問題に対して、それらの発展は果して密接な関連性を持っているのだろうか。

この極めて示唆的な視点は、実はその後の多くの研究者に受け継がれていく。日本の近代化の道筋を歴史の遠近法でくっきりと浮き彫りにするパースペクティブとして、今は広く人々に受け入れられています。そして八〇年代に入って、それをさらに敷衍した見方が登場します。つまりアジアのいわゆる新興工業国の発展ぶりに注目して、その成功の要因を、共通している文化的基盤である儒教文化に求めるという儒教文化圏議論です。高度な経済成長を支える柱の一つとして、識字率や就学率といった国民の知的素養のレベルが考えられます。教育を重要視する儒教の伝統と結びつけるのは、ごく自然なことで、それなりに説得力があると思います。ところが、そうした成功例から一般論を引き出すのもまた危険です。つまり、教育熱心であった文化伝統が一様に社会の発展にプラスに働きかけるとは限りません。身近な例は明、清時代の中国です。

そもそも教育はある社会構造のなかに組み込まれた変数に過ぎません。社会の成員が教育という事柄に対して熱心であるか否かに関わることなく、教育は、その制度と文化を背負う次の世代を育てるという意味において、社会の変革に働きかける側面をもつ一方、まったく同様な理由で、既成の制度の枠内に制約されざるを得ない。一九世紀の末、戊戌維新の中心人物である康有為が中国の立ち遅れを救うために、まず儒教教育を改革し、新式学校を興すよう訴えました。彼が引き合いに出したのは、日本の例です（請開学校折）。しかし明治日本の教育の普及と変革は決して一夜にして成り立ったものではない。西洋のインパクトが重要なきっかけを作ったでしょうが、『日本近代化と教育』の著者ハーバート・パッシン氏も指摘したように、「日本は、近代教育制度を完全に白紙の状態からはじめたわけではなかった」（『日本近代化と教育』國弘正雄訳、サイマル出版会、一九六九年、一五頁）。その基礎が、ほかならぬ儒教原理に色づけられた江戸時代の教育のなかに用意されていたのです。こうした異なる結末を念頭に置きながら、近世日本と中国の教育のあらましを、とくに社会構造、制度との関わり合いを視野に収めて概観してみたいと思います。

明・清の学校

中国人ほど教育に熱をあげる人種がいるでしょうか。少なくとも前近代の伝統社会においては、よっぽどの貧困か、あるいは生理的なやむを得ない事情がない限り、子供の教育を放棄する親は極めて少ないと思います。中国の子供たちは、幼い頃から、おそらく僕の世代までは、「蛍の光、窓の雪」といった逸話美談を聞かされて育ちます。儒教の聖人である孔子も孟子も、その主な職業は教師でした。彼らはすでに、君子にとって自分の息子と距離を保つことは教育の基本だ、ということに気付いていた。かといって、中国人の親たちは子供の教育にどれだけ心を砕くかについては、「孟母三遷」の故事を持ち出せば十分でしょう。

こういう熱心さと裏腹に、とても皮肉なことに、教育は古代中国において為政者から王朝の重大な機能の一つとは見なされませんでした。上述した話の断片からもわかるように、少なくとも十一世紀の宋代までは、教育はたぶん個人教授というプライベートな行為でした。[1]もちろんそれまでの漢、唐では、官公立的性格の学校がなかったわけではないが、その規模が限られていたし、たいていは「模範官吏」によって散発的に創られたものでした。宋代に入って、文官の権威の増大に伴い、試験による官僚選抜制度が定着するにつれて、試験志願者を養成する場としての官立学校が設立されるようになりました。

しかし、国家規模の、画期的発展は明代を待たなければなりませんでした。一三六九年に明の太祖朱元璋は、あらゆる府・県に学校を設置し、政府が任命する教官をこれに配置し、国家の財源によって恒久的に援助するよう命じました（太祖実録、巻四六）。明代の学校の規模は、空前のものでした。「およそ学校を設置しないところがなく、学校に通わない者がいない。秩序が整えられて、読書の声が国の浦々地の果てにまで聞こえる。これこそ明代学校の盛んなることは、唐宋以来の及ばないところである」（明史選挙志、巻六九）。*The Ladder of Success in Imperial China*という本を著した**Pingti Ho**(可柄棣）氏の統計によると、太祖の「長い治世が一三九八年に終わる前までには、その実質上の管轄内にある地域で、およそ千二百校が設立された」という（日本語訳『科挙と近世中国社会』一七四頁）。そして氏はさらに明代の教育について、次の見解を披露しています。

> 明帝国の成立後、中国は萌芽的ながらも全国的な官立学校と奨学金の制度を持ち始めた。社学の設立を促す、明初の再三にわたる皇帝の勧告は、さらに初等教育の問題と取り組ませることになった。中国史上のいかなる時代にも、儒教的理想が十分に実現されなかったのは真実であるが、社会的・官僚的移動のための主要な方途としての競争的試験制度の制度化と多数の官立・私立学校の存在は、産業革命と全国的な義務教育の到来に先立つ巨大社会には、多分その例を見ないであろう。（前掲書、二五二頁）

官学とともに、庶民教化のため、政府が管轄し、地域社会が維持運営する村の学校も設置されました。このように全国範囲に張り巡らされた学校網ができあがったわけです。この明代の制度を、後の清朝はほぼ全国的に踏襲したように思われます。時代によっては消長盛衰があったにもかかわらず、一九世紀の清末までに統一したシステムが維持されていたらしい。一八九九年に中国の山東省で布教活動をしていたアメリカ人宣教師アーサー・スミス（明恩溥）は、***Village Life in China***という書物を発表しました。長年の地道な観察をふまえたこの著書は、中国の田舎生活をリアルに描き出しています。その第九章では、田舎の学校に触れて興味深い証言を残しています。

> 中国教育の目立った位置は、その田舎学校へわれわれの興味を起こさせた。というのも、これまでこの帝国のなかで、教育を受けたほとんどの人がここにおいて、その最初の手ほどきを授かった。ある県の学校が他の県のそれより良かったり悪かったりすることはあるにしても、中国ほど教育基準とあらゆる細目においてかくも画一化されている国は世界のどこにもないと思う。（中国語訳『中国郷村生活』六九頁）

ちなみに、アーサー・スミスは*Chinese Characteristics*の著者でもあります。一八九二年に出版されると、とても好評で、フランス語、ドイツ語にも翻訳され、欧米で広く読まれた。日本語訳の『支那人気質』（渋江保訳）は一八九六年に東京の博文館より刊行されました。

明、清の官立私立の学校を、江戸時代の藩校、私塾と比較してみると、幾つかの類似点をすぐに見つけるでしょう。例えばドーア教授も指摘したように、江戸時代の学校は新しい性格のもので、またその普及の規模においても前例のないものでした（『江戸時代の教育』第三章、藩校）。それに押しつけられた画一性や庶民教育、例えば寺子屋の発展などです。一九世紀後半まで、公立私立を問わず、両国における学校の数を推定することは難しい。だが、たとえ正確な統計データがあったとしても、こういったうわべのみの比較はたいして意味を持たないでしょう。

なにしろ教育がどのように社会構造のなかに組み込まれているのか、どういう制約を受けるのかはより本質的な問いかけであるからです。

階層制社会と教育

理念はともあれ、現実の人間社会は必然的に階層的である。これは長い歴史的経験に由来する結論です。前近代社会と近代社会との区別は、ただ理念的にそれを認めるか、認めないかという違いに過ぎない。もっとも歴史を振り返ると、階層制を維持しようとする試みにしても、決して一様なものではありませんでした。そのさまざまな工夫が結局それぞれの社会の性格や構造に深刻な影響を与えることになります。

マッテオ・リッチは一六世紀の明末の中国に入国できたイエズス会の宣教師です。一五八二年に広東に入って以来、一六一〇年北京で亡くなるまでのべ二十八年もの歳月を中国で過ごしたリッチは、自ら中国語を習い、漢文で本を著して中国知識人の尊敬を一身に集めたのです。長年の布教活動と現地生活を踏まえてまとめられた報告書は、明末中国の社会、文化を克明に記録した文献として広く読まれ、ヨーロッパのシノロジーの成立に強い刺激を与えました。明末の教育はどのようにリッチの目に映ったのでしょうか。その報告書の第一巻第五章は、中国の学問の紹介にあてられたのですが、儒教の四書五経について手短に説明した後で、やや意外な一節が続きます。

わたしたちの著作家のなかには、これらの書物の解釈やそれについて行なわれる作文のための公立の学校とか大学があると書いている者もいるが、ここにはひとつもない。各自が気に入った師匠を選んで、自分で金を払うのである。こういう師匠の数は非常に多い。ひとつには、文字がむずかしくて、同時に大勢には教えられないからであり、もうひとつには、この国の習慣で、身分の高い人は、子供がひとりかふたりしかいなくても、自宅で教育を受けさせるからである。ほかの子供たちと言葉を交わすうちに、正道を踏みはずすのを危惧するためだ。（『中国キ

リスト教布教史』一、岩波書店、一九九三年、三七頁）

リッチの報告書は、自らの見聞に基づいて書かれたもので、単なる事実誤認とは思えない。教育機関についてこう述べたものの、そのすぐ後に、リッチは明代の科挙――秀才、挙人、進士の試験を詳細に書き留めています。問題の所在は実はここにあると思います。明代の学校は、はじめから試験制度の科挙と切り離せないものでした。明中期の政治家、歴史家でもある丘濬は、朝廷の典章制度に詳しい学者です。彼の帝王学講義ともいうべき書物に、明初の学校と科挙との関係に触れるくだりがあります。「先祖は学校を以て人材を育て、経術を以て士人を造る。学校において教えているのは、この経この書であり、科挙の試験科目に採られているのもこの経この書である。」（大学衍義補、巻七七）。明史には、さらに明白に「学校則ち才を貯え、以て科目に応えるものなり」とあります（選挙一、巻六九）。つまり受験するための一種の予備校でした。

明の制度によると、府学には教授、州学には学正、県学には教諭がそれぞれ一名配置され、そのもとには、訓導（助教授）が勉学を指導するしくみになっています。入学資格は、科挙の初級試験に合格した生員、普通「秀才」と呼ばれる者に与えられます。彼らはさらに科挙の上級試験――官吏選抜試験を受けるために学校で定期的な学力テストと教官の訓練を受けるのです。従って読み書きのような基礎教育は、はじめから視野に入っていなかった。在学生は受験資格者に過ぎないが、地域社会では名誉ある地位にあり、労役を免除され、食費は無料で政府から月に米六斗の俸禄を支給される特権が与えられました（大明会典）。明の初期では、学生定員を規制していました。府に四〇名、州に三〇名、県に二〇名の割合で定められ、つまり一人の助教授が約一〇名の学生の面倒を見ていたわけです。しかし時代が下るにしたがって、規制が徐々に崩れました。政府はまず増広生員、定員外の入学枠を新しく設けました。本来の生員との違いは、前者はいわば奨学金学生であるのに対して、後者には政府から俸禄を支給される権利がないということです。それ以後、奨学金をもらう学生は一般に稟生と呼ばれるようになりました。一四二八年、増生の定員は稟生のそれと同じ割合に定められ、学生定員が倍増したわけです。一四四七年、地方定員に収まりきれない教育ある若者がいる地方では、附生生員、一般には附生と呼ばれる研修生の新しい枠が作られました。学生数が膨らんでいくのに対して、教官数は明初とほとんど変わらず、しかも僅かな給料しかもらえないから、その勤務意欲が想見できるでしょう。明初期の学生はたいてい学校の寮に宿泊していたが、明末になると、それを守れなくなり、自宅で家庭教師を雇って受験勉強していたことが考えられます。リッチの証言は、こういった学校の荒廃をほのめかしているのではないでしょうか。

士農工商の身分が固定していた江戸時代の幕藩体制に比べて、皇帝を頂点とする、官僚支配の、明以降の中国社会は、儒教の社会イデオロギーをみごとに実践に移した社会です。すなわち人間は才能（知力、徳性）において千差万別である以上、生来不平等です。したがって君子が小人を治めるべきだ。一方君子たる資格は、個人の優秀さによるもので、君子は身分の高い人であるとともに、知識と道徳的資質に優れた人でなければなりません。一言でいえば、賢人による支配です。この政治理念を制度的に保障したのが科挙制でした。ここでは、科挙制の功罪を論ずるゆとりがないが、身分や家柄によるのではなく、競争試験によって人材を登用するという意味で、近代民主主義の原理に通じる合理的側面をもっています。実際、リッチやセメードによって、この「中国の制度」がヨーロッパに紹介され、一八世紀の啓蒙思想に大きいインパクトを与えました。結局近代の国家公務員試験制度の確立にきっかけをつくったのです。

ところで、ここで問題に取りあげるのは、社会の営みに組み込まれた教育の役割です。科挙が社会移動の最も重要な経路となった明、清の社会では、人の所属階層の上下と、その人が実質的に果たしている社会的機能の有用性との矛盾は存在しません。科挙に合格した人はそのまま社会にとって有用の人材と認められるからです。しかしこれは理論上においてのみ、この矛盾を解消したに過ぎません。社会にはさまざまな職能集団がある以上、適材適所の問題がどの社会にもあるはずです。富、権力、威信を不平等に配分する階層制社会では、個人の能力の差異がどう問題にされるのか、その問いかけと、不平等を維持し、正当化する力——社会秩序との間の緊張関係はその社会の教育形態を大きく左右するように思われます。ドーア教授は『江戸時代の教育』の第六章「才能、訓練、社会秩序」において、この問題をとりあげ、興味深い考察をしています。

既存の人事に不満を抱いている江戸時代の学者で、中国の試験制度を手本に、改革を訴えている者もいましたが、世襲制度の全廃を勧めるところまで思い切った者は一人もいなかったという。日本は「封建の制」に従っている以上、その封建制度を修正してもう少し人材に活躍の場を与えるという程度にとどまり、中国流の制度、競争方式も有資格者つまり武士階級内部でしか適用され得ないという認識に立っているようです（『江戸時代の教育』一八〇、一八一頁）。身分制にこだわりながら、競争原理を認め、それを徐々に学校現場に導入していくのが江戸時代の教育の流れでした。さまざまな議論がありましたが、なかでも、長崎の商人である正司考祺（一七九三——一八五七）の碁石作りのたとえ話は、興味深いものです。つまり「碁石作りは貝殻や石を集めてそれを磨き選り分け、一番良質な物は一石一五文、最低の物は一石二文で売る。彼の努力の結果、最も品質の落ちる物でもそれなりの値段で売れ、人々は等級に応じて品質の差がはっきりわかるから彼の製品を快く買い求める」という（前掲書、一八四頁）。これは学校の選別機能を説いているわけですが、階層別教育、例えば森有礼が唱える三段階教育、あるいは職業教育にも繋がる発想です。実際、正司考祺は庶民階級のための一般教育の重要性を詳細に述べています。しかし、階層間の移動を認め、科挙制度でそれを保障する中国社会では、そういう発想が生まれてこない。何故かというと、科挙の最高学位は、底辺の庶民を含めすべての中国人の憧れの的ですので、磨きようによっては、だれもが一石一五文の良質の碁石になれるという望みがあるからです。（2）

書院と講舎――アンチ功利主義の遺産

書院は唐の末期に現れ、当初から官学の不備を救う意図で設立されたのです。白鹿洞書院で講義をした朱子は、科挙のための学問に対して露骨な不満を表明しました。「教師の伝授するところ、学生の学習するところは、いずれも本を忘れ、末を逐い、利を抱き、義を去るものである」と批判したのです（白鹿書院志、巻之七、学規）。古典の祖述に懐疑の目を向け、欲望に溺れた人間性の回復を訴えた朱子の教育思想は、いわばアンチ功利主義の一言に尽きます。彼の主催する書院も、理の究明に相応しい厳格な道徳主義の雰囲気がみなぎっていました。朱子の弟子の程端蒙、董銖によってまとめられた学規が現に残っておりますが、その概要を紹介したいと思います。

書院で学ぶすべての学生は朔望（陰暦の一日と一五日）の祝日を大切に扱わなければならない。朔望の日、夜明け前に、当番の者は響き板を敲く。一度敲くと、全員が起床、洗顔、口を漱ぐ。髪を束ねて服を着る。二度目敲くと、全員が深衣あるいは涼衫を身にまとい、講堂に入る。先生は学生を率いて聖人孔子像の前に立つ。二回お辞儀をして香をたく。それからまた二回お辞儀をして戻る。先生は南西に向いて立つ。学生は最年長者に導かれて順序正しく北東に面して、先生に向かって二回お礼をする。それから付き添って立つ。年長の学生の一人は、先生にお祝いの言葉を述べる。また二回先生にお辞儀をする。先生は自分の部屋に入る。全員は順番に輪の形に立ち並ぶ。全員二回お辞儀をして退出、それぞれの席につく。

平日、響き板は前述のように敲かれる。二回目響くと、学生たちは全員講堂に入り、順序正しく立ち並ぶ。先生が席に着くと、全員手をこまぬいて（両手を組み合わせて）挨拶する。それから二列に分かれて互いに手をこまぬいて挨拶して退出する。夜になると、就寝の時、板はまた敲かれ、朝礼と同様に挨拶する。そして授業、食事、お茶の時など、みな板は敲かれる。朝礼と受講時は深衣あるいは涼衫を着用するが、ほかの場合は、普段着と道服褶子を着用する。

そのほかに、着席の順番、坐り方、歩き方、しゃべり方、文字の書き方、仲間の呼び方、それに敷居を踏んではいけない、片足で立ってはいけない、じろじろ見てはいけないとか、実に礼儀作法のいちいち細かく決めています。今日から見れば、堅苦しい形式主義のように目に映りますが、ただ知識、技能の伝授ではなく、学生の全人格の養成に力を入れる初期書院の精神が窺えます。

明の書院は、明末を除けば、たいていこの伝統を受け継いだものと思われます。かつて南京の礼部、吏部、兵部の大臣を務めた明代哲学者湛若水（一四六六―一五六〇）は、王陽明と同時期に門戸を立て書院で講義していました。彼が大科書院のために書いた学規を見ますと、ほとんど実行不可能と思われるほど、そのスケジュールは厳しいものです。睡眠時間は僅か四時間しかない、食事の時間はまったく残されていない。科挙の受験予備校である官学と違って、書院のカリキュラムも多彩なものでした。古典の勉強、文章作法といった常套の科目以外、政治哲学、軍事、法律、治水なども盛り込まれます。それに書道や楽器弓などの技芸の時間もありました（宏道書院の例）。

明代の初期は書院の冬の時代でした。明太祖は庶民の教化に大変熱心な皇帝でしたが、イデオロギーに厳格な彼は人々の思考、言論の場としての書院をあまり好ましく思わなかったらしい。私立書院の急速な発展が見られたのは、明中葉以降の一六世紀のことです。それは王陽明（一四七二―一五二八）によってはじめられた、強力な知的解放運動のおよぼした波紋の一つだと言われます。身分の高低、学問の多寡、性質の智愚を問わず、潜在的にだれでも聖哲の域に達することができる、と王陽明は人々に教えました。この新鮮な説は、人々の学問への意欲を呼び起こし、波紋が全国に広がったのです。だが、明末になると、哲学思弁の場、政治的言論の場としての書院は急速に衰えていき、ついに官学の付属物となってしまいます。

陽明学の普及とその活動の場である書院に触れましたが、ここで思い起こしたのは、一八世紀の日本で創設された庶民のための講舎懐徳堂のことです。大阪地方に作られた数多くの私立学校の一つとして出発した懐徳堂はその後の約百年、庶民階級とくに商人層に開かれた高等教育機関として繁栄を保ち、庶民の道徳実践、イデオロギーの形成に大きく貢献しました。懐徳堂の教育の原点は徳の探求でした。つまり道徳実践――人の道を求めることは、あらゆる人間にとって、したがって庶民にとっても必要なことで、生来の資質を磨くことによって、庶民も道徳的な認識に到達することができ、善を実現することが可能だということです。道徳教育が基本的に武士階級の特権と考えられていた江戸時代において、政治的・公的領域から遮断された庶民の学校にしてはとてもユニークな存在です。そのアンチ功利主義の性格もよく分かるでしょう。

江戸時代、あるいは明・清時代の教育と近代教育との連続性を話題にする時に、人々はよく実学の系譜を持ち出します。清初思想家顔元（一六三五―一七〇四）は六二歳の時、漳南書院を造りました。彼は「実用の学」を唱え、伝統の六芸、すなわち礼、楽、射、御、書、数を重んじ、自分の教育実践に移しました。その書院の科目を見ますと、数学、天文学、地理、歴史、法律、水利、機械、それに弓術、騎馬術などの軍事技術も教えられていました。顔元は空虚な哲学思弁に明け暮れる明代の気風に反感を抱き、その弊害を救うために実学を提唱したのですが、しかし科挙のための学問に抵抗して、アンチ功利主義という点においては明代書院の遺産を受け継いだということもできます。

江戸末期の私塾で教育を受けた福沢諭吉は、執拗に「実学」の重要性を説きました。「人間普通日用に近き」学問をすすめて、日本近代教育の道を指し示した福沢は、懐徳堂を含めて江戸の漢学への軽蔑を隠しませんでした。しかしこの福沢も、テツオ・ナジタ氏が指摘したように、「彼自身の全体的な考え方に浸透する思想上のテーマからすれば、懐徳堂が展開し、山片蟠桃のような学者を生み出した思想史のうちに、はっきりと福沢は位置づけられる」（『懐徳堂』四九一――四九二頁）のです。専門学者ではなく、「教養人」教育をめざそうとした慶応義塾の建学方向に、あるいはそのつながりの一端をみることができるかもしれない。

最近の日本では、教育改革を叫ぶ声が高まりつつあります。教育現場に身を置いている者の一人としてその必要性を痛感しております。さまざまな議論があるなかで、今日の僕の話はあまりにも迂闊だ、と思われるかもしれません。そう思われてもよいから、「百年の計」である教育を考える場合、アンチ功利主義、非実学主義的な発想がやはりどこか必要ではないか、と僕は思います。時代がどう変わろうが、優れた知性は時代遅れになることはない。そう自分に言い聞かせて、発表を終わりたいと思います。

（1）二〇世紀まで教育は中国において基本的に私的な訓練である、という見方もある。John Meskill, *Academies in Ming China*, The University of Arizona Press. 1982

（2）とにかく英才教育を重んじる中国では、職業教育の問題は、今も十分配慮されているとは言えない。

参考文献

R.P・ドーア『江戸時代の教育』松居弘道訳、岩波書店、一九七〇年
テツオ・ナジタ『懐徳堂—一八世紀日本の「徳」の諸相』子安宣邦訳、岩波書店、一九九二年
可柄棣『科挙と近世中国社会』寺田隆信・千種慎一訳、平凡社、一九九三年
天野郁夫『学歴の社会史』新潮社、一九九二年
明恩溥『中国郷村生活』午晴・唐軍訳、時事出版社、一九九八年
呉智和『明代的儒学教官』学生書局、一九九一年
劉岸偉『明末の文人李卓吾』中央公論社、一九九四年
John Meskill, *Academies in Ming China*, The University of Arizona Press. 1982

（岩波書店『日本を問い続けて』所収、二〇〇四年）

エクソフォニーの境地を問う―外国語で書くことの意味を考える

はじめに

エクソフォニーとは「母語の外に出る」という意味であるらしい。多和田葉子さんの著書『エクソフォニー母語の外へ出る旅』のタイトルに使われているキーワードである。異文化との接触や外国語の学習が日々身近なものになっている今日において、文化の越境という大げさなことを言わなくても、私たちの日常生活の中で、「母語の外に出る」というようなことはもはや珍しい体験でなくなっている。そこで外国語で書くことの意味を考えてみたい。

外国語で書く、と一言でいっても、様々なケースや次元の行為が考えられる。異国の友人に手紙とかメールを送る場合もあれば、会議の報告書やプロジェクトの企画書をまとめるケースもある。国際学会での発表原稿や語学練習の作文もそれに数えられるであろう。こういった実用レベルのものに比べて、文人や作家の外国語による論述、創作はやや次元が異なるように思われる。もちろん外国語で意思の伝達をはかり、コミュニケーションをとるという点において、本質的には変わらない。ただ意思の疎通をはかるところに主眼をおく実用文に比べて、文人、作家の外国語創作、論述には、より明確な表現の意欲が感じられ、それだけに「母語の外に出る」自覚が強く現われている。

これからは、時代背景も創作モチーフもそれぞれ異なる数人の文人、作家の事例を取り上げ、コミュニケーションの手段として外国語で書く行為の幾つかの側面――技術的な要素、文化的要素、心理的要素を分析し、コミュニケーション教育のあり方を考えるにあたって、一つの問題提起をしたい。

一　西洋人、日本人の漢文

まず「漢文」という言葉の概念についてことわっておきたい。日本においては、通常①近代以前、中国及び東アジアに通用した中国の文語文、古典文と、②漢文訓読体の文章という二通りの意味があるが、ここでは前者の中国の古典文を指している。

十九世紀の清末までの中国の言語状況を振り返ってみると、世界の多くの地域にも見られるように、二重の言語系統――全国に通用する書記言語の文語と口頭言語として各地域の方言、俗語――が併用されていた。明・清では一定の流通範囲をもつ公的な話し言葉の共通語、例えば北京官話（Mandarin）、南京官話もあるが、歴史を通して見れば、全体的に、書面言語の古典文と口頭言語の方言、俗語とが分離し、対峙するという基本構図が言文一致の気運が高まる二十世紀初頭の「五・四運動」まで、千数百年も続いたのである。

書面言語の文語文は私塾や官学などの教育施設で習得され、また科挙試験という制度で公的に認定される。古典文の読み書き能力は知識人の備えるべき教養であり、出世するための道具であった。法律・行政文書、歴史記述、文学表現の言語として機能し、権威を保っていた。しかしながら、この文語文は子供のころから自然に覚える、日常の言葉とはかなりかけ離れているものなので、それを習得するには古典文献の素読、模範文の暗誦といった人工的な工夫が必要だった。そしてまさに日常語と分離されているが故に、生きた話し言葉のセンス、感覚に頼らなくても、言語環境が全く異なる地域においても、この文語文の習得がある程度可能であった。書記言語として中国の文語文を採用していた、日本、朝鮮、ベトナムなどの言語状況はそれを物語っている。

マッテオ・リッチの『交友論』について

最初に漢文を習得し、立派な作品を残した日本人とは誰だったかはさだかでないが、中国の読書人並の、あるいはそれ以上の教養を身につけ、漢文で著書を表わし、中国の文人、学者の尊敬と称賛を勝ちえた最初の西洋人と言えば、まずあのイタリア人イエズス会士のマッテオ・リッチのことを思い浮かべるであろう。リッチは十六世紀の明末の中国でキリスト教布教の道を切り開いたパイオニアであった。一五八二年の夏、極東の中国へ派遣されたリッチ神父はマカオに到着し、中国へ入国するチャンスを待ちながら中国語の勉強を始めた。彼がはじめて接した中国語はおそらくこの地域の方言広東語だったように思われる。しかし神父たちはやがて中央政府から布教の許可を得て、しかも布教活動をスムーズに行うためには、北京の宮廷で使われ、比較的広い地域に通用する官話（Mandarin）を是非とも習得する必要があるということに気づいたのでる。リッチの先輩で、先にマカオに来ていたルッジェーリ神父は一五八三年二月七日にイエズス会総長に書き送った手紙の中で次のように語っている。

> （マカオでは）シナ語の練習がうまくゆきませんでした。私には宮廷のシナ語、当地でいうところの官話を習う必要があったからです。しかしマカオ港ではその便宜が得られず、それでどうしてもシナ本土内にはいりこむってを見つけて、シナ人と一緒に生活し、完全に言葉を習得する必要がありました。[1]

リッチの筆跡で、中国語勉強のために、ルッジェーリ神父と二人で作ったと思われる、ポルトガル語・中国語対照の辞書の原稿がローマにあるイエズス会古文書館に保存されている。その原稿の漢字の部分を見ると、たとえば、「終わった」「いつも」「載せる、担ぐ」「細かい」「あの辺」などの口語的言い回しが数多く載っていることが判明する。これは肇慶滞在時代（一五八三—八八）に作られたもので、すでに中国人と一緒に生活し、まわりの人々から生きた言葉を学んでいた様子が窺われる。

ルッジェーリに比べて、リッチは遙かに言葉の才能に恵まれているらしい。ローマのイエズス会本部に送るために綴られた彼の報告書は、後にトリゴーの手によってラテン語で公刊された。このラテン語版は一九四二年にガラゴル氏によって『十六世紀の中国』の題で英訳された。その第一巻第五章には中国の文字、言語ついての彼の蘊蓄が披露されている。リッチはまず中国語の書面言語と日常会話との乖離を指摘した。

　様式と構造において、彼らの書面語と日常会話に用いられる言葉とはかなりかけ離れている。口語で書かれた書物なぞほとんど皆無である。もしある作家が話し言葉に近い体裁で書物を書いていたら、彼自身とその著書を普通の庶民のレベルに格下げしていると見なされたからである。[2]

リッチが交際していたのは、たいてい文人、儒者などのインテリグループだったので、白話で書かれた小説や坊さんの説法の語録などの存在を知らなかったか、あるいは知らないふりをしたのも無理もない。ただ書面語の文語は位が高く、俗語、方言の話し言葉は差別されていたことは事実であった。リッチはさらに漢字のこと、中国語の音節、声調、文の構造について解説する。この言語の習得の難しさにふれてこう語っている。

　私は敢えて言うのだが、おそらく中国語ほど外国人にとって習得しにくい言語があるまい。しかしながら、神様のご加護で、また絶え間ない努力によって、私たちイエスズ会の会友で、この国民の間で伝道に携わっているすべての者が彼らの言葉を身につけたのである。最初からここでの布教活動にかかわった者は流暢に話せるのみでなく、中国語の読み書きもできるのである。私が思うには、中国の言語の曖昧な性質は、古来から彼らが書面語の発展に絶大な関心を寄せていたのに対して、口語を疎かにしていたからである。[3]

その後の宣教師もほとんどそうだったが、リッチの中国語の勉強は話し言葉からはじまったように思われる。主として宮廷や官僚知識人の間に通用する「官話」（Quonhoa）の習得に力を入れた。リッチはこの共通語が生まれた背景を紹介し、イエズス会士はそれさえ習得すれば、各省の方言などを習う必要がないという。そして上流社会においては方言を喋らないこと、官話が教養のある階級に広く使われて、婦人子供も理解できることを証言している。(4)

明代の官話について、その状況を記録した文献は少ない。その時代に書かれた白話小説は一つの手がかりになるが、そのほかに、官僚や文人の書いた書簡から多少ヒントが得られる。李卓吾は明末の文人、思想家で、リッチとも三回面会した。彼は福建省泉州の出身だが、北方の河南省、それに北京と南京で官僚としてつとめた経歴がある。リッチとの間でおそらく「北方官話」で話し合っていたことが想像される。李卓吾が残した口語の手紙を読むと、当時の「北方官話」は現在の北京語にかなり近い性質のものであった。李卓吾は偏屈な性格で、毒舌で有名、めったに人を褒めなかったが、リッチに会って大変感心した。その人柄の誠実、頭脳の明晰、対応の機知、特にその流暢な中国語を称賛したのである。

しかし、決定的にリッチの名声を高め、中国の文人、学者の尊敬と信頼を勝ちえたのは、リッチが執筆した最初の漢文の著書『交友論』だったに違いない。それは一五九五年に、南昌の建安王の求めに応じて書いたものである。一五九六年の十月十三日付きの、中学時代の恩師アッカヴィーヴァ宛ての手紙には、その間の経緯が報告されている。

昨年シナ語の文章を書く練習の目的で、漢文で『友情』についていくつかの文章を、西洋の良書から選んで書いてみました。……そしてそれに権威をつけるために序文を加え、皇帝の親戚へ贈物としました。(5)

この書物はたちまち評判となり、大きな反響を呼び起こした。器物の精巧のみで知られていた西洋人がその文才を示すべく中国語で著作するというセンセーショナルな話題性と、友情という儒教文化の伝統になじみやすい内容とが、この素晴らしい成功の原因だったように思われる。ところが古典文の規範という尺度で、『交友論』の文章を客観的に批評すれば、決して質の高いものだったとは言えない。リッチのその他の漢文著書と同様、中国人協力者の添削を受けていただろうが、それにしても文中にはしばしば文意が通じない、あるいは難解な個所がある。たとえば次の二例を示す。

一　友與仇如楽與鬧、皆以和否辨之耳（友と仇とは楽と鬧との如し。みな和なるや否やを以て弁ずるのみ）

鬧という字はかなり口語的表現で、しかもふつう形容詞か動詞としてしかつかわず、かくの如く名詞のような用法がめずらしい。

二　友之楽多於義不可久友也（友の楽、義より多きは久しく友たる可からざるなり）

その「義」という字の解釈だが、はたして儒教の徳目の「仁義」を指しているだろうか。

幸いなことに、この交友論を執筆した際、リッチはその文章の意味をイタリア語で書きとめた。しかもその原稿が残っている。平川祐弘先生がリッチの伝記の中で、そのイタリア語訳と付き合わせて交友論の解読を試みた。そこで難解な個所について、ようやくリッチの真意が判明されたのである。一の「鬧」に関しては、それは「不協和音」と訳されている。つまりその文章では、リッチは友情のことを音楽における和音と協和音に譬え、逆に敵同士の不和はちょうど雑音、不協和音のようなものだといっている。そして二の「義」の字に関しては、イタリア語訳には **ragione**（英語の **reason**）を当てている。理性という意味である。つまり「友情が理性よりも優しさや楽しみから発している時は、長い間続くものではない」という。

中国人の中で生活し、生きた言葉のセンスを身につけ、すぐれた会話能力をもっていたリッチだが、古典中国語で文章を書くとなると、やはり思うようにいかない憾みが残る。なにしろ文語文の記述は全く別の訓練と素養が要求されたからである。布教の道を開くため、中国の知識人と対話する資格を手に入れ、彼らの尊敬、信頼、協力を得るために、敢えて漢文で著作するというリッチの選択は戦略的に正しいものだった。（ちなみに、清末になると、状況の変化によって、バーゼル・ミッションのように、話し言葉の方言、たとえば客家語で聖書の翻訳を試みたケースもあった）リッチ自身も自分が文章に向いていると考えているようだ。しかし想像をたくましくすれば、もしもリッチが口語で執筆したらもっと生き生きとした、楽しい書物ができたのではないだろうか。

夏目漱石の『木屑録』について

次に日本人の漢文について検討しよう。具体的に夏目漱石の「木屑録」をとりあげます。日常生活で中国語を覚えたリッチと違って、夏目漱石の世代を含めてそれまでの日本人はほとんどそういった語学の環境に恵まれなかった。直に中国人に接するチャンスも少なく、もちろん中国の土を踏んだこともない。漱石は明治改元の一年前に生まれた人だが、江戸時代の余韻がなお濃厚に感じられる新旧交替の時代に初等教育を受けた。近代的な学制によって新設された当時の小学校では、洋算、物理などの新科目も教えられていたが、根底になっていたものはやはり漢学であった。市ヶ谷小学校上等第八級（五年生）の時に金之助が書いた作文「正成論」は、立派な漢文訓読体の文章で、その古典素読の成果を示している。後に漢学塾の二松学舎に入ったことを見ても、儒学と漢籍にのめり込んでいたことが判る。

およそ江戸時代の三百年は、漢詩、漢文を書く技術が飛躍的に伸びた時代であった。全国における藩校などの儒学教育システムの確立は、大きな要因の一つだったが、基礎学力を養う一般教養として、中国古典の読み書き能力が求められていたからである。徳川時代の後半に栄えた日本古来の学問である国学にしろ、西洋研究の蘭学にしろ、それを志す者はまず漢文の典籍を読み解く基本的な読書力を身につけなければならなかった。本居宣長は国学の大家で、二十四歳の時、京都の堀景山の塾で『世説新語』の会読に参加していたことが彼の「在京日記」に記録されている。

漱石の『木屑録』は、第一高等中学校に在学した明治二十二年の夏休み、友人とともに房総を旅行した時の見聞を記した漢詩まじりの漢文紀行文である。それを親友の正岡子規に見せたら、大変褒められた。子規が言うには、「君は英語がよくできることを以前から知っているが、君の漢文を読んだのはこの木屑録がはじめてだ。おおよそ西洋の学問に長けているものは東洋の学問が苦手だろうとふだんから考えている。日本語のようにすらすらと外国語を喋っている君を見て、貴兄は和漢の学問を知らないだろうと思っていたが、この詩文を読んではじめて君の天賦の才を知った。君はまさに千万年に一人の異才である」（原文漢文）という。[6]

木屑録の末尾に上述した子規の漢文の論評が付録として添えられている。それに比べて、漱石の文章は断然うまく出来ている。少なくとも漢文としての体裁を整えているし、新式教育を受けた同世代の平均水準をかなり上回る上出来だと思う。しかし通読して感じたことを申し上げると、リズム感に富み、すらすら読める部分と調子が乱れ、舌が回れない個所が交互に現われているというのが全体の印象である。そしてさらに検討すれば、いわゆる調子のよい文章とは古人の文章をきちんと踏まえているもので、いわば定式化された表現となっていることが判る。漱石自身の言葉でいうと、子供の頃から唐代宋代の名文の数々を愛読し、文章を作るのを楽しんだという。

文章の規範となる模範文を暗誦し、その言い回しを心得るのが東洋古来の文章術である。中国では文体規範の形成に大きく寄与したのが科挙試験であった。基本的に文章力を見る試験なので、その優劣を判定する基準を定めなければならない。そこで文体の規範意識がうまれたのである。秦以前の諸子、儒教の経典や唐、宋の古文家の名文がつねに模範とされていたが、時代によって、それぞれ異なる流派があり、試験官の好みもあった。受験生は多くの古典を読みこなさなければならないし、時の流行も通暁しなければならなかった。そこで受験対策として、科挙に用いられる文体――八股文の模範作文集が編集され、文章読本などが作られた。明末の李卓吾は自分の受験体験について、諧謔を交えながら、かなり辛辣な筆触でこう書いている。

やや大きくなると、また頭が鈍くなり、受験のために伝記や古典の注釈書を読んでも　いっこう判らず、朱子の奥義がなかなか理解できなかった。それで自分でもいぶかしく思い、こんなつまらぬ勉強をいっそやめようかと思った。しかし、ぶらぶらしてすることもなく、暇をもてあまして、こう嘆いた。「これなんか全く遊びみたいなものじゃないか。ただ他人の文章を剽窃して試験官の目をごまかせばいい。それに主任試験官だからといって、いちいち孔子聖賢の教えの精微に通じているわけではない」。そこで八股文の模範、前衛的でしかも味読に堪えるものを選んで、一日数篇を暗記し、試験日までに五百篇を覚えた。試験問題が出ると、ただ写字生のまねをしただけで合格したわけだ。（「卓吾論略」）

十八世紀清代の大詩人袁枚は二十四歳の若さで科挙の最終試験に見事に合格し、進士となった秀才である。受験に備え、あるいは受験した際に書いた八股文四十四篇を収録した『袁太史稿』は、受験生の間で絶大な人気を博し、教科書として重宝されていた。清朝では試験官は郷試、会試に提出した答案を選別して、模範解答を一冊にまとめて公刊することがしばしばあった。それを「闈墨」という。また清末になると、管世銘の『韞山堂文稿』がもてはやされていたらしい。

日本は科挙を取り入れなかったが、幕末、明治初期になると、漢文教育の一端として、作詩、作文を指導する書物が数多く出版された。漱石もこういった書物を利用したかどうかはさだかでないが、漢文を訓読して文章を暗誦するという素読を経験していたように思われる。そして唐代、宋代の規範となる名文を数千言も読んでいたことは、やはり文章習得の王道だったと思う。

　中国の古典文で、よい文章の条件の一つとして、文章のリズムと響きが挙げられる。朗々と読めるものでなければならない。話し言葉を使わないけれども、よい文章を書くためには、やはり日常生活で覚えた音律、生きた言葉の感覚が求められると思う。しかし漱石はもちろん中国語の発音、声調を知らない。漢詩を作る時は平仄や韻を確かめるための「韻書」があるから、なんとかなるが、実はそれについても漱石は大変苦手で、本人もそれを認めている。漱石の漢詩で、平仄違反など韻律の規則をきちんと守らない個所が結構ある。修善寺大患の時に書いた「思い出す事など」でこう語っている。


　　余の如き平仄もよく弁へず、韻脚もうろ覚えにしか覚えてゐないものが何を苦しんで、支那人に丈しか利目のない工夫を敢てしたかと云うと、実は自分にも分らない。[7]

　「木屑録」の中で、古人の文章を利用し、定式化された言い回しの個所は問題がないが、文節変わり目、独自の描写を試みる形容詞、文節と文節との関連を示す前置詞などの虚詞、感情を表わす感嘆詞となると、舌がまわらない、朗々と読めない悪文になっていると言わざるを得ない。

　ここでコミュニケーション教育の一環として、外国語の作文技術に一言触れてみたい。原始的な方法ではあるが、東洋古来の文章術——つまり模範文の章句をひたすら暗誦するトレーニングを今日の外国語学習に復活させたらどうかと提案したい。

二　英語で書く東洋人

次に外国語で書く時の心理的側面について二、三の考察を試みたい。日本を代表する国際派知識人の新渡戸稲造と中国の近代作家である林語堂をとりあげたい。二人とも英語の達人と言われているし、著書の大半はどちらも英語で書いたのである。

言語能力を考える場合、生まれつきの才能、いわゆる天賦の才があるが、初期の段階の教育はとても重要な鍵となる。明治八年、十四歳の新渡戸は東京英語学校に入学し、十六歳、札幌農学校に第二期生として入り、アメリカ式の教育を受けた。一方、林語堂は小学校も中学校もアメリカのミッション系スクールで学び、後に上海にある中国最高の英語教育を授けるセント・ジョンズ大学を卒業した。そして二人ともアメリカ、ドイツに留学した経験がある。

比較的早い時期に徹底した英語教育を受けたことは、彼らに英語圏での成功をもたらした一方、その母国文化についてあまり深く知り得なかったことを意味している。新渡戸と林語堂の著書を読んで、やはりある種の浅薄な感じが拭えない。

このような知的バックグランドをもっているが故に、後年故国の文化を再び発見した時に、彼らはしばしば西洋人の視点からそれを解釈しようとした。そして著作活動の動機について、二人とも西洋と東洋との意思の疎通を心がけ、その架け橋になると言っている。林語堂はその「自叙伝」において、自分はつねに二つの世界を徘徊していると言い、また友人の言葉を引用した形で、「自分の最大な長所は、外国人に中国文化を説き、中国人に外国文化を説くところにある」という(8)。新渡戸に関しては、「太平洋の橋になる」という逸話はあまりにも有名だが、晩年の新渡戸は自分の天職を「通訳」という言葉で言い表している。つまり「西洋のことを日本に通じ、日本のことを外国人に了解せしむるだけのことを以て務と信じ、……甲のいふことを乙に伝へ、乙から学んだことを甲に知らせるだけのことである」と説明している。[9]

東洋と西洋との相互理解を促す「通訳」(interpreter)として、新渡戸も林語堂も一様に大きく貢献したのだが、その両面向けの二人の仕事の中で、日本の歴史、国民性、あるいは中国の文化、思想を英語で解説し、世界に発信するという日本文化、あるいは中国文化の「解釈者」(interpreter)としての著作活動が果たした役割はより重要なもので、とくに注目に値する。一九〇五年六月、「戦後の仕事」(Post-bellum Work)という英文のエッセイで、新渡戸は英語を学び、英語で書くことの意味を次のように述べている。

> 西洋とのコミュニケーションが親密になればなるほど、私たちの思想の交流がもっと自由にならなければならない。私たちはもっと西洋を知らなければならないし、私たちのことをもっと知ってもらわなければならない。東洋と西洋の間に依然として悲しむべき誤解が存在している。両者の間に厚い障壁が立っている。偏見のない相互研究だけがそれを打ち破ることができるのである。私たちが英語を知ることは、ただお店のカウンターで商売をやることで足りるとせずに、私たちはシェイクスピアとミルトン、スコットとディケンズ、ダーウィンとカーライルを読んで、楽しめるようにしなければならない。私たちの思想をわかりやすく、明確に西洋に伝えるために、英語で書くこと、そして上手に書くことを学ばなければならない。私たちは自国の解釈者になるべきである。なにしろ、至るところでラフカディオ・ハーンのような人間がいることが期待できないし、私たちの内面思想を顕彰する労をすべて一人の岡倉天心に取ってもらうわけにはいかないからである。[10]

文中に触れているハーンも、岡倉天心も日本文化を英語で世界に紹介した名人である。このエッセイを書いたのは、すでに『武士道』の華々しい成功の後だったので、英語の書き手としての新渡戸の自信が読みとれる。

新渡戸の英語の文章そのものについては、筆者にはその優劣を論評する力を持たないが、ただ彼が英語で執筆した時の心理的側面、その作品の文化的変容について若干の感触を述べたいと思う。日本の文化伝統についての新渡戸の解釈は、既成の学説に依拠するところが大きいけれども、ただ単に「甲のいふことを乙に伝へ」という受け売りでは決してない。寧ろ彼個人の経歴、教養の色に深く染まる産物だと言うべきであろう。同時に英語で執筆されたという形式も解釈を大きく左右したように思われる。「ニトベ」の名を世界的に高めた、彼の代表作『武士道』(*Bushido:The Soul of Japan*) を取り上げよう。

この書物は日本の歴史の中に保存された古代の徳「道徳体系としての武士道」の解説でありながら、武士道という観念は日本史の中で如何に形成され、どんな性格のものなのかを文献で解明し、史料をふまえた「歴史的考察」ではない。いわば非歴史的性格をまず指摘しなければならない。この著書を通読していればわかるように、それは著者が少年時代に教わった道徳薫陶を――新渡戸がそれを武士道の「特性と教訓」と名付けたのだが――後年学校教育で受けた西洋流の教養と人格主義の視点から見直して、「武士道」という名を借りた、日本人の精神の一側面を分析した国民性論である。この著作に取り上げられた「義」「仁」「勇」「礼」「誠」など主に近世儒教から由来する徳目は、確かに江戸時代の武士の価値観に取り入れられたものだが、武士という特殊な職能集団が登場した経済基盤やそれに由来する主従関係といった早期の戦国武士、鎌倉・室町武士の生き方、性格、生態、とくに仏教との深い関わりについて、新渡戸はほとんど触れていないし、「自殺および復讐の制度」という一章があるが、切腹、仇討ち、殉死という掟の背後にある、歌舞伎者、念者に一脈通じる心性――愛と死のエロスに一言も言及しなかった。そして武士道のイデオロギーの成立を考察する上で避けて通れない文献の一つ、佐賀藩士山本常朝の『葉隠』の存在さえ新渡戸は知らなかったらしい。

このように、日本の歴史についての知識の欠如と対照的に、新渡戸の『武士道』は、実に豊かな西洋文化史、思想史の素養を顕わしている。ホメロスの『イリアス』、『旧約聖書』、シェイクスピアの作品を手当たり次第に引用し、アリストテレス、デモクリトス、ヴェルギリウスなどの古代哲人、詩人から、ダンテ、デカルト、モンテスキュー、バルザック、ゲーテ、カーライル、ニイチェ、スコット、アーノルドなど西洋中世、近代の思想家、文人、作家を随所に引き合いに出している。この書物に登場した孔子、孟子、王陽明、上杉謙信、熊沢蕃山、武田信玄、本居宣長といった東洋人が全部で二十数名であるのに対して、言及された西洋人は作品の登場人物を入れると、一三三名に登っている。

英語圏の読者を念頭に執筆された著作なので、西洋の歴史、文化との比較、参照はごく自然な選択であるとも言えるが、しかし新渡戸稲造の『武士道』の最大の特徴は、その非歴史的性格と表裏一体となっている、西洋視点からの日本伝統の再解釈である。つまりキリスト教人格主義に基づく「武士道」の再定義、再解釈である。

日本人の道徳生活のある側面を切り取り、キリスト教人格主義の視点から再解釈した『武士道』は、欧米の読者に好意的に迎えられ、大きな成功を収めた。「武士道」の精神は、不撓不屈という日本人の人格主義の標識として認識され、日清・日露戦争後、新興国家として台頭した日本の国際的評価を高めるのに役立ったのである。今日でも、国際的な場において、「武士道」を語る際、『葉隠』などの歴史文献ではなく、むしろ新渡戸が提供した解釈の範型が支配的になっている。たとえば最近のハリウッド映画「ラストサムライ」の中にも、新渡戸の解釈が生きているように感じられる。

最後に林語堂の英文著作に触れてみたい。林語堂は近代中国では珍しいバイリンガル作家の一人である。たぶんもっとも成功した一人だと思う。三十年代の初めから、林語堂は小品文雑誌『論語』を主宰し、「ユーモア文学」を唱え、一世を風靡した。ほぼ同じ時期から上海で創刊された英文の週刊誌 *The China Critic* にも数多くエッセイ、小品を寄稿した。それがきっかけとなって、後（一九三八年度）のノーベル賞作家、『大地』の作者パールバック

(Pearl S. Buck) と知り合うようになる。バック夫妻の勧めとバックアップで、林語堂は一九三五年にパールバックの夫が経営するニューヨークのジョン・ディ社から最初の英文著作 *My Country and My People* を出版した。西洋人読者に対して中国の国民性、歴史と風土、文化と哲学を解説するこの書物はたちまちベストセラーとなった。一九三六年に林語堂は家族とともにアメリカに移住、その後三十年間ニューヨークを拠点に、英語による執筆活動に専念することになる。その間に文明批評では *The Importance of Living* 1937、小説では *Moment in Peking* 1939 などの話題作、ベストセラーを次々に生み出していく。彼の代表作はすべて英語で書かれたのだといってよいだろう。

林語堂の英語著書を読んで感じたことは、彼の執筆姿勢の変化である。中国語で随筆を書く時の林語堂はウイットに富み、辛辣で、鋭い文明批判を辞さぬ一面を見せるが、しかし英語の著書では、しばしばその批判の対象となる中国文化、中国人の特性を弁護し、あるいは称揚する姿勢が目立つ。林語堂自身も理想と現実、伝統と革新をどう受け止めるのかを悩み、つねに二つの世界の間を徘徊している。そして近代中国の味わった屈辱感と民族文化への矜持、誇りとの間の相克を自覚しているようである。*My Country and My People* の「序文」において、中国人自身が自国文化のよい解釈者になれるのかという質問を投げかけた後、バランスの取れる中庸円満な把握の難しさについて、次のように語っている。

> 目の前で起きているすべての現象は、外国人のチャイナウォッチャーを困惑させているのみならず、現代の中国人をも困惑に陥れている。中国人は恐らく外国人のチャイナウォッチャーに較べ冷静さや公平さに欠くところがあるだろう。彼の心の中では様々の恐るべき苦しい闘いが繰り広げられているのだ。理想の中国と現実の中国の間の相克、祖先に対する誇りと外国人に対する羨望の間の相克などである。後者は恐らくより強烈であろう。彼の魂は二つの矛盾対立する観念に同時に忠実であろうとして引き裂かれている。一つは、半ばロマンチックな、

半ば利己心から発する古い中国に対する忠誠であり、もう一つは進歩的な英知に対する忠誠である。この英知は変革を渇望し、陳腐なもの、腐敗したもの、乾涸らびたもの、黴の生えたものなどを一掃することを渇望するのである。時にこれは一層根本的な相克を生む。すなわち屈辱感と矜持との間の相克、家族に対する変わることのない忠誠心と現状に対する不満や慚愧との間の相克である。これは極めて健全な本能であるということができよう。時に民族に対する誇りが優位を占めることがあるが、正しい自尊心と単なる反動主義との間は紙一重しかなく、はなはだ危険である。また時に屈辱感が優位を占めることがあるが、革新に対する真摯な願望と単なる軽薄な現代性や現代の俗世間の成功に対する崇拝との間は紙一重しかなく、これまた危険である。こうした極端に陥ることなく、中庸を守ることは容易なことではない。（鋤柄次郎訳『中国＝文化と思想』講談社学術文庫）[11]

林語堂にとって、英語で執筆することは、心のバランスをたもつ手段の一つになるのかもしれない。

註

1　平川祐弘著『マッテオ・リッチ伝１』（平凡社、東洋文庫）五〇頁。

2　*China in the 16th Century: The Journals of Matthew Ricci 1583-1610* Translated by Louis J. Gallagher, Random House, 1953. p.26.

3　Ibid.p28.

4　Ibid.p29.

5　『マッテオ・リッチ伝１』二二四頁。

6　『漱石全集』（岩波書店、一九九五年）第十八巻、五六八頁参照。

7 『漱石全集』（岩波書店、一九九四年）第十二巻、三七二頁。
8 『林語堂自伝』（河北人民出版社、一九九四年）三二頁。
9 『新渡戸稲造全集』（教文館、昭和四十四年）第十巻、二八四頁。
10 *The Works of Inazo Nitobe* Vol.1, University of Tokyo Press, 1972. pp256-257.
11 Lin Yu Tang: *My Country and My People,* The John Day Company, New York,1935. p13.

（日文研外国人研究者シンポジウム二〇〇七年一月十二日、十三日。国際日本文化研究センター編『世界の日本研究——コミュニケーションを考える』収録、二〇〇八年二月）

新渡戸稲造と日本の文化外交

一 「日本の胡適」新渡戸稲造（一八六二——一九三三）

一九四三年四月、日本占領下の上海において、雑誌『東西』は創刊された。瞬く間に消え去る彗星の如く、わずか二号で夭折してしまったとはいえ、「東西文化を評論し、世界知識を紹介する」という表紙のキャッチフレーズが示すように、東西文化の融合を訴えるという点で異色なものだった。「創刊の言葉」には、中国における日本研究の遅れを咎める文面が見えるが、その後に続く一文、「しかし（日本を）研究しない弊害を、今日に至って、すでに人々はこの目で見ているし、現に身に受けている」という評言は、日本の大陸侵略をほのめかす言葉にとられかねない含みがあり、占領下の雑誌にしては珍しいものである。

実は『東西』の版元は、古今出版社であり、社長の朱樸（朱省斎）は汪兆銘政府の宣伝部の要職に就いている人物である。『東西』が創刊される一年前の一九四二年、個人出資の形で、朱樸は歴史故実や人物素描を主とする月刊誌『古今』を刊行した。雑誌の編集に、周黎庵、陶亢徳が携わり、執筆陣には、汪兆銘をはじめ、周仏海、陳公博、梁鴻志といった当時の南京政府の要人や、周作人、沈啓无、紀果庵、柳雨生、蘇青などの知名作家の名が連なる。これだけの顔ぶれをそろえた雑誌は、日本占領区域ではほかになかった。

時は汪兆銘の南京政府が日本と協定を結んでアメリカ、イギリスに宣戦布告した（一九四三年一月九日）直後だったし、このような背景をもっているだけに、「コスモポリタニズム」の色彩に彩られ、文化間の理解と融合を唱える『東西』の姿勢は興味深い。(1)

雑誌創刊号の巻頭を飾ったのは、新渡戸稲造の「東西論」である。「東西論」は、昭和三年（一九二八）実業之日本社から刊行された著者の随筆集『東西相触れて』に収められた同名のエッセイである。次の一節をまず見てみよう。

> 東西の諒解を図るに当つて、勿論国家の斡旋は欠くべからざる条件であるが、これは寧ろ形式、法理上のことであつて、事実上、精神的にこの目的を遂行するには高き人道の立場或は深き学理に基いて、理由もなきに常に他国を敵視するが如き、狭小なる国家主義を脱したものゝ力によらざれば、実現は不可能である。個人としても国民としても自ら悪意や猜疑心を以て暗雲を立て、東西の方角までも朦朧たらしむるに代へ、善意と友情によりて碧空一点の雲翳を止めざる所まで昇るを要する。(2)

要点をまとめると、およそ二つある。異なる文化間の理解と融合をはかるには、偏狭なナショナリズムを超えなければならない。そして一個人、一市民とはいえ、相互理解を促進する外交の一翼を担えるということである。もしこの文章を執筆した著者のモチーフからしばらく遊離して、昭和初期の日本と国際社会といった歴史的文脈を捨象してかくの如く概括すれば、新渡戸稲造が「東西論」で訴えたことは、二十一世紀の日本政府が推進しようとしている「市民レベルの文化外交」の理念に通底するものがあるように思われる。[3]

「東西論」の中国語訳の冒頭に、編集部の短い紹介文が載っている。

> この文章の作者は「日本の胡適」と称された。生前は長年国際連盟に勤め、北米でたびたび講義を行い、日本の国民外交に尽力すること甚だ多い。蓋し一人の国際主義の人物である。この文章は地理と民族の視点から国々を強いて東西に分けることの無意味を説明し、東西協調の必要を力説した。仁者の言にして、われわれが読み返し、じっくり考えるに値するものである。

若い頃から「太平洋の橋」になることを志して、一九二〇年より六年間にわたって国際連盟事務局次長としてジュネーブで活躍した新渡戸は、『武士道』(*Bushido, the Soul of Japan*)などの著者として知られる一方、京大、東大教授、一高の校長を歴任した学者、教育家でもあった。こうした経歴を見ても、「新文化運動」の旗手として知られ、北京大学教授、校長を歴任し、国民政府のアメリカ駐在大使も務めた胡適博士に譬えられる故がわかる。胡適もそうだったが、新渡戸はいわば職業外交官ではなかった。しかし学者、教育家としての経験、見識、人脈、語学力を活かして国民外交、文化外交につとめたその業績は、近代日本外交の遺産の一部として、今日もなお語り継ぐべきものがあるように思われる。新渡戸稲造が生きていた国際環境、その歴史的コンテクストを踏まえて、彼の外交理念と実践、その光と影を分析し、その意味を考察することは、二十一世紀の日本の文化外交のあるべき姿を考える一助となるであろう。

二　国際協調とリベラリズム

明治二十七年（一八九四）八月一日に勃発した日清戦争は、近代日本が経験した初めての対外戦争であった。その前日の七月三十一日、外務大臣の陸奥宗光は欧米各国の使節に書簡を送り、清国との開戦を通告した。その文面にはこんな一節がある。

帝国政府ハ帝国ト清国トノ間ニ起リタル紛議ヲトテ正当且ツ永遠ニ妥協ナラシメント欲シテ種々ノ公明正大ナル手段ヲトリ尽シタルニ拘ハラズ此等尽力モ更ニ其効ヲ奏セザル事判然セリ……[4]

文中の「正当」とか、「公明正大」云々は外交辞令の常套ではあるが、この戦争を企てた日本の指導部が極力外部の視線、特に欧米の文明国の反応を気にしたのが事実であった。この戦争は日本が「蒙昧」の域を脱して、近代化を成し遂げた一つの到達点を内外に示している。宣戦直前の七月十六日にロンドンで日英通商航海条約が調印されたことは象徴的なものであった。

帝国主義時代の荒々しいパワーポリティックスの怒濤のただ中に巻き込まれた明治日本にとって、文明国の列強、とくに英米両国との協調関係は最優先に維持させるべき課題であり、外交政策の指針であった。五百旗頭真氏が指摘したように、日清戦争期の陸奥宗光外相と日露戦争当時の小村寿太郎外相は、いわば帝国主義時代における英米重視外交の指導者であったのに対して、帝国主義以後の状況における経済実利主義的色彩の濃い親英米的な協調外

交をもって、一九二〇年代をリードしたのが幣原喜重郎だった。(5)

新渡戸の外交思想は陸奥、小村以来の対英米協調の流れを汲むものであり、またリベラリズムという思想立場と経済重視という点では、幣原外交の姿勢にもっとも近い。日露戦争がいよいよ終局へ向かい、日本が海戦に勝利した一九〇五年五月、新渡戸は神戸の高等商業学校で「商業道徳」(Commercial Morality)と題する英語の講演を行った。原稿も持たずに新渡戸は滔々と喋り始めた。まだ戦争の最中ではあるが、彼はすでに戦後の展望にふれている。

> 私たちの一部分の商人について、私はいつもその不正直と全く名誉のセンスの欠如を恥ずかしく思います。私は外国人に対して、私たちの国と歴史のことを誇りに思いますし、私たちの騎士道の崇高な理想を誇りに思います。そして私たちの陸と海での勝利を誇りに思います。しかしながら、話題は商業にかかわると、ちっとも自慢に値するものがない。私はいつも自分に問いかけるのですが、つまり戦争が終わったら、私たちの若者は何をすればいいのか、彼らは能力と精力のはけ口をどこに求めたらよいのかという質問です。あなたたちの中で、ある者はこう答えるでしょう。「商業です。私たちは貿易を運ぶ船を持っているのではないか、そして私たちは数百万の外国資本を借りて新しい企業を始めたことに成功したのではないか」と。そのとおりです。とても真実の答えです。しかしこれらの船は足りるでしょうか、商業の知識は足りるでしょうか。資本金が足りるでしょうか。いや、答えはノーです。(日本語訳はすべて拙訳、以下同)(6)

そしてまた商業学校の学生たちに次のように呼びかけている。

国が君たちを剣と銃で運命を決する戦場に行かせる時がいつ来るかは知らないが、しかし、間もなく君たち全員がもっと平和な、だが少しも激しさの減らぬ戦場へと呼び出されることを私は知っています。そこでは決して単なる機械のように動かされることはないと思います。君たちは自分自身の道徳信念を持たなければなりません。そして戦場と違って、将軍の命令の言葉に動かされるのではなく、それぞれ自分自身の指令によって行動しなければなりません。いまから、君たちはその用意ができていますか。このような闘争にそなえるために君たちを助けるものとは何でしょうか。われわれの武士たちには昔武士道の教訓で鍛えられた心の準備がありました。しかし新しい闘争において、君たちは武士道よりもすぐれたものが必要です。（7）

新渡戸は日本国家の戦争を決して否定しないけれども、将来の世界においては、軍事力のみにたよるのではなく、経済的実力と商略的手腕が問われるに違いないと認識した。十九世紀ローマ史の泰斗モムゼン博士の言葉「剣を以て得たる領土は、剣を以て喪はる可し」を引いて、「如何に軍国の名あればとて、剣を以て終始することは難し」と訴えた。（8）

日露戦争が終結した翌年の一月、新渡戸は英文エッセイ「新しい年の新たな責務」(New Duties of the New Year)の中で次のように語っている。

私たちは製造業、商業、農業の英雄——工業の名将、労働の騎士をもつようにしましょう。そして血まみれの剣を打ち直し、鋤きの刃や原動機に造り替えましょう。私たちの次の戦いは小銃と大砲をもってやるものではなく、算盤と帳簿でもってするものです。満州の原野において戦うのではなく、世界の市場において戦うのです。ただロシアを相手にするものではなく、地上のすべての国民を相手としましょう。優秀な青年、選りすぐった頭脳をこの

> 偉大で、無敵な実業の大軍の競争に参加させましょう。(9)

半世紀以上も前に書かれた言葉ではあるが、あたかも平和主義と経済立国をめざす戦後日本の見取り図を描いたかのように、時代を先取りする見識を示している。

昭和四年（一九二九）一月十六日と二月八日の二回にわたり、新渡戸は早稲田大学で「新自由主義」と題する講演を行った。その冒頭に、次の如く述べている。

> 新自由主義といふ問題を述べるにあたつて、先づ私はどういふ心がけで、このことについてお話するかといふと、これを学術的の問題として研究するのでなく、一つの生きた思想問題として取扱ひたい、と思ふのである。私も随分長く生きてゐるが、今日のやうに、行詰つた、暗黒な、日本を見たことがない。いやしくも国を憂ふるものは、政治家といはず、学者といはずどういふ心がけをもつてこの時運に直面すべきか。この点を十分に考へたいと思ふのである。(10)

この講演に先立つ一年ほど前の状況を振りかえってみよう。昭和三年三月、日本国内の左翼運動の台頭を抑え、共産党員など運動家を治安維持法違反の容疑で、いっせいに検挙する三・一五事件があり、五月に中国の済南に入城した蒋介石の北伐軍が四月の田中内閣の決定により山東に出兵した日本軍と衝突した済南事件が起きた。そして六月四日、ついに軍部の暴走の前触れでもある、関東軍による張作霖の爆殺が実行された。「行き詰まった、暗黒な日本」とは、こうした日本のファシズムへ走る傾向と共産主義運動という左右両面の動きに対して深い憂慮を表したものである。数年後愛媛の新聞で報道された「日本を滅ぼすものは共産党と軍部である」という言葉もこの延長線にあるもので、彼の中道政治の立場の表明である。

新渡戸のリベラリズムは大正デモクラシーの色に染まる一方、君主立憲の政体に抵触するものではない。国際連盟事務次長在任中に行った講演や新聞への寄稿を集めて出版した『日本人の特質と外来の影響』（*Japanese Traits and Foreign Influences*）の中で、新渡戸は一章を割りあてて、民主主義の原則と君主制の形式とは相容れないどころか、調和していることを強調した（第四章「日本の君主制の倫理的基礎」参照）。この折衷主義は彼の「自由論」の解釈にも反映されている。「新自由主義」の講演の中で、自由という概念をはき違えるフランス革命の弊害にふれて、英国流の自由の真意を説く。特にミルの『自由論』をとりあげ、自由の限界を論じた。つまり個人の自由を尊重するが、しかしながら隣人を害するような自由を抑えるべきだという。ところが、ミルの *On Liberty* で説いた自由とは、まず、第一義的に、政治権力や社会によって個人に対して合法的に行使され得る力の限界を意味している。一八七二年、中村正直によって『自由之理』という題名で翻訳された時、ミルの言葉、**By liberty, was meant protection against the tyranny of the political rulers.** という一節は「リベルティ（自由トモ自主ノ理トモ云）トイヘルモノヲ以テ、君主ノ暴虐ヲ防グ保障トナセリ」と訳されている。しかし、新渡戸は「新自由主義」の中で、この「君主ノ暴虐ヲ防グ保障」としての自由にほとんど触れていなかった。

体制内の新自由主義とはいえ、新渡戸の外交理念の根底にリベラリズムの発想が流れているのが事実である。つまりフェア・プレイとジャスティスを説く協調路線である。新渡戸はさまざまな場合において、インターナショナル・マインド即ち国際心を説いている。早稲田大学での連続講演の中で、渋沢栄一の逸話を披露した。ある狂信的な徒が大きな会を拵えることについて相談に来た。日本は世界を支配すべき使命を持っているという。渋沢さんがいうには、「私は愛国心について、誰にも譲らぬつもりであるが、世界を乗取ることなどには賛成は出来ない」と。新渡戸はこのような狂信的拡張主義は国際心と相反するものだという。[11]また「日本人としての世界観」という文章の中で、次のように述べている。

> 東西の合致点なり、或はその差異を見ても、単に、我は日本人なりといふばかりではなく、我は一個の人間である、もちろん日本自身のことに関しては日本人であるけれども、同時に、世界共通の人類の一員であるといふ立場から、これらの問題を研究すれば、いさゝかの偏見もなく、どういふところで融和が出来るか、また、どういふところが融和出来ないか、そしてその場合には、いかにして日本の思想を向うに伝へることが出来るか、また彼方の長所をいかにして採ることが出来るか、といふことも、冷静に且つ客観的に、よくわかるはずであると思ふ。[12]

ここで述べられた理念と思想は、残念ながら、昭和初期から次第に混迷を深めていく日本社会において、それを育み、成長させる土壌を失っていく。ついに、一九三一年（昭和六年）、満州事変が勃発し、新渡戸の外交理念の真価が問われる時が来たのである。

三　日本文化の解釈者――『武士道』を中心に

新渡戸稲造の生涯の仕事を振り返ってみると、文化仲介者としての活動はとりわけ人目を引くものである。「太平洋の橋になる」というエピソードは、一九〇七年出版の『帰雁の蘆』の冒頭に触れていたし、五年後に出た英文の著書 *The Japanese Nation* の序文の中でも回想されている。それらの記述によると、新渡戸が明治十六年（一八八三年）九月、東京大学に入学した時、主専攻の経済学のほかに副専攻として英文学を選んだ。文学部長の外山正一に「英文をやって何しますか」と問われると、「太平洋の橋になりたいのです」と答えた。そしてさらに「日本の思想を外国へ伝え、外国の思想を日本に普及する媒酌になりたいのだ」という。[13]

晩年の新渡戸は自分の天職を「通訳」という言葉で言い表している。『人生読本』に収められた文章の一節を引用してみよう。

> 僕は自ら通訳と称してゐて英語で書物や論文も始終書いてゐるが、遺憾乍ら僕の書くものに後世に残るものはあるまいと思つてゐる。（中略）自ら通訳たるを以て天職と心得てゐるため、西洋のことを日本語に通じ、日本のことを外国人に了解せしむるだけのことを以て務と信じ、自分で何の研究もなければ、人に勝れた卓見もない、単に甲のいふことを乙に伝へ、乙から学んだことを甲に知らせるだけのことである。従つて、書くものもその時に何かの役をなせば、後世迄伝はらずともと自ら断念してゐる。[14]

日本と西洋との意思疎通や相互理解を促す「通訳」（interpreter）として、新渡戸は大きく貢献したのだが、その両面向けの仕事の中で、日本の歴史、国民性を英語で解説し、世界に発信するという日本文化の「解釈者」（interpreter）としての著作活動が果たした役割はより重要なものであり、とくに注目に値する。一八九九年、アメリカで出版された『武士道』を皮切りに、交換教授として北米で講義した時、また国際連盟事務次長時代にまとめた一連の英文著書は近代日本の立場を代弁し、日本の国民外交、文化外交の重要な一翼を担っていたと言える。その主な英文著書を以下に示す。

Bushido: the Soul of Japan 1899.

Thoughts and Essays 1909.

The Japanese Nation: Its Land, Its people, and Its Life 1911.

Japanese Traits and Foreign Influences 1927.

Japan: Some Phases of Her Problems and Development 1931.

これらの著書について、公平に論評すれば、新渡戸自身も認めたように、概して独自の研究による見解が少ない。しかし、ラフカディオ・ハーン、アーネスト・サトウ、チェンバレンなどの外国人知日家に伍して、英語で日本のことを紹介した新渡戸の活躍は、世界史に登場した新興日本に個性の顔をもたせて、西洋人の耳目を一新した。近代日本の世界へ向ける発信者のパイオニアとしての役割を認めなければならない。また二十一世紀の今日においても、日本の経験を、一地域の特殊性として片づけるのではなく、世界に通ずる言葉で説明する、いわば「民族経験の理論化」は、これからの日本外交に課せられた重要課題である。この意味において、新渡戸の実践は再検討する価値がある。

日本の文化伝統についての新渡戸の解釈は、既成の学説に依拠するところが大きいけれども、ただ単に「甲のいふことを乙に伝へ」という受け売りでは決してないのである。寧ろ彼個人の経歴、教養の色に深く染まる産物であると言うべきであろう。「ニトベ」の名を世界的に高めた、彼の代表作『武士道』（*Bushido: The Soul of Japan*）はその典型的な例である。その書物は一八九九年、アメリカ（The Leeds and Biddle Company, Philadelphia）で出版された時、「第一版序」において、新渡戸は本書執筆の動機にふれて、こう語っている。

> 約十年前、私はベルギーの法学大家故ド・ラヴレー氏の歓待を受けその許で数日を過したが、或る日の散歩の際、私どもの話題が宗教の問題に向いた。「あなたのお国の学校には宗教教育はない、とおっしゃるのですか」と、この尊敬すべき教授が質問した。「ありません」と私が答えるや否や、彼は打ち驚いて突然歩を停め、「宗教なし！どうして道徳教育を授けるのですか」と、繰り返し言ったその声を私は容易に忘れえない。当時この質問は私をまごつかせた。私はこれに即答できなかった。というのは、私が少年時代に学んだ道徳の教えは学校で教えられたので

はなかったから。私は、私の正邪善悪の観念を形成している各種の要素の分析を始めてから、これらの観念を私の鼻腔に吹きこんだものは武士道であることをようやく見いだしたのである。[15]

この書物は日本の歴史の腊葉中に保存された古代の徳、「道徳体系としての武士道」の解説でありながら、武士道という観念は日本史の中で如何に形成され、どんな性格のものなのかを文献で解明し、史料をふまえた「歴史的考察」ではない。この著書の非歴史的性格について、多くの論者が一致して指摘しているところである。[16]新渡戸自身の説明によると、彼の試みは第一に武士道の起源および淵源、第二にその特性および教訓、第三にその民衆に及ぼした感化、第四にその感化の継続性、永久性を述べるにあるという。[17]そして第一に関してはごく簡単かつ大急ぎに述べるに止めるのに対して、記述の重点を第二部分の「特性および教訓」に置いたのである。

『武士道』を通読していればわかるように、本書は著者が少年時代に教わった道徳薫陶を——新渡戸がそれを武士道の「特性と教訓」と名付けたのだが——後年学校教育で受けた西洋流の教養と人格主義の視点から見直して、「武士道」という名を借りた、日本人の精神の一側面を分析した国民性論である。本書に取り上げられた「義」「仁」「勇」「礼」「誠」など主に近世儒教から由来する徳目は、確かに江戸時代の武士の価値観に取り入れられたものだが、武士という特殊な職能集団が登場した経済基盤やそれに生まれた主従関係といった早期の戦国武士、鎌倉・室町武士の生き方、性格、とくに仏教との深い関わりについて、新渡戸はほとんど触れていないし、「自殺および復讐の制度」という一章があるが、切腹、仇討ち、殉死という掟の背後にある、歌舞伎者、念者に一脈通じる心性——愛と死のエロスに一言も言及しなかった。そして武士道のイデオロギーの成立を考察する上で避けて通れない文献の一つ、佐賀藩士山本常朝の『葉隠』の存在を新渡戸は知らなかったらしい。

このように、日本の歴史についての知識の欠如と対照的に、新渡戸の『武士道』は、実に豊かな西洋文化史、思想史の素養を見せている。ホメロスの『イリアス』、『旧約聖書』、シェイクスピアの作品を手当たり次第に引用し、アリストテレス、デモクリトス、ヴェルギリウスの古代哲人・詩人から、ダンテ、デカルト、モンテスキュー、バルザック、ゲーテ、カーライル、ニイチェ、スコット、アーノルドなど西洋中世・近代の思想家、文人を随所に引き合いに出している。同書に登場した孔子、王陽明、上杉謙信、熊沢蕃山、武田信玄、本居宣長といった東洋人が二十二名であるのに対して、言及された西洋人は作品の登場人物を入れると、一三三名にのぼっている。

明治八年、十四歳の時に東京英語学校に入学し、十六歳、札幌農学校に第二期生として入り、アメリカ式の教育を受けた新渡戸の知的バックグランドを考えれば、こういった知識、教養のアンバランスはあるいはやむ得ない一面もある。それに英語圏の読者を念頭に執筆された著作なので、西洋文化との比較、参照はごく自然な選択であると言える。しかし新渡戸稲造の『武士道』の最大の特徴は、その非歴史的性格と表裏一体となっている、西洋視点からの日本伝統の再解釈である。つまりキリスト教人格主義に基づく「武士道」の再定義、再解釈である。

札幌農学校の草創期の指導者であるウィリアム・スミス・クラーク博士の「紳士であれ」という人格教育は若き新渡戸に深い感化を与え、晩年に至るまで彼の人生の指針となったのである。一九〇五年に書いた英文エッセイ「平民主義」（**Plebeianism**）の中で、武士道を国民の人格教育に押し広げて利用すべき考えを示している。

私たちは武士道、あるいは士道という一種の騎士道の道徳規範について、すでに多くのことを聞いている。それは我が国民道徳の基本であり、礎石であり、支柱である。だが、時代が変わり、侍はもう存在しないが、武士の品格を鋳造したそれらの道徳訓はなお残っている。この武士道は変化した環境に適応せねばならず、平民化しなければならない。かつて社会の頂上や中腹を照らした光はいまやその社会の裾野にまで照らさなければならない。「士道」は人民の道たる「民道」へと移行すべきである。教育の進歩により、戦を事とする貴族の武士は消え去り、「平民」（平常の、むしろ平和の民と訳しよう）は陣頭へ現れ来なければならない。[18]

後年、早稲田大学で行われた講演の中で、「人格の意義」について、こう語っている。

> 西洋人は、パーソナリテーを重んずる。パーソン即ち人格である。日本では人格といふ言葉は極めて新しい。私等が書生の時分には、人格といふ言葉はなかつた。パーソンといふ字はたゞ「人」と訳してゐた。しかし仔細に調べると、メンといふ意味とは違つて「人たる」といふ字である。格といつても資格といふやうな意味は毛頭持たない。人工的な、或は社会が拵へ上げる資格などとは、まつたく違ふ意味である。孟子が度々いつた「人は人たり我は我たり」の意味を持つその人格である。（中略）
>
> とにかく西洋では、宗教の関係上、パーソンといふことを頻りに説いたものであるから、一般人にもその意味が薄ぼんやりとわかつてゐた。なほその上に、これが宗教から来たために、「神もパーソン、我もパーソン。」といつて、非常に人間の位を引上げ、人格といへば、いつも神に対する言葉のやうになつてゐる。そして全智全能なる神と、何事にも至らない自分のパーソンとを始終較べて、己をより向上させることに努めてゐる。[19]

人格主義はまた新渡戸の教育思想にも深く浸透している。彼によれば、大学教育の使命と目標とは、高き人格の養成、「人間を造る」ことである。「大学は職業を授ける所に非ず」、「専門だけの専門家は、人間としては片輪である」とか、「学問の目的は、高等なる判断力を養ふこと」といった新渡戸の言葉に接して、とかく目先の実利しか見えぬ、功利主義に流されている日本大学教育の現状を思うと、教育家である新渡戸の卓見に感じ入るのである。

キリスト教人格主義の視点から日本人の道徳生活のある側面を再解釈した『武士道』は、欧米の読者に好意的に迎えられ、大きな成功を収めた。一九〇五年一月の「増訂第十版序」によると、この書物は英語国民の間で広く読まれ、版を重ねたのみでなく、ドイツ語、ボヘミヤ語、ポーランド語に翻訳された。そして、ノルウェー語、フランス語、中国語版も計画中であるという。「武士道」は不撓不屈という日本人の人格主義の標識として認識され、日清・日露両役後、新興国家として台頭した日本の国際的評価を高めるのに役立ったのである。

人格主義の信念をもち、外交、国際政治の場において、フェア・プレイを標榜した新渡戸だが、武士道にそぐわぬ日本人国民性の暗黒面について、目にしたくないだけに、苦々しい思いを抱いていた。晩年、早稲田大学で為された講演で、第一回国際連盟総会のエピソードを紹介した。阿片の調査で嘘をついた中華民国外交官の欺瞞を一喝した後、田中義一内閣の中国政策、とくに満州での所為にふれて、こう語った。

> 嘘かほんたうか、新聞などによると、田中さんは満州でいろいろなことをやつた。もちろん田中さん自身ではあるまい。けれども田中さんの周囲の人々には、二十年以前の支那通が多いさうである。二昔も前の夢を見て、昔風の仕事をされては適はない。新しい支那などは知らない。実に国際的の習慣も歴史も傷けられるやうなことまでやつた。[20]

日本の新聞では決して報道しなかった事実だが、北中国で、満州で、阿片の密造、密売を牛耳り、暴利をむさぼったのが当の日本浪人であり、日本軍人であったことを新渡戸は知っていただろうか。[21]

四　新渡戸の「東西観」——アジア認識の本質

一九三一年九月十八日、日本の中国大陸侵略の序曲である「満州事変」が勃発した。それをきっかけに、日本に対する国際社会、とくにアメリカの世論が厳しいものとなった。日本の朝野が軍国主義へ傾斜していく中で、中国に対して不干渉政策をとり、協調外交を貫こうとした幣原外相は、「国辱外交」「軟弱外交」の罵声のなかで退陣した。一方、外交理念において、幣原の同志である新渡戸は、満州事変の翌年、アメリカへ渡り、大学、学会や新聞、ラジオなどで講演を行い日本の行動を弁護したのである。

アメリカでの新渡戸の言動は、それまで彼の経歴と信念を知っている人々の目には不可解なものとして映り、批判にさらされたのである。一九三二年五月雑誌 *The New Republic* に発表されたレイモンド・レスリー・ビュエルの「新渡戸博士への公開状」(An Open Letter to Dr. Inazo Nitobe) には、こんな言葉がみえる。

> 現在の日本の体制を考慮するとき、私達はあなたが沈黙するということなら理解出来るのです。でも、無批判に日本の軍国主義を擁護するというやり方は私達の理解を超えています。[22]

こうした日本弁護に見られる理念と現実との乖離について、従来から、軍部の圧力に屈した新渡戸の変節と転向と捉える批判がある一方、不本意ながら自己の良心の屈辱を忍んで、平和の道を求めようとした苦心であるという見方もある。しかし、新渡戸の生涯と思想を公平かつ客観的に考察すれば、満州事変後の彼の言動は変節でもなければ不本意でもなく、ごく自然な反応だったことがわかるのである。

一九三二年の秋、新渡戸はカリフォルニア大学において、約二十回の連続講義を行った。後に『日本文化の講義』(*Lectures on Japan*) と題して、著者没後メリー夫人が整理して東京の研究社から公刊した。満州問題を正面から取り上げた「満州問題と日中関係」の一章が収録されている。講義の冒頭で、新渡戸は日本の侵略を国際連盟に提訴した中国の言い分は扇情的な宣伝だったのに対して、無口で控えめの日本は事実を直視し、真実と正義が勝つだろうと信じるほど古風なのであるという。そして次のように話しを続けた。

私は、これまでの講義の中で、しばしば、わが国民は現実主義的である、と繰り返し述べてきた。日本人は、議論よりも証拠により重きをおく。アジア的な物の見方は、一般には理想主義的である。その故にこそ、偉大な宗教や哲学が生み出されている。しかし、この点に関していえば、日本民族は、アジアの代表としては不十分である。日本人は、大地にしっかり足を踏みしめていて、空中に城を築くようなことはしない。したがって、彼らがしゃべるのを聞いたり、彼らを眺めたりしても、面白くもおかしくもない。理想主義的な国民が、どのような未来を享受しようとも、彼らは現在のところ政治的混乱状態の中にある。[23]

大地を踏みしめて、現実を見つめるという日本民族の現実主義の対極の彼方に、新渡戸は「アジア的な物の見方」を持ち出した。「理想主義」という一見遠慮がちな言い方をしているが、彼の文脈では、それは幻の空中楼閣を夢見る空理空論に耽る中国人に対する皮肉でほかならない。この「理想主義」の帰結として、「政治的混乱状態」の悪果を結んだという。新渡戸はさらに「滅ぼしたい国がある時は、それを哲学者たちの統治に委ねるつもりだ」というナポレオンの言葉を引いて、仏陀の国と孔子の国の現実は、この反語的な表現を確認しないだろうかと蔑みの笑いを見せた。

この後の講義で、新渡戸は満州の帰属について、一応中国の主権を認めたものの、この地域の「政治的混乱」は、如何にロシアの南進の野望にチャンスを与えたか、そしてロシアの南進は如何に日本の生存の脅威となったのか、日本にとって満州が防衛的に、また経済的に如何に不可欠なのかを説明し、日露戦争の経緯を付け加え、満州における日本の特殊権益の正当性を雄弁に述べたのである。

かつて国際政治におけるフェア・プレイを外交理念としただけに、かくの如く日本の行動を弁護した時、新渡戸はやはり多少後ろめたさを感じたのだろう。「道徳的な主張というものがあるが、それは政治の世界では役に立たない」と言って、「東西相触れて」で述べていた理想論をひそめて、あくまでパワーポリティックスの論理を前面に出して法的な諸権利を主張するのである。一九二〇年代、ウイルソンが民族自決や正義人道を説いて以来の世界の流れから見れば、大きく後退したものと言わざるを得ない。

満州事変勃発のきっかけについて、新渡戸は再び中国の「政治的混乱」を取りあげた。つまり中国官憲の無責任と政治の無秩序は満州における排日の狂気と暴力を招き、在満日本人の生命と財産を脅かしたという。局所から見れば、新渡戸が列挙したことは歴史的事実だったかもしれないが、満州事変の本質——明治以来の、日本国家の対外拡張の欲望に彼は一言も触れなかった。あたかも中国の「政治的混乱」はすべての災いの元であり、主権を侵されたのも自ら植え付けた悪果であり、身から出たさびだという論法である。

政治権力の腐敗やそれに由来する「政治的混乱」は、侵略される側の反省の材料にはなるが、侵略する側の口実には決してならないということを新渡戸は考えようともしなかった。かつて田中内閣の支那通たちのことを「新しい支那などは知らない」と批判した新渡戸だが、彼自身も二〇年代以降、高まりつつある革命中国のナショナリズムが必然的に国家統一と主権への正当な欲求に結実するという現実に目をつぶっていた。一言でいえば、それは相手の立場を思いやる想像力の欠如である。

満州問題について表明された新渡戸の見解は軍部に強要されたもので決してなかった。むしろ長年にわたる彼の「東西観」、とくにそのアジア認識に基づくものであった。一九〇六年五月、満州の農政を調査した時に奉天で「支那は孔子に対する回答であるのか」(Is China an Answer to Confucius?) という英文の短文を書いた。

支那に来て以来、「ここは果たして孔子と孟子の国なのか」という疑問が私の胸に去来していた。そしてこの最初の疑問はまたその他の疑問を起こした。つまり「この国の政府は聖人たちの教訓による道徳的結果なのだろうか」、「ここの人民は彼の賢者たちが教えた規範の論理的結果なのか」と。

もしこの国、ここの人民は儒教の産物であれば、私がかつて孔子を尊敬していたことを残念に思う。政府組織の全体に陰に陽に蔓延る何と徹底的な腐敗なのだろう。高位に登り、四億の民に号令する、何と卑劣な為政者なのだろう。不義の輩は何と「正義」の名の下で同胞に不義を行ったのだろうか。支配構造の全体にうんざりするぐらい人を失望させるものが満ちているのである。(24)

清末中国の実状を思うと、中国人として汗顔の至りで、弁解する余地もない。そして朝鮮については、ほぼ同じ時期に（一九〇六年十一月）、新渡戸は「朝鮮における原始生活と死の支配」（Primitive Life and Presiding Death in Korea）の一文を書いた。

朝鮮の衰亡の責任といえば、その国の気候でもなければ、そこの土壌でもない。ここで、人々はあるいはスペイン人が言い慣れていた格言を適切なものとして援用するであろう。「天地ともに善し、唯悪しきものはこの二者の間に存するものなり」と。曰く「ただ人間だけが下劣である」、すべての罪悪は彼より生ずるのだ。(25)

さらに「戦後の事業」というエッセイにおいて、朝鮮人のことを「政治的本能を欠き、経済的常識に乏しく、智識的野心無き、彼の薄弱なる女性的国民」と呼び、「日本人の重荷」となったという。(26)

停滞、未開、退嬰、野蛮というアジア認識は明治以降広く日本人に見られるものである。新渡戸のそれも、「アジアの悪友と訣別する」と宣言した福沢諭吉の延長線にあるということが言える。新渡戸はしばしば「東西」融合を唱えるが、その東西論を細心に読めば、西洋とは常に英米といったアングロ・サクソン民族を意味しており、東洋とは多くの場合、日本を指していることがわかる。「東西相触れて」という文章で、偏狭な国家主義を退け、東西の理解を力説した後、東西融合の使命について、「東西の文化を悉く咀嚼し世界的完全なる発達を遂げる者は大和民族ならんか」というところに彼の本意がある。インタナショナル・マインドを常に説いていながら、新渡戸の国際視野にはアジアがしばしば欠落していたのである。

五 結び

明治国家が世界史の舞台に登場して以来、その外交政策は欧米諸国との協調路線を保ちながら、現存の秩序と枠組みを打ち破り、「発展」「拡張」への衝動につねにつきまとわれていた。西洋を熟知するという経歴と素養を活かし、日本文化の解釈者の立場で国際社会に向けて日本の国益を代弁した新渡戸の活動は、近代日本文化外交の先駆となり、その重要な資産であった。「協調」と「拡張」という両者の均衡が崩れ、デモクラシーの文民支配が失われ、軍部主導のファシズムへ傾いていく困難な時代に、国内リベラル良識派の代表として、協調外交を堅持し、日米衝突を極力避けようと奔走した新渡戸の努力は評価されるべき側面もある。しかしナショナリズムの克服をめざし、国際政治においてフェア・プレイとジャスティスを唱える彼の外交理念は、パワーポリティックスに内在したダブルスタンダードをもつが故に、土壇場で挫折せざるを得ない性質のものであった。

一九五六年、岸信介内閣は『外交青書』で、「国際連合中心」「自由主義諸国との協調」「アジアの一員としての立場の堅持」という外交三原則を打ち出した。この平和的協調主義路線は戦後日本外交の主流であった。自由貿易体制と市場経済が継続しながらも、国際環境が大きく変動しつつある今日の世界において、日本外交は「協調・順応」

と「自主・能動」という新たな均衡を求める試練の時代を迎えるであろう。そして日本の立場を世界に通じる論理と言葉で説明する「民族経験の理論化」もつねに要請されるに違いない。新渡戸稲造の外交理念と実践を分析し、その得失を論評することは、二十一世紀の日本外交の見取り図を描くのに少なからず参考になると信ずる。

註

1 『東西』創刊の意味、及び日本占領下に刊行された雑誌や作家活動などに関しては、拙著『小泉八雲と近代中国』（岩波書店、二〇〇四年）第四章の考察「戦時下の小泉八雲」にご参照下さい。

2 『新渡戸稲造全集』（教文館、昭和四十四年）第一巻、一六一―一六二頁。

3 二〇〇四年の十二月、当時の小泉首相の私的諮問機関として、「文化外交の推進に関する懇談会」が発足された。まとめられた報告書『文化交流の平和国家』日本の創造を」では、市民レベルの文化外交の重要性を指摘し、諸外国との相互理解や信頼には一般市民の理解促進が政府の態度にも大きな影響を与えるものだとしている。「外交空間」を国や政府に限らず、民間機関、メディアなど広い視野でとらえるべきだという。

4 「清国ト戦争状態ニ入レル旨通告ノ件」『日本外交文書』（外務省編纂、日本国際連合協会発行）第二十七巻第二冊所収、六八七号、三二四頁。

5 五百旗頭真編『戦後日本外交史』（有斐閣、二〇〇六年）七頁参照。

6 *The Works of Inazo Nitobe* Vol.1, University of Tokyo Press, 1972. p298.

7 ibid, p300.

8 明治四四年二月九日、東京毎日新聞に載せられた「軍国を以て終始せざれ」。『随感録』所収、『新渡戸稲造全集』第五巻、二九七頁。

9 *The Works of Inazo Nitobe* Vol.1, p277.

10 『新渡戸稲造全集』第六巻、一八七頁。

11 『内観外望』所収、『新渡戸稲造全集』第六巻、三一三頁参照。

12 『西洋の事情と思想』所収、『新渡戸稲造全集』第六巻、六四五頁。

13 『新渡戸稲造全集』第六巻、二〇頁。*The Works of Inazo Nitobe* Vol.Ⅱ参照。

14 『新渡戸稲造全集』第十巻、二八四頁。

15 『武士道』（矢内原忠雄訳、岩波文庫）十一頁。

16 例えば、太田雄三著『太平洋の橋としての新渡戸稲造』（みすず書房、一九八六年）六八頁参照。

17 『武士道』前掲書、二六頁。

18 *The Works of Inazo Nitobe* Vol.1, p208.

19 『西洋の事情と思想』所収、『新渡戸稲造全集』第六巻、五六三頁、五六四頁。

20 『内観外望』所収、『新渡戸稲造全集』第六巻、三一八頁。

21 佐野真一著『阿片王─満州の夜と霧』（新潮社、二〇〇五年）は、里見甫の生涯を手がかりに、満州における阿片の利権に絡んだ人間模様や、関東軍などが阿片取引に深く関わっていた実態を活写している。

22 『太平洋の橋としての新渡戸稲造』前掲書、九一頁参照。

23 『新渡戸稲造全集』第十九巻、二七四頁。

24 *The Work of Inazo Nitobe* Vol. 1, pp292-293.

25 ibid, p326.

26 『新渡戸稲造全集』第五巻、六六頁。

（二〇〇九年五月、法政大学国際日本学研究センター編『中国人の日本研究』所収、なお二〇一五年に、同名の中国語論文は、台湾・五南図書出版股份有限公司より刊行された『日本外交研究與中日関係―海内外華人学者的視角』に収録された）

付記　本文の引用内には、今日の人権擁護の見地に照らして不当・不適当と思われる語句や表現がありますが、作品発表時の時代的背景を考え合わせ、また著者が故人であるという事情に鑑み、底本どおりとしました。

李卓吾は何故『水滸伝』を批評したのか

一　李卓吾の名声と『水滸伝』の流布

およそ元末明初に施耐庵、羅貫中の手によってまとめられた『水滸伝』は、印刷技術の不備や当局の思想統制もあったせいか、百五十年以上も経った、嘉靖年間（一五二二―一五六六）になってはじめて世間に流布され、広く読まれるようになった。武定侯郭勛家が彫った二十巻本（全百回）は、鄭振鐸が所蔵していた第十一巻（五十一回から五十五回まで）しか残っていないが、嘉靖早期刊本の一斑を窺うことができる。その後、坊間書肆には多くの異本が出回っていた。たとえば、現存する嘉靖以後の明代版本は百回本、百十回本、百十四回本、百十五回本、百二十回本など多種のテクストがあり、『水滸伝』人気の一端を示している。思えば嘉靖六年生まれの李卓吾（一五二七—一六〇二）は、比較的容易に『水滸伝』を手に入れてそれを愛読した最初の世代ではないかと私は思う。そして本人が予想もしなかっただろうが、後世の『水滸伝』の伝播流布において李卓吾の名が客を呼び集める看板となり、極めて重要な役を演じたのである。

李卓吾の本名は李贄、号の卓吾で知られている。嘉靖六年、福建省の泉州府に生まれた。二十六歳で福建の郷試に合格し、挙人となった。県学の教諭をふりだしに、国子監博士（国立大学教官）、礼部司務（文部省の下級職員）、南京刑部員外郎（法務省役人）、雲南姚安府の知事を歴任した。家族を養うために、役人の世界で東奔西走していた自分のことを、他人に追随して己を持たない一匹の犬にすぎない、と晩年の李卓吾は自嘲した（『続焚書』巻二、聖教小引）。万暦八年（一五八〇）、五十四歳の李卓吾は官途に見切りをつけ、姚安府知事を辞めてしまった。そして八年後さらに剃髪して出家したのである。

李卓吾の著述活動はほとんど五十歳以後に始まったのだが、いわば「大器晩成」のベストセラー作家であった。儒者・士大夫の偽善を鋭く抉り、官僚役人の凡庸を容赦なく嘲った彼の毒舌は郷紳、官憲の迫害を招く一方、世人の耳目を集めた。憎む者は彼のことを「妖人」と見なし、やかましく追放しようとしたが、敬う者は彼を「教主」の如く崇めて惜しみなく喝采を送った。親友の焦弱侯は李卓吾のことを「必ずしも聖人ではないにせよ、狂の一字をつけるべく聖門の第二席に座すべきだ」と言っている。孔子様の権威をも眼中に置かない、その過激な言動はとかく物議をかもしたが、誹謗流言はさらにその文名を高める結果となった。その後半生の約二十年の間、李卓吾は著書、編集、批評を合わせて百種あまりの著作を上梓し、亡くなった後も李卓吾批点と銘打つ書物が後を絶たなかった。そして明末における『水滸伝』の流布刊行も李卓吾の名声に負うところが大きい。

二　李卓吾批評本の真偽

明代以降に流布されてきた『水滸伝』の版本には、文章描写の詳略によって、「繁本」と「簡本」との二つの系統があった。今日まで伝わり、しかも民間で広く読まれ、海外にも伝播した繁本系統のテクストは、百回本、百二十回本と七十回本の三種があるが、いずれも李卓吾と密接な関係がある。

現存している百回本の中で、首尾を整えるもっとも早い時期の完本は、明の容與堂が刊行した『李卓吾先生批評忠義水滸伝』である。巻首には李卓吾の「忠義水滸伝叙」があり、その末尾に「庚戌仲夏虎林孫樸書於三生石畔」という記述を見ると、庚戌の年、つまり万暦三十八年（一六一〇）頃に刊行されたように思われる。享保十三年（一七二八）、長崎の唐通事岡島冠山（一六七四―一七二八）が、この容與堂本の一部（前十回分）に訓点を付して翻刻し、日本近世文壇における水滸伝流行、ひいては読本流行の端緒となった。

次に万暦四十二年（一六一四）頃、蘇州人袁無涯によって刊行された百二十回本『李氏蔵本忠義水滸全傳』について触れて見よう。巻首には楚（湖北）人楊定見が書いた「小引」があり、李卓吾に仕えたこと、李が批評した「忠義水滸伝」と「楊升庵集」を袁氏に渡した経緯を記している。その他に芥子園で刊行された百回本『李卓吾評忠義水滸伝』があるが、ただしそれがこの袁無涯刊本をふまえた短縮本である可能性が大きい（袁震宇・劉明今『明代文学批評史』参照、上海古籍出版社、一九九一年）。

明朝も滅亡に近い崇禎十四年（一六四一）、蘇州出身の金聖嘆（一六一〇頃―一六六一）が、施耐庵の原作と自称して、「忠義」の文字を削り、貫華堂より楔子一回、正文七十回の『第五才子書施耐庵水滸伝』を刊行した。この貫華堂本は嘉靖刊本や万暦刊本の七十回以後の内容、つまり朝廷に帰順した梁山泊の豪傑たちが遼、方臘、田虎、王慶を征伐した部分を削り取り、かえって水滸故事の精華を保留し、その特色を浮き彫りにしたことで、たちまち「海内に風行」したという。むろんこの「古本」の発見は捏造であり、昔から真に受けた者があまりいなかった。専門家の考証によると、この貫華堂七十回本は実は容與堂百回本の前半をふまえながら、多少手を加えたものに過ぎない。金聖嘆は「水滸伝」に「忠義」の名をつけたことに対して、異を唱えたが、李卓吾の批評を意識していたことは明かである。彼は「水滸伝」を離騒、荘子、史記、杜甫詩、西廂記と併称して「第五才子書」と呼んだ。それは小説、戯曲などの通俗文学の価値を高く評価した李卓吾の思想に一脈通ずるものがあり、それを受け継いだものと言っていい。

ところが、世に伝わった李卓吾批評本について、学者の間に少なからず疑問の声があった。魯迅は容與堂本と袁無涯本について、両者の違いを指摘した上、両方とも「蓋し葉昼の輩が偽造したもの」と見なしている（「元明伝来之講史」『中国小説史略』）。その根拠として、清代周亮工の著書を挙げた。周著には、次のような記述がある。

> 葉文通、名は昼、無錫の人である。読書が多く、文才がある。…温陵(李卓吾のこと)の『焚書』、『蔵書』が盛んに流行っていた頃、坊間では温陵の名を借りて刊行したものが沢山出回った。例えば「四書」第一評、第二評、「水滸伝」、「琵琶記」、「拝月」諸評などは、皆文通の手によるものである。（『因樹屋書影』巻一）

実はそれより早い、明末人銭希言の『戯瑕』巻三「贋籍」にはさらに明確な記載がある。

> この頃温陵李贄の書物が盛んに流行っているが、そこで梁渓人の葉陽開、名は昼という者が工夫を凝らしてその真似をし、次第に成し遂げ、温陵の名を託して刊行した。…数年前、温陵が逮捕され、当局はその書物を毀すように命じたところ、江蘇にある『蔵書』の版木は悉く廃棄されてしまった。近年になるとまた大いに流行りだしたのである。そこで李宏父が批点した『水滸伝』『三国志』『西遊記』『紅拂』『明珠』『玉合』など数種の

伝奇及び『皇明英烈傳』が現れ、いずれも葉氏の筆になるものであり、李と何と関係があろうか。（『明代文学批評史』）

銭希言は葉昼とほぼ同時代の人間で、それに無錫に近い常熟の出身なので、その説はかなり信憑性が高い。ただし葉昼が李宏父(宏甫―李卓吾の号)の名を借りて批点した「水滸伝」とはどの版本なのかについては、銭希言は触れていない。

一九五八年、詩人の戴望舒が「袁無涯刊本水滸伝の真偽」という文章の中で、李卓吾批評と名乗る偽書は容與堂本であると断定し、袁無涯本「水滸全傳」は本物の李氏批評本だと推定した(『小説戯曲論集』)。理由の一つは銭の『戯瑕』が一六一三年に編まれたもので、袁無涯本がその後(一六一四年と推定)に出たのだから、銭が偽作と指したのは容與堂本にほかならないという。もちろん出版年代もそうだが、容與堂本に記されている「評語」を読むと、宋江を貶す言葉がしばしば見られ、宋江の「忠義」を褒め称えた李卓吾「忠義水滸伝叙」とかなり口ぶりが違うことがわかる。現在の研究者の間にも、戴の説を支持する者が多く、容與堂本の批評を葉昼の手によるものと見なしている(章培恒「まえがき」参照『李卓吾評本水滸伝(杭州容與堂本)』上海古籍出版社、一九八八年)。

三　李卓吾が何故「水滸伝」を批評したのか

今日では、李卓吾が批評した「水滸伝」の原作をもはや読むことができない。本物の批評本と思われる袁無涯本についても、すでに他人が手を加えたらしい。袁小修が万暦壬辰の年(一五九二)の夏、武昌の朱邸に居候していた李卓吾を訪ねた際、ちょうど僧の常志に水滸伝を写し取らせ、批点している最中だった。そして二十二年後の一六一四年、上梓したばかりの「水滸全傳」を携えて、袁無涯が小修を訪ねた。それを見せてもらったところ、批評した箇所は「稍増えた」という(袁中道『游居柿録』巻九)。

「水滸伝」を批点したことについて、李卓吾自身が触れた文字と言えば、やはり壬辰年の夏か秋に書かれたと思われる、親友焦竑に宛てた手紙であろう。

古今の賢人が残した書物、その写本、批点本などは甚だ多いが、惜しいことにそれを悉く貴兄に送り教えを乞うことができない。貴兄にいつかここに来て読んで頂こうかと思います。かといって、また愚弟が死んでしまったら書物を渡せないことを心配しています。何が何でも俄に死にきれないのは、この数種の書物がもったいないからです。…「水滸伝」の批点は実に甚だ楽しい。「西廂記」、「琵琶記」の書き替えなどはさらに絶妙です。

(「与焦弱侯」『続焚書』巻一)

李卓吾の主著の一つ『蔵書』、また『初潭集』などもそうだが、古今の賢人の書物を抄録し、独自の批評をつけ加えるという李卓吾著作のスタイルを考えると、小説や戯曲を批点したのも自らの文学観を表出する手段であろう。実際、「水滸伝」を批評した行為についても、一般的にこのように理解されてきた。『焚書』巻三に収められた「忠義水滸伝序」の冒頭において、李卓吾は次のように語っている。

太史公曰く「説難」「孤憤」は聖賢が発憤して作るものである。これによって見れば、古代の聖賢は憤らなければ作らないのである。憤りもせず作るのは、ちょうど寒くないのに震えるようなもので、病気もないくせに呻くようなものだ。たとえ作ったとしても何ら読む価値があろうか。「水滸伝」は発憤して作ったものである。

『水滸伝』や『西廂記』を「古今の至文」と称えた「童心説」や、『拝月』と『西廂』を心の不平、胸中の鬱結がほとばしる激情の文学としてとらえる「雑説」の文章もほぼ同じ時期に書かれたもので、それを読み合わせてみると、確かに李卓吾の文章観、文学論の一端が浮き彫りになってくる。ところが、「忠義水滸伝序」の後半を細心に読むと、「水滸伝」を批評した意図が別にあるのではないか、というような気がしてならない。特に批評に着手し「序文」を執筆した時期を考えると、一五九二年の春、中国西北の寧夏で起こった軍隊の反乱こそ、李卓吾に「水滸伝」批評の筆を執らせた本当の動因ではないか、と私は推定する。

一五九二年の夏、李卓吾は知人陸思山の手紙をもらってはじめて寧夏の反乱を知った。「教えを承って初めて西事を知りました。然し倭寇は海賊なので、さほど憂慮に足らず、およそこの輩は舟がなければ何もできない」と李卓吾は返事にそう書き送っている(「陸思山に答ふ」『焚書』巻二)。

ここでいう「西事」が即ちその年の春に、明に帰順したモンゴル人の将軍ボバイを首領とする辺境守備軍の蜂起を指す。劉東陽、許朝などの漢人将官も加わった反乱軍は巡撫の党馨を殺し、寧夏城を占拠したのみでなく、オルドスのモンゴル騎兵も糾合して陝西省全域を脅かして、朝野を震わした。そして「倭寇」云々とは、一五九二年二月、豊臣秀吉が朝鮮経由で明への出兵を発令し、四月に軍勢の第一陣が対馬から海を渡り釜山に上陸したことを指しているように思われる。この東西両方からの警報に接して、李卓吾は寧夏の反乱を、朝廷を揺るがすより深刻な事態だと捉えているらしい。武昌でお世話になっている湖広左布政使劉東星(李卓吾にとってパトロン的な存在)との間に、次の会話が交わされた。

余は子明(劉東星)に「両方から警報が届いたが、どちらがやや緊急でしょうか」と訊ねたところ、子明は「東の倭寇が差し迫っているようです」と言った。およそ昔から倭寇が海上に横行した毒害を聞いていたせいでこう考えたのであろう。余は「東のほうはまだ余裕があり、西の事態は緊急なのだ。もし朝廷が公に西事を任せたらどうやるつもりかね」と聞いた。子明はおもむろに「投降を呼びかけて帰順させるのさ」と答えた。余は黙然とした。子明は「もし貴方ならどう対処するのか」と問うた。余はただちに「攻め滅ぼして禍根を断つのだ」と答えた。子明も黙然とものを言わず、二人はその場を離れたのである。（「西征奏議後語」『続焚書』巻二）

ここで李卓語がかなり過激なことを口にしたのは、嘉靖・隆慶以来相次いで起こる兵隊民衆による反乱、蜂起に対して手も足も出ない朝廷官僚の無能ぶりを見かねて胸中の鬱憤を漏らさずにいられなかったからであろう。そしてこの寧夏兵変の報せに接した夏、李卓語は「水滸伝」の批評を始めたのである。「忠義水滸伝序」に次のような言葉がつづく。

> およそ忠義を何故「水滸」に帰したのか、その故を知るべきである。水滸の衆人は何故一々皆忠義になったのか、そうさせられた所以を知るべきであろう。考えてご覧なさい。小徳は大徳を使役し、小賢は大賢を使役するのでは当然そうなったのだ。もし小賢を以て人を使役し、大賢を以て人に使役されるのであれば、それに甘んじて服役し恥じない人がいるだろうか。これはちょうど力の小さい人間が人を縛り付け、力の大きい人間が逆に縛り付けられるようなものだ。手を束ねて縛られるように抵抗しない者がいるだろうか。そうなれば、天下の大力、大賢を悉く水滸に駆り立ててしまうのも当然である。

これは明らかに感ずるところがあって発した言葉であろう。たまたま同じ頃「高陽酒徒」と自称した友人が麻城より手紙をよこしたので、漢の高祖劉邦を助けて陳留を攻め取ったあの高陽人酈食其の故事を思い起こして「本物の高陽酒徒なら、西夏の反乱兵が怯えて欲しいままにできやしないし、一旦反乱が起きれば直ちに撲滅されてしまうさ」と返事をかき送った（「麻城人に復うる書」『焚書』巻二）。寧夏の乱に触発され、李卓吾は思わずあの大物海賊林道乾を連想してしまう。東南の海で三十年も横行し、今も依然として勢力を張り一方の王様のように振る舞えるのは、まさにその才識と度胸によるものである。むしろかくの如き人物に海防を任せるべきだと李卓吾はいう。今の朝廷高官はどうであろうか。天下泰平の際はただお辞儀して挨拶を交わし、一日中泥人形のように座るのみ、一旦緊急事態になると、互いに顔を見合わせて為す術もなく責任をなすり合う。にもかかわらず有能の人材を登用せず彼らを束縛し追いつめようとする。盗賊になる意思がなくてもそうならざるを得ないではないか（「往事を記す」『焚書』巻四）。この世にいつ「水滸」が現れてもおかしくない、と李卓吾は感じたのであろう。

「大賢は下に処し、不肖は上に居座る」という、かつて施・羅二公を憤らせた事態が現に身の回りにも起きているからこそ、一朝有事の際、当局者は慌てふためいて何一つ打つ手もないのだ、と李卓吾は憂慮し、天下の豪傑、有能の士を悉く「水滸」に駆り立てないためにも、むしろ国を司る宰相や兵を握る将軍がこの「水滸伝」を読むべきだと訴えたのである。

ところが、卓吾翁の思惑と裏腹に、『水滸伝』は為政者の教科書にならなかったし、救世の処方箋にもなれなかった。むろん盗賊になる入門書でもなかったろう。翁の人気のお陰でこの小説は一層広く世間に流布され、海の向こうにも伝わった。筆者が少年時代「水滸伝」に夢中になっていた頃もそうだが、現代の読者はもはや「忠義」とは何か詮索することもなく、梁山泊の世界を思う存分に楽しんでいるのであろう。

（勉誠出版『水滸伝の衝撃』二〇一〇年三月）

中日往還三十年

ある個人的回想

日本でアジア研究といえば、まず日本とアジア諸国との関係を思い浮かぶ。むろん中国もこの範疇に入るが、しかし中国研究あるいは中日関係はしばしば単独の枠で取り扱われるのが普通である。それはいうまでもなくアジア地域において、経済的に、あるいは政治的に中国も日本もあまりにも重要だから特別扱いされているからであろう。

一九八二年十月、はじめて東京の土を踏んで以来、もう三十年になる。比較文学・比較文化史研究を専門とする私は現実の空間よりも、とかく歴史の中で日中間を往還してさまざまな人物の運命を追体験してきた。数年前から東工大・北京清華大で立ち上げた修士、博士合同養成プログラムに参与して東京・北京の両地を往復し、両校の英才を教えている。歴史は現実に繋がっていて、現実はいずれ歴史となる。われわれ誰もが歴史に身を置きながら、歴史を創り出す契機を手にしているのである。三十年の体験をふまえて中日関係の過去、現実と未来について考えてみたい。

二十代半ばの私が東大駒場の比較文学・比較文化専門課程に留学し、自由闊達で、しかも刺激に富んだ雰囲気の中で七年間学べたことを実に幸福に思う。駒場の学風の薫陶を受け、多く先生、先輩、学友と巡り会ったことも生涯の財産であり、自分が学問の世界に入り、知的冒険の旅に出る出発点であった。

思えば、留学は現在進行の個人体験であると同時に、歴史につながる連環の一つでもある。二〇〇四年に岩波書店から『小泉八雲と近代中国』を公刊した際、その「跋」において、私はこう書いている。

歴史とは人間活動の記録である。そして記録に触発されて新たな人間の活動が生み出されていく。史料を掘り起こし、記録の実態――作家とテクストの流布――を突き止めるのはもちろん大事な作業ではあるが、それによってある種の人生経験、思想がよみがえり、新たな人間の活動に結びつくことのほうがより意味深い。近代中国の先輩知識人の目線を透してハーンを読み返している自分もこの歴史のチェーンの一環にあることを思うと感慨もひとしおである。

一冊の書物

今年の夏、日本国際文化会館の加藤幹雄先生からご著書の一冊を頂いた。英語で執筆された国際文化会館五十五年史(*The First Fifty-five Years of the International House of Japan,* Genesis,Evolution,Challenges,and Renewal,by KATO MIKIO,International House of Japan 2012.)である。加藤先生とは二十数年来の古い友人で、東大に留学した当初からお世話になっている。一九八六年東京地域の博士課程の中国人留学生を主体とする学術団体「中国社会科学研究会」は結成され、日本国際文化会館の支援のもと二十年以上研究、学術活動を続けてきた。この五十五年史の冒頭に興味深いエピソードが記されている。

そもそも日本国際文化会館設立のきっかけはアメリカ・ニューヨークにあるインターナショナルハウスに由来している。一九〇九年のある日、マンハッタンのキリスト教青年会（ＹＭＣＡ）に務めていたハリー・エドモンズ氏(Harry Edmonds)がコロンビア大学図書館の階段で、一人の中国人留学生とすれ違う際、"Good morning"と挨拶した。全く見知らぬ人から声をかけられて若者は多少戸惑いを感じながら嬉しさを隠さずにこう答えた。「話しかけて下さって、ありがとうございます。私はニューヨークに着いてから三週間になりますが、あなたは私に声をかけた最初の人です」。この短い会話はエドモンズ氏の心に深く響いた。家に帰り、その日の出来事を妻に話したところ、夫妻はアメリカへ学びに来る留学生のために何とか交流の場を提供しようと、毎週日曜日の午後、若者たちを我が家に招くことを決めた。そこでニューヨークの郊外に小さなインターナショナルハウスが出来た。一九二四年、この一個人の構想と実践が制度化され、ロックフェラー財団の援助のもと、立派なインターナショナルハウスがハドソン川を見下ろすモーニングサイドハイツに建てられた。ちょうど一九二四年の夏、イェール大学に留学していた、ある日本人青年がニューヨークにやってくる。完成間近なインターナショナルハウスを目にした青年は、世界中から来た学生たちが一つの屋根の下で共に暮らし、お互いの文化や世界のことを学び合うというインターナショナルハウスの理念を知って、ある決意が心に芽生えたのである。いつか自分も同じものを日本で創ろうと。この青年こそ後日著名なジャーナリストとして活躍し、戦後いち早く民間交流機関である日本国際文化会館を創設し、理事長も務めた松本重治であった。

考えてみれば、一九二四年は、通称「排日移民法」が米国連邦議会で可決され、七月一日に実施された年である。その後の日米関係は徐々に悪化し、日中関係も険悪となり、長き暗い時代を迎え、ついに日中戦争、太平洋戦争に突入してしまう。しかし松本重治は心の中の決意、その思いを棄てなかった。あれから半世紀以上も経って、松本先生の思いが明らかに八十年代日本で学ぶ中国人留学生の胸に伝わった。松本重治があの歴史のチェーンの一環であったように、私たち「社会科学研究会」のメンバーも歴史のチェーンの一環にあったと今はつくづくと感じている。

百年の恩讐を超えられるか

昨年の秋、年来の願いを果たして、私は『周作人伝――ある知日派文人の精神史』をミネルヴァ書房から公刊した。拙著の中で、中国文学者奥野信太郎の『北京籠城回想記』に触れた一節がある。それは盧溝橋事件直後の市中の様子を書き留めた貴重な記録である。当時は北平に在住していた奥野信太郎さんは大使館区の交民巷に一時避難した時の心情を『北京籠城回想記』にこう書き記している。

七月七日の蘆溝橋の事件以後、二十七日籠城に至るまでの二十日間位気を揉んだことはなかった。籠城中は怖しかったろうとよく人に聞かれるけれども、実をいうと籠城中は不自由こそしたれ、怖いと思ったことなどは少しもなかった。それよりかむしろ籠城と決するまでの二十日間の日一日と変化してゆく市中の景況の方が、どれほど不気味なことであったろうか。（中略）

わたくしの住んでいたところは周囲に誰も日本人のいない区域であった。狭い胡同（路地）を幾曲りかして広い大街へ出るとさすが緊張している為故か、涼しい朝風も幾分ひりひりと、まるで剃りあとに当るやうに刺激的である。留守はボーイや阿媽（お手伝いのおばさん）だけに任しておくわけであるが、愈々といふ時には持物全部どうなつても関はないと決心しているだけに割に平然としていられた。彼らは門前の鬱蒼とした槐樹の蔭に立つて、できるだけ早く帰れるやうに祈ってくれた。赤い褲子を穿いた阿媽の娘は、弟の手をひきながら大樹の曲り角まで見送ってくれた。やはり彼らは心やさしい北京人である。

（『奥野信太郎随想全集一』福武書店、昭和五十九年）

近代百年の日中関係をふりかえると、悲惨極まりない戦争があったが、四十年も続いた平穏良好な時期もある。昨今の領土紛争で日中間の雲行きがまた険しくなり、予断を許さない事態が続いている。人間は時には不可抗力の天災、人災に巻き込まれ、身を委ねざるを得ないこともあるが、しかし心の中の信念を棄ててはならない。日中百年の恩讐をわれわれの世代の手で終わらせなければならないという信念を。むろんそれは一方的な願いであれば叶えるはずもない。それにしても中日両軍が死闘をしていた最中でも、民間人の奥野さんの安否を気遣う、あの心やさしい北京人を私は誇りに思っている。

（『富士ゼロックス小林節太郎記念基金リポート』二〇一二年十二月）

三、書評と随想

市の声、町の音

雨音と黒ずんだ天井板

初めて東京の地を踏んだのは昭和五十七年の秋、雨の日だった。記憶が間違いでなければその後一週間、雨が降った。北京の残暑と対照的に、東京の夕方はシャツ一枚ではいられぬ肌寒さだった。雨のせいかも知れない。変りやすいのは秋の空、年中湿っぽい東京の天候はまったく信用できないと永井荷風は文句を言ったことがある。日がたつにつれて、なるほどと思った。日和下駄ははかないが、傘を持って出かける日が多くなった。

最初の宿は東京の北東部にある足立区北綾瀬――地下鉄千代田線の終着駅からさらに歩いて十五分くらいの所、滝本荘である。二階建ての木造家屋で、きれいに掃除をしてくれている。屋根は瓦ではなく、ブリキの上にペンキを塗ったようなもので、雨が降ると、ぽつぽつと屋根を打つ雨の音が異常に大きく聞こえる。雨の音を聞きながら、思わず天井を眺めることもあった。碁盤のように罫を引いてある木の色の天井板はすでに黒ずんでいる。いかにも時代がついた感じである。この天井の下で、私の留学生活が始まった。その後私は港区の白金台、渋谷区の鉢山町、杉並区の下高井戸へ転々と住まいを移したが、変るたびに天井も変る。ところが、どうしてか、あの滝本荘の黒みがかっている天井と蕭々と降っている雨の音が深く私の記憶に残った。昭和五十八年、私は大学院に入り、『小紋雅話』についての授業に出た。京伝の『小紋雅話』は寛政二年に成立したもので風変りなデザイン集である。京伝は天文、地理、動物、植物、逸話伝聞など自然人事を広く網羅して、たくみに抽象化し、ユニークな小紋模様を工夫した。図絵のよこにたいてい洗練された短い文がついている。実に粋なものだ。難解なところもあるが、江戸時代の社会、民俗を伝える貴重な資料である。その年の夏、宿題として、私は『小紋雅話』の模倣作、自分で案出した一枚の図絵を提出した。「下宿の天井模様」である。想像力にとぼしい私は、下宿の天井をほとんどそのまま紙にスケッチしたが、格子の中に斜めに引いた数本の細い線だけが私の創作だ。それが東京の雨である。

笊そば・日本製餃子

日本に来て間もなくのことである。東京大学本郷キャンパスの弥生門を出て、曲りくねった路地をぬけると、高い坂に出る。坂道にそって百メートルぐらい下りたところは地下鉄千代田線の根津駅である。駅の近くにごくありふれた名も知らぬ小さなそば屋がある。もう正午を過ぎたので、そこで食べることにした。初めての外食である。麺類と一品料理の名を記した紙がずらりと壁一面に貼ってある。ほとんど平仮名で書いてあるので内容がよく分らない。私はざるそばを注文した。そばは中国の「蕎麦麺条」のことで、子供の頃食べたこともある。それだけは自信があると思っていると、店のお上さんは注文のそばを出してくれた。出されたものは実に簡潔きわまる。枡の形をしている木製の器には薄い茶色のそばがこんもりと盛ってある。ほかに醤油をうすめた感じの汁が入っているコップが一つ、ほんのわずかなわさびと葱のみじん切りを添えた小皿が一つ、それだけである。ざるそばと対面している私は戸惑った。コップが小さいので、まさかその中にそばを入れて食べるとは思わなかった。ちょっと考えると、そうだ、コップの中の汁は調味料ではないか、それをおそばの上にかけて食べればいいんだと急に閃いた。店のお上さんが私の仕業に気づいた時、もうテーブルは汚されてしまった。私はあわててあやまり、自分のしくじりを弁護するかのように、自分が外国人留学生で、ざるそばの食べ方を知らなかった、と説明した。私の話を聞いたおばさんは怒らなかった。そして笑った。この店にとって、私は「千載逢い難き」客であったろう。幸い店にはほかの客がいなくて、恥をさらさずに済んだ。数年前、帰省した時の話だが、機上の食事にまたおそばが出た。私のとなりに坐っている客は中国の同胞らしい。その戸惑った顔を見て、私は丁寧にざるそばの食べ方を教えてあげた。

この頃、日本を訪れる中国のミッション、視察団がひじょうに多い。日本の風俗習慣、衣食住、交通などを簡単に紹介する案内書みたいなものがあるのかどうかは知らないが、もし作るとすれば、「ざるそばの食べ方」もついでに入れて欲しい。私の杞憂かも知れないが、それも「文化交流」の一つであろう。

東京には中華レストランがたくさんある。中華と言えば、必ずと言っていいほど餃子がある。子供の時からの好物なのだ。それだけにこだわるのである。東京の餃子を「遍歴」したわけでもないが、あっちこっちで食べた経験では、あまり美味しくない。何処の店へ行っても、味は似たり寄ったりで、ワンパターンだというのが私の感想である。いつか、テレビで中国餃子についての特集を見た。その美味しさの秘密は餃子の皮にあるというような説明も伺った。皮も大事だろうが、しかしもっと大事なのは中味である。友人の家によばれると私はいつも餃子づくりの腕を披露する。餃子を食べた友人たちも異口同音にそのうまさをほめあげる。実は秘訣は何でもない。第一に中味にキャベツを使わないこと、そして、絶対にニンニクを入れないことである。しかし、この二つは日本製餃子の不可欠な材料であるらしい。

まだ残っている江戸の顔

東京は現代文明の利器すべてを集めたような大都会である。ところが長く住みつくと、そこにもう一つの顔があるのに気づく。伝統の顔、あるいは江戸の顔とも言えよう。水洗トイレがなかった時代、雪隠にたまったものは、それぞれ縄張があって、江戸近在の百姓が大八車、あるいは牛や馬に曳かせた車に肥桶を乗せ、くみ取りにやってきたそうだ。そういう雪隠のある家に知人の一人がいまも住んでいる。彼からその話を聞いた時、私はびっくりした。東京の中には江戸が残っている。そして形のある物ばかりではない。最初の下宿の大家さんは酒屋さんだった。小柄でありながら、せっせとこまめに働く。「私は年中一日だけ休みます」と私に言ったことがある。偶然の機会で、私は東京近郊にある卸売市場を見学したが、まだ朝の五時なのに、市場は競り売りの声で賑わっていた。早さは勝負なのだ。

日本に来て、カレンダーには赤数字が多いのに気づいた。そして赤い数字の日は学校へ行かなくていいと先輩が教えてくれた。休みなのである。ところが、東京にはほかの暦によって暮している人々もいるのである。「律義」「天職」「分相応」などの日本語は日本に来なければなかなかわからない言葉だと私は思う。

渋谷に住んでいた頃、よく銭湯に通った。銭湯ほど江戸の面影を留めているところはない。村上元三氏は『江戸雑記帳』に江戸市中の湯屋を次のように描いている。「ゆ、と大きく染めたのれんをくぐると、土間があり、高い番台には湯屋の亭主か女房が坐って、客から湯銭を受取る」と。いまの銭湯もほとんど変っていない。私はもう慣れたが、日本に来たばかりの妻はさすがに閉口した。彼女が慣れた頃、家は杉並区に移り、もう銭湯へ行く必要がなくなった。

東京が生みだす町の声

「市声」という言葉がある。「貨声」ともいう。日本語では「物売りの声」という意味である。文字どおり拡大解釈すれば、「都市の音」にもとれる。確かに各都市はそれなりの音がある。かつて周作人が訳した『エジソン時代のロンドン生活』の一節を読んだことがある。「エジソン時代のロンドンの町では、町の光景ばかりでなく、物音も今日とはかなり異なっていた。夜中ぐっすりと寝ている人々はいつも夜回りのノックで目が醒める。……昼間はロンドンの音ほど外国人を驚かせるものはない」という。ラフカディオ・ハーンはニューオーリンズの初夏の朝を賑わす物売りたちの英語の声をいきいきと描いたことがある。そして同じ筆法で松江の夜明けの声をも書いた。ハーンは松江の一日の最初の物音――米搗きの杵の重たいずしんと響く音は日本の暮しの物音の中で一番哀感を誘う音のように思えると書いている。ハーンよりやや遅れて東京を訪れた章太炎は朝早く納豆売りの声を聞いて、「それは何を売っているのか、natto nattoなんと悲しい声なんだろう」と弟子に言ったという。それはおそらく聞く人の当時の心境とも関係しているように思われる。異邦人にとって、都市の音は一番深く記憶に残るものであり、一つの時代を呼び戻す力を持っている。

私は東京に来てから、いろいろな物音を聞いた。聞かされた音もある。冬の寒い夜、石焼芋を売る声が聞え、雨上がりの朝、移動販売車の音楽が聞える。夏の暑い午後、静けさを破ったのはいつも塵紙交換の声だった。日本に来た最初の日々は緊張の連続で、精神的にも疲れていた。その時の私の強ばった神経を和らげ、心の安らぎを与えてくれたのは毎日夕方、時を知らせるあの静かで、遠方からひびいてくるような〝からすの唄〟であった。

神田川を散策して思うこと

家のすぐ近くに、神田川が流れている。川の両側はきちんと舗装されている散策道である。夏の夕方、よく妻と一緒に蜒々とのびていく川に沿って散策を楽しむ。川はあさいが、水はとても清い。緑の水草、赤い金魚は遊歩人の目を楽しませてくれる。「空染めて川に流るる西日かな」というのがある日の即興作である。この神田川に多くの橋がかかっている。その一つに鎌倉橋がある。この橋について、『武蔵名勝図絵』には、「上高井戸の界にあり。古えの鎌倉街道にて……いまは農夫、樵者の往来道となりて、野径の如し」とある。橋名の由来について、「鎌倉街道ゆえ、鎌倉橋という」と同書に記されていることから、鎌倉橋と名付けられたという説があり、また一説には、長禄元年、太田道灌が江戸城を築く時、工事の安全を願い、家臣に命じて下高井戸八幡神社を建立させ、武士の信仰の厚い鎌倉八幡宮の神霊を勧請したおりに、鎮座地に近いこの橋を鎌倉橋と名付けたとも言われる。いまの橋は鉄筋コンクリート製だが、大正初期の鎌倉橋は「木造、延長三間、幅員一間」のものだったらしい。東京は変っていく。昨日の面影に未練を残しながら、どんどん新しいメーキャップを見せてくれるのだと私はこの鎌倉橋を通る度にそう考えるのである。

(東京都文化振興会『東京人』九・十月秋季号、一九八七年)

●東京大学大学院生・博士課程

刺激伝播——漱石と魯迅

平川祐弘先生の『夏目漱石—非西洋の苦闘』が講談社学術文庫に収められる際に、この本の解説を書いてみないか、と誘いの電話があった時、私は即座に喜んでお引き受けしますと答えました。この務めが果たして自分にできるだろうかという不安がある一方、今まで心の底にわだかまっている未済の何かがこれで果たされると思うと、「喜ぶ」云々は単なる礼儀ではなく、偽らざる心境でした。

話はおおよそ一昔前に遡《さかのぼ》ります。一九八二年十月に、当時二十五歳だった私は留学の夢を膨らませて、海を渡ってきました。中国の若者が大量に欧米や日本に訪れる、いわゆる留学ブームの到来はそれより数年後のことで、当時は留学の機会に恵まれたのはごく少数でした。この少数の中で文学や芸術を学ぶものはさらに少なく、ほとんどが自然科学系の留学生でした。

「改革、開放」の政策を打ちだし、近代化路線がようやく軌道にのった中国の事情を考えると、当然と言えは当然の結果だと言えましょう。しかし、同行した留学生仲間の中には、版画を学ぶため、東京芸術大学に入る予定の友人もいたのです。ほんの僅かな人数とは言え、魯迅の留学した一九一〇年代ではおよそ考えられなかったことでしょう。なぜなら「二十世紀初頭の日本が夏目金之助を英語英文学の研究の目的でイギリスへ留学させたようなゆとりは当時の中国にはなかった」からです（本書第一部第二章参照）。

私が東京大学駒場キャンパス八号館にある比較文学・比較文化研究室を訪れたのは、下宿に落ち着いてから数日後のことでした。その日お会いした平川先生から一冊の本を恵贈され、それが『夏目漱石—非西洋の苦闘』でした。

本書は四部から成ります。第一部「クレイグ先生と藤野先生」は夏目漱石と魯迅の留学体験を扱っている研究で、新潮社版原書の約半分の紙幅を占めています。このたび学術文庫に入る際、第四部として収録された「クレイグ先生ふたたび」（初出は『新潮』一九九〇年十一月号）も漱石の小品にまつわる新資料について論じたもので、第一部を補完する形になっています。そして本書の題名に示唆されているとおり、この第一部を本書の中心とみてもさしつかえないでしょう。第一部の終わりに著者は次のように述べています。

> そのうちに中国から日本へふたたび留学生が自由に渡航してくるような日があれば――その日の近いことを祈るが――そうした外国留学体験者は必ずや新しい目で魯迅の『藤野先生』を読み返すにちがいない。いつの日か、この拙論がそうした人々の目にもふれることがあれば、著者は幸いに思うのである。

この研究が世に問われて以来すでに九年、この間一部の中国人読者の目にもふれたと思いますが、初対面の私にこの本を贈った先生の気持は右の一節より察せられます。

夏目漱石の「クレイグ先生」はともかく、魯迅の短篇「藤野先生」は、中国では中学校の教科書にも使われるほど広く知られている作品です。筆者は大学時代、竹内好の訳でこの作品を習ったこともあります。中国における外国語教育は一時ではあるが、外国の原書より、中国物の翻訳――それも多くは中国人の手による――を教材に使う傾向がありました。こう書いている私は思わずＢＢＣ放送のインタビューに答えたアーサー・ウェーリーの言葉を思い浮べました。「（中国人は）中国の詩をもし誰かが英訳するなら、それは中国人でなければいけないと思っているらしい」（本書第一部第三章参照）。ウェーリーの答えは古来の中華思想を諷していますが、外国の物を何もかも中国化してしまうという精神風土にも一因があるように思われます。

話を本題に戻しましょう。魯迅と漱石の二短篇を綿密に分析することによって構築されたこの両作家についての比較論に接して、比較文学研究をめざした一学徒である私は蒙を啓かれる思いがしました。しかし当時の私はどちらかと言えばこの並行研究の方法論、文章解釈の手法、「刺戟伝播」といった発想の新鮮さにより多く目を奪われ、この研究を支えている著者の最大の関心事、著者が「あとがき」にもふれている学問の普遍性や、非西洋と西洋の格闘の接点としての留学心理の問題――それも『和魂洋才の系譜』（河出書房新社、一九七一年）、『西欧の衝撃と日本』（講談社、一九七四年）に一貫している問題意識――をさほど意識しなかったように思います。

　今となって振り返ってみますと、考えられる理由は二つあります。第一、あのころの私はそれこそ専門という意識に縛られていて、内実の伴わぬ「自己の学問上の守備範囲」を身勝手に決め付けたのです。来日以前から、私は徳川時代の文藝と歴史に興味をもち、作品も多少かじっていました。いったい日本の近世――中国史ではこういった時代区分がありませんが――に関しては、偏見をもっているかどうかはわかりませんが、中国の学界は冷淡です。筆者の知っている限りでは、昔、周作人が多少翻訳とエッセイを残した以外、あまりこれといった実績がありません。それで私はこの空白を埋めようという大それた野望をひそかに抱いていたのです。従って修論のテーマを決める時も、本書に提示された、いくつかの課題に深入りするのではなく、江戸時代の怪異小説家上田秋成を取りあげることにしました。

　そしてもう一つ考えられるのは、魯迅の作品に対する私の読みの問題です。同じく国民作家とはいっても、魯迅という作家は日本における夏目漱石とはやはりどこか違うように思います。毛主席が『新民主主義論』において「魯迅の方向こそ中華民族新文化の方向である」と述べて以来、魯迅はもはや「国民的」作家にとどまらず、「国家的」作家へと変貌していきます。茅盾《ぼうじゅん》や巴金《ぱきん》らの大作家は次々と筆を折ったという事情もあって、魯迅はますます文壇の寂漠を象徴するような存在となりました。研究者たちは先を競うようにこの作家を語ります。歴史的背景をぬきにして、現在の生活感情や現在思惟している状況を無媒介的に移入して、彼の作品を解釈します。はなはだしいことにこの一作家と旧誼《きゅうぎ》があったということで栄達の資本にもなり、この一作家に文句を言われ、あるいは論争を交したということで失脚のきっかけにもなるほどです。こういう珍現象を別に珍しく思うこともなく、耳に聞き、目に睹《み》ながら私は育ちました。燕窩《えんか》と熊掌《ゆうしょう》は世にも稀な珍味に違いありません。しかしこの珍味を十年二十年一日の如く、しかも変な調理法で食わされたら、どんな胃腸の強健な人間でも閉口してしまうでしょう。現に一部の人々がこれに擬たような反逆心理が働いたせいか、魯迅を貶《そし》り、魯迅批判に走りました。ところが「愛屋及烏」（その人が好きになると、その屋根にとまる烏も可愛いらしく目に映る）と「恨及袈紗」（和尚さんが気に食わないと、その袈紗も憎らしい）は、そもそも同じ類の発想法で、世の常かもしれませんが、私はやはり近代中国が生んだこの硬骨の作家に崇敬の念をもっている多くの中国人の一人です。ときにこの老練の作家がいま何をわれわれに語りかけているのだろうかと、空想をしたりもします。

　魯迅の作品に対する私の理解の深まりは、やはり自分自身の留学体験と重なっていくように思われます。船酔いに苦しみながら笈を負って洋行した漱石や魯迅とは違って、航空機で五時間もたたぬうちに成田に着いた私にとって、「クレイグ先生」も「藤野先生」もただ一篇の歴史物語に過ぎませんでした。思えば一九八〇年代の中国人の留学は今世紀初頭のそれに比べて、物質条件の面を除けば、精神的にはどんな変化があったでしょうか。筆者が渡日した一九八二年前後は中日関係が長い歴史においても極めて平穏で、良好な一時期でしたし、東京の天気は北京の秋に比べて少々曇りがちですが、別に「東京の憂鬱」を感じさせませんでした。個人差があるにせよ、使命感と重圧感は留学に恵まれた喜びと未来への期待を押しつぶすほどのものではなかったと、そう感じたのは筆者一人だけでしょうか。魯迅と一緒に日本に留学した周作人は、なにかと兄と対照されながら論じられることの多い作家なのですが、私はこの周氏兄弟の作品を一様に愛読します。とはいえ重苦しい抑圧感を与える「藤野先生」よりも、軽みの口調で下駄に着物姿で古本さがしなどをした留学時代を回想する「東京を懐ふ」のほうに親しみを感じたのも事実です。時勢の変遷は時に滄海桑田《そうかいそうでん》の感があります。ところが日がたつにつれて、万事流転《ばんじるてん》の中に変わらぬ何ものかがあるのに私も気付きました。

いったい外国に留学することは、とかく本人の意志や当初の目的にかかわることなく、いままで安住していた世界とは全く異なる文化空間に身をさらすことになることを意味します。書物による外国文化の学習と違って、それこそ全方位の吸収です。異文化の影響は思わぬ側面より来たり、また思わぬ形に現れます。英語英文学の研究のため渡英した漱石はのちに創作家に転身し、西洋医学を志望して来日した魯迅はのちに文筆家として名を成しました。これは留学の副産物というより、本人にとってそれこそ留学の意味ではないでしょうか。留学生はいったん外国の社会に身を置くと、自分の目でものを見、自分の脳でものを考えざるを得なくなります。そして否応《いやおう》なしに新しい文化体系に直面し、自国の文化伝統、価値体系との比較を余儀《よぎ》なくされます。本書著者の言葉を借りて言えば、これは留学心理の普遍性と法則性というものです。特に後進国の学生が先進国へ留学した場合、この心理の反映は著しいものです。著者はこの問題に照準をあてて、まず森鴎外の場合に即して観察し、次いで内村鑑三や堀悌吉の外国体験を論じました。本書に取りあげられた漱石と魯迅との比較論もその延長線に位置します。ともに後進国から来た留学生——夏目金之助と周樹人のこうした内面に深く錘鉛をおろし、後進国の近代化とその屈折した心理の記に鋭くメスを入れたからこそ、この研究は学問の普遍性を獲得したのだと、この解説を草するにあたって、本書を再読した際、つくづくとそう感じました。

魯迅の「藤野先生」は漱石の「クレイグ先生」の刺戟で書かれた創造的模倣《もほう》だという説に接して実に新鮮な感じを覚えたと、前に述べましたが、この「刺戟伝播」の理論が単なる一時の思い付きに終わらないのは、この両作品に即して施された微《び》に入り細《さい》を穿つといった分析、検討、対比によって裏付けられているからです。先験的な理論で、割り切ったり、空理空論に流れることのないように、実証研究に立脚するよう心掛け、細部、真実の追求に力を入れるのが著者の一貫した態度です。マクロ的視点と、ミクロ的操作、使いこなされたエクスプリカシオン・ド・

テクストの妙味は本書にも遺憾なく発揮され、文学をいかに味読するかを教えられます。

漱石の小品に描かれるクレイグ先生の人物像を検討するにあたって、シドニー・リーの手になるクレイグの略伝、『タイムズ』紙へ寄せた追悼記事やルーカスの随筆などを引き合いに出して論じたのは、著者の体得した「三点測量」法による相互照射で、「同一の事件について、日本側にも西洋側にも時には中国側などにも証言を求め、さまざまな補助線を時間的にも空間的にも引いて評価や判断の公正を期した」（『和魂洋才の系譜』のあとがき参照）ためです。漱石が使った「槃桓磅礴《ばんかんほうはく》」という漢語についての指摘もそうですが、「日暮里」という漢字に魯迅の憂愁の気分を投影するとか、「惜別」の二字に藤野先生の善意と情合を魯迅が感じたといった分析は、やはり漢字文化圏に生きる人間ならではの読みではないでしょうか。そして本書第四部「クレイグ先生ふたたび」に紹介された日英協会のアンドリュー・ワット氏による漱石小品の英訳とその感想をみますと、この小品に示された魯迅の共感の背後には漢字文化という背景が潜んでいるのではないかと思いました。

周氏兄弟は夏目漱石の提唱した「低徊趣味《ていかいしゅみ》」に共感を示し、一九二三年六月『現代日本小説集』を上海の商務印書館より出版した際、漱石の文学主張を「低徊趣味」「余裕のある文学」と紹介し、彼の作風について「軽快洒脱《けいかいしゃだつ》で、機智に富み、明治文壇における新江戸芸術の主流」、と評しました。この小説集に収録された漱石の作品は、『永日小品』の中にある「懸物」と「クレイグ先生」の二篇で、いずれも魯迅の訳です。漱石の厖大《ぼうだい》な作品の中からなぜこの二篇を選んだのでしょう。「クレイグ先生」については、すでに本書の第一部で詳しく論じられているように訳者魯迅の深い共感が働いたためでしょう。漱石によって描かれた「妙な爺」―アイルランド老学者の変った風貌は、「藤野先生」の描写にも幾分通じるところがありますが、実は魯迅自身も身なりに無頓着《むとんちゃく》だったことは知人たちの証言によって知られます。しかし人間はしょせん中身が大事です。魯迅が亡くなった後、弟の周作人は文学者魯迅の態度に見られる他人の企て及ばぬ特点として、次の二点をあげました。一つは「聞達を求めぬ」こと、他の一つは「中国民族に対する深刻なる観察」です。いつ日の目をみるかもわからない沙翁字彙に畢生《ひっせい》の力をささげ、「聞達を求めぬ」独身の老学究に、魯迅は深く感動したに違いありません。

本書にはふれていませんけれども、魯迅が漱石の小品「懸物」「クレイグ先生」を選んだ理由にもう一つ考えられることがあります。即ち「低徊趣味」への思い込みです。漱石の特色を「低徊趣味」と理解し、その「低徊趣味」がもっとも表われている作品として『永日小品』の二篇を選んだのだ、と私は推定します。もっともこの「低徊趣味」という和製漢語について、魯迅の理解と漱石の主張とは必ずしも一致しません。魯迅は激情を抑えて、「低徊趣味」の小説を書くつもりで「藤野先生」を執筆したと思われますが、あの重苦しい読後感は、やはり彼自身の「低徊趣味」を暗示しているのではないでしょうか。

本書の初版は一九七六年ですが、それ以後も魯迅と漱石を扱う研究が出されました。藤井省三氏の『ロシアの影―夏目漱石と魯迅』（平凡社選書八七）や檜山久雄氏の『魯迅と漱石』（第三文明社、一九七七年）がそれです。前者はアンドレーエフというロシア作家を中間項としてこの中日両作家の文学的核心に迫ろうとした労作で、後者は東洋という独自の場での近代創出を考察し、圧倒的な模倣文化に目を曇らされることのなかった数少ない文学者として魯迅と漱石を取りあげたのです。今後もアプローチの方法こそ違いますが、この両作家を並べて論じることは多いように思われます。筆者は魯迅、漱石のいずれもいまだ読破しておりませんけれども、限られた読書体験では、二人はかなり、性質あるいは型が異なる作家ではないかと感じます。漱石が都市派の作家だと言えば、魯迅は郷土作家だと言えましょう。両者の扱う客観対象が違うから、単純に割り切ってそういうのではありません。イギリス留学で吸収した風刺とユーモアの感性をおろそかにできませんが、漱石の創作を根底から支えたのは、やはり生れた時にまだ江戸と呼ばれていた、当時の世界の一大都市で養われた趣味性とセンスではないでしょうか。漱石の軽妙を好み、ゴーゴリやドストエフスキーの鈍重をも取り入れた魯迅ですが、その深刻と愛情の交錯する世界の遥かなルーツは、やはり濃厚な郷土息吹を湛えた中国江南の古城紹興です。同じ「諧謔《かいぎゃく》」といっても、両国橋の上にパッと開いては消える花火の如く、江戸っ子のからりとした笑いもあれば、紹興師爺の辣腕を思わせるような「老吏の獄を断ずるが如き辛辣《しんらつ》」もありましょう。ある意味で、魯迅と漱石はいずれも典型的な「地方」作家ですが、それが故に、彼らは普遍性を獲得し、国民的作家の声望を手に入れたのでありましょう。

本書の第二部「漱石のあばたづら、鼻、白いシャツ」は、作家の容貌や服装に関すること、また金銭、名誉に関すること、そうした卑近な問題を取り上げて、それが作品中にどう投影しているかを探ってみようとしたものです。著者もことわっているように「漱石の道義的性格を重んずる立場の人からは、いささか不謹慎に見える」この一章は、移しい漱石研究の中にはそう多くはない文字だろうと思います。作家の声望が高くなるにつれて、とかく聖人化されてしまう傾向はどこの国にもありがちなことですが、この一篇を読んで連想したことは、知的誠実をもって、率直にしかもぬくもりのこもった筆致で人間魯迅を描いた文章は、中国ではなかなか見当たらないということです。もちろん絶無ではありません。一九八五年の初夏、『魯迅筆下的紹興風情』という本が浙江教育出版社より出されました。魯迅作品の教育に関連資料を提供する目的で、魯迅にちなむ一種の風俗誌ですが、日本語訳者木山英雄氏が日本語版の「あとがき」でもこうふれています。

それもやはり、護教的な魯迅解説者の習慣から一度は我に返って、作家をあらためてわがものにしようとする流れのうちではあり、北京あたりの研究者の間で、これまでもっぱらイデオロギーとしてのみ論じられてきた「魯迅精神」の「戦闘性」や「風刺性」やらに、浙東人気質や紹興の地方文化の特性などを介して、血肉を回復させようとする動きがようやく目につくのと、互いに通底しあう事実にちがいない。（『魯迅の紹興—江南古城の風俗誌』参照、岩波書店、一九九〇年）

中国はこれからも変わっていくでしょうが、魯迅はやはり幾世代の読み直しに耐え抜き、これからも読みつがれていく作家の一人だろうと思います。彼ほど「中国民族に対する深刻な観察」をし、それを表現した作家はこれからも極めて少ないと思われるからです。

本書の初版が出た後、大陸でいちはやくその一部を翻訳し、紹介したのが、実は筆者の北京大学時代の旧師劉振瀛先生です。去年の冬、先生の訃に接して、弔いの手紙を送りましたが、本書を愛読した劉先生が、もはや筆者の拙い解説を付したこの『夏目漱石』を読むことはあるまいと思うと、黯然《あんぜん》たる寂しさが心に残ります。ここに記して、故人の冥福をお祈りいたします。

去年の三月、早春の寒さの中を、私は東京に別れを告げ、北海道の札幌に移ってきました。札幌は間違いなく日本の中にありますが、どこか異質の息吹を伝え、異邦人にもぬくもりを感じさせる街です。北国の風物は時に故郷の北京を思い出させます。と同時に七年間暮した土地——東京も懐かしく思い出されます。晩秋になると、駒場八号館の前に黄色い銀杏の葉が一面に落ちます。その上を歩いて落葉のささやきを聞くのが好きでした。駒場の比較文学・比較文化専門課程に入り、自由闊達で、しかも刺戟に富んだ雰囲気の中に学べたことを私は幸福に思います。

平成三年五月二日

（平川祐弘著講談社学術文庫『夏目漱石』「解説」一九九一年）

「巨象」を見る新たな視点

中国は巨大な象のようなものである。その足か、あるいは鼻か、触る部位によって、感触が違ってくるように、中国の社会・文化を語る場合、その均質性に目を向けるか、それともその多様性に着目するかによって、かなり違う様相が見えてくる。とてつもなく広大な国土、数千年もの歳月、めまぐるしく入れ替わる主役。さらに幾度となく革命・内乱・分裂が繰り返されてきたにもかかわらず、統一国家が今日にまでとにかく保たれたことは、人類の文明史上、やはり一つの奇跡であり、その文明の奥底にはもの凄い凝集力が潜んでいる、と中国の均質性に着目する者はこう見る。一方、現実の中国に一歩でも足を踏み入れると、「南船・北馬」という俗語もあるように、自然景観の相違はいうまでもなく、言葉、服飾、食事、生活慣習などに至るまで、地方によってさまざまな違いを見せ、その多様性には実に目をみはるものがある。

おそらく、どちらも中国の真実の姿であろう。ただし、従来の歴史研究では、文化の均質性を強調するあまり、その視野のなかに収まりきれず、見落とされた側面が多いかと思われる。偏った歴史観を是正し、また文明の全体像をよりクリエーティブに捉えるため、近年、中国大陸では、楚文化、呉文化、燕文化などの地域文化研究が非常に活発に行なわれているほか、中国史を漢民族中心の歴史として見る従来の史観に対して、漢民族と非漢民諸族の間の交渉史として見直す作業も進んでいるようだ。

しかし、中国文明内部の異質性ないし多様性については、その文化の枠内に置かれている中国人学者よりも、外部から観察する欧米の学者のほうが、いちはやく注目したようである。ドイツ人漢学者ヴォルフラム・エーバーハルト氏の『中国文明史』（大室幹雄ほか訳、筑摩書房、一九九一年）は、中国と近隣諸族との関係——その文化の往還を視野に収めて中国史を考察した書物である。原書は一九四八年にスイスのベルンで刊行されて以来、版を重ね、英語とフランス語にも翻訳され、今日ほぼ古典の位置を占めている。またアメリカのJ・Kフェアバンク教授の遺著となった『中国新史』(*China:A New History*. Harvard University Press, 1992.)も、漢民族国家と内陸アジア諸民族との関係を理解することの重要さを力説している。

このような歴史学研究の動向を踏まえながら、新たな切り口を見せたのが張競氏の『恋の中国文明史』(筑摩書房、一九九三年)である。本書の考察対象と範囲を考えると、「文明史」という題名はやや風呂敷を広げた感があるが、著者が断わっているように、本書の目的は作品のなかに現われる恋の文学的表現を分析することではなく、現実生活のなかで恋——情緒表現や慣習——がどのように行われたかを明らかにするところにある。つまり恋というプリズムを通して中国文化を解析し、異なる民族文化の衝突による文化変容の一端を浮かび上がらせようとしたダイナミックな試みである。この意味で、一種の文明論と見ても差し支えがなかろう。

本書は序章、終章を含めて一〇章から成っている。記述は時間の縦軸に沿って、『詩経』『楚辞』の時代に始まり、近代の新文化運動にまで及び、スケールの大きい構成となっている。読み進めていて、とくに通時的論著にありがちな散漫の感を抱かせないのは、著者の問題意識——恋が民族の対抗・融合という文化変容のなかにいかなる役を演じるか——がそれぞれの章に貫かれているからであろう。

人間は男性と女性との結合によって新しい生命を誕生させ、種の存続を保つ。異性に引かれる気持ち——それは純愛にしろ、性愛にしろ——は、人間の普遍的感情である。しかし、日本語の〝こい〟あるいは英語の〝love〟のように、異性間の感情を表現する言葉は古典中国語のなかにはなかった。それは何故だろうか。評者に言わせると、それは中国人の功利的性格によるのではないか、と。

近代作家周作人は、中国人の感情生活の特色に触れ、「禁欲か、さもなければ獣欲かの両極端に走っている」と評した。前者は男女の関係を儒家の倫理に閉じ込め、国家の興亡にこじつける。後者は男女の結合を単に肉欲の享楽と見なし、養生や房中術に傾斜していく。このような文化風土のなかでは、異性間の情愛がなかなか育たないであろう。著者も指摘するように、近代までの中国には、恋と婚姻、恋と性との間に、はっきりした境界線がなかった。したがって、これらすべてが本書の考察の対象となる。

　恋という視点で中国文化を見る場合、従来の歴史解釈で疎かにされてきた側面に光が当てられ、新鮮な感覚を与えてくれる。例えば、匈奴の風俗を目の当たりにして、中国人が男女隔離の倫理についての自信を強めたことで、漢代における儒学の官学としての地位確立につながったという分析（第三章）や、満漢の文化衝突・融合という角度から『紅楼夢』を解読する試み（第八章）など、いずれも著者の確かな批評眼を示している。

　一方、作品の世界を通して現実を透視する場合、慎重で堅実な史料批判・分析は欠かせない前提である。評者自身が興味を覚え、また多少なりとも勉強している明代について、著者の論断に若干の疑問を感じるところがある。著者は『金瓶梅』をはじめ、『三言二拍』などの白話小説の作品群に扱われる姦通の話をとりあげ、そこに書かれた恋と性は明代の現実生活の表層を映し出す部分があると言う。そして、「儒学の権威を確立した明代でも少なくとも市井生活のなかでは儒学秩序が必ずしも思ったほど機能していなかったのかもしれない」と推論した（第七章）。

　社会全体の気風から見て、肉欲への耽溺という点で、明代が魏晋南北朝をひどく上回るとは思えない。しかし、何故明代に『金瓶梅』などの「淫書」が大量に制作されたのか、それはまた明代の儒学復権とどう結び付くのか。さまざまな史料から見て、明代ほど市井生活や庶民層に儒学の倫理が浸透した時代はなかった。それは儒学の教えが日常化された時代であった。人間の正常な情欲が極端に抑圧されていたからこそ、非正常な行為に走るほかなく、またある種の代償行為として人々が「淫書」を作り、「淫書」に群がるのではなかろうか。

　恋を通して中国文化の内実を問う本書は、多くの示唆をわれわれに与えてくれた。恋の実態を解明することによって、民族間の交渉、文化の変容を考察する文明論として興味深いものである。著者の文献史書の博覧にも敬意を表するが、ただし本書の考察対象を考えると、史書や文献のみでなく、現代の社会学、民族学、文化人類学のフィールドワークの成果を取り入れれば、さらに内容豊かなものになるであろう。（ちくまライブラリー90）

（日本文化会議『文化会議』一九九三年十一月）

「鏡」に映し出された知識人

中国には「三人言いて虎を成す」という格言がある。（『韓非子・内儲説』）。一人ではなく、三人が「いる」と言えば、実際にはいない虎もいることになる。もともとは流言の怖さを教えてくれる古訓だが、人類の知――未知の世界を一定のイメージや図式、語彙によって表象し、馴化する価値体系――のもろさと欺瞞をほのめかす呪力を秘めた言葉でもあった。言（言葉・観念）と虎（現実・存在）との乖離、これは現代思想界に衝撃をあたえたフランスのミシェル・フーコーの一連の著述、例えば『言葉と物』（一九六六年）、『知の考古学』（一九六九年）に貫かれている基本テーゼでもある。

井尻秀憲著『現代アメリカ知識人と中国――知と情念のフロンティア』は、こういった「観念・認識」と「存在・現実」との相関関係を視座の中心に据え、現代アメリカの知的状況を「中国という鏡」に照らして鋭く分析したものである。

本書は「序章」と「終章」を含めて九章から構成されている。「アメリカ知識人の中国観」というのが本書の機軸であるが、現代社会の諸相と人間の知性をも射程におさめた、幅広い視野をもつ書物である。著者は論を立てる際に、およそ次の三つのモチーフを思い描いているようだ。

(1)西洋と中国、(2)思惟と状況、(3)知性と権力。

この三つのモチーフがいかに有機的に織り紡がれて、重層的構造を成しているかについては、著者自身の言葉を引用させていただいたほうが、より適切であろう。

「社会内存在としての人間のイメージなり思惟が、その人間の実在する社会成層や時代環境と不可分であり、大きな『拘束』を受けているがゆえに、アメリカ知識人の中国像を語るにあたっても、そうした時代背景と知識人言説との相互関係を問題にしなければならない……本書で検討する現代アメリカ知識人の中国像は、戦後アメリカの『覇権』的地位やその低下と無関係ではありえない……」

以下、この三つの主題に即して、若干の所感を述べさせていただく。

「他者」を通して、とりわけ「観念」あるいは「情念」としての中国を「鏡」に、西洋の自らの姿を映し出すヒストリー・オブ・アイディアズ研究がすでに西洋人の手によって行われている。二十数年前、イギリス・オックスフォード大学のレイモンド・ドーソンは『ヨーロッパの中国文明観』(田中正美他訳、大修館書店刊、一九七一年)という書物を刊行した。それはマルコ・ポーロ以降、幾世代にもわたるヨーロッパ人が中国をどのように理解していたかを通観することによって、ほかならぬイギリス人の精神史を捉え直してみようとしたものである。また似たような例だが、シカゴ大学教授D・F・ラックのエッセイ「中国像の変容」(『東方の知』所収、平凡社刊、一九八七年)もヨーロッパが自らを見つめるために捏造した幻の中国という「鏡」を通しての思想史研究の試みである。

こういった仕事がいわゆる「進歩主義」や「歴史主義」の行き詰り、端的には西洋中心史観の破綻に伴って現われていることはいうまでもない。本書でも触れているように、ポール・コーエンの『知の帝国主義』（佐藤慎一訳、平凡社刊、一九八八年）やエドワード・W・サイードの『オリエンタリズム』（今沢紀子訳、平凡社刊、一九八六年）などは、いずれも西洋人の「自民族中心主義」――中国を含めてオリエントに対する西洋人の思考のパターン、知のありかた、物言い――に厳しい批判を浴びせた書物である。

人類は、二度の大戦の惨禍を経て、さらに環境破壊、資源枯渇などのかつてない苦境に直面している。従って、歴史意識のレベルにおいて自らの来し方を反省せざるをえない。とりわけ世界史をリードしてきた西欧文明の進歩観念、その知的、文化的伝統に対する懐疑と告発の声が聞こえるようになった。その声は、あるいは第一次大戦に前後して書かれたシュペングラーの『西洋の没落』（一九一八、二二年）に遡ることができるかもしれない。またルイ十四世治下の三十五年間に、ヨーロッパ人の自然観、世界観に現われた激変の様相を鮮やかに再現してみせたポール・アザールの『ヨーロッパ意識の危機、一六八〇―一七一五』（一九三五年）や、ヨーロッパの知におけるさまざまなタイプのディスクール（言説）を記述し、その認識体系の精密な解明を試みたミシェル・フーコーの前掲書『知の考古学』も同じ問題意識を共有しているといえよう。そして、このような問題意識に基づく人類知性への反省作業は、例えば文化人類学研究、比較文学・比較文化研究、地域研究などの分野において今日もなお進行中である。

『現代アメリカ知識人と中国』は「知の中国」より、「情念の中国」を問題にし、しかも、それをめぐるアメリカ知識人の思考様式に批判的検討を加えた点においては、前述した知的作業の系譜に属しているともいえる。アメリカ知識人の中国像の移り変わりに接して、彼らは人種的にも知的にもヨーロッパの末裔であるということがよくわかる。一九七〇年代初期の米中接近によって訪れた「中国ブーム」や「開かれた革命中国への共感」（第一章）

に始まり、一九七〇年代末から一九八〇年代初期にかけて「毛沢東中国」「文革中国」に対する偶像破壊（第二章）へと転じたアメリカの知的状況は、十七世紀のライプニッツ、ヴォルテールなどの啓蒙哲学者の中国文明への憧憬や、イエズス会士のシノフィリズム、芸術家のシノワズリの流行に代表される中国観が、やがて十八世紀中葉以降の、合理性、良き政体、田園生活のモデルとしての中国に対する幻滅へと移行したという「共感から侮蔑への神話」を連想せずにいられない。著者自身もディヴィット・カウトの『同調者——啓蒙主義の末裔』（一九七三年）を引用し、両者の相似性を指摘している（第一章）。

ところで、本書は「西洋人が観念してきたものとしての中国」を問題にした一連の先行研究の延長線上にある一冊にすぎないだろうか。いままでの如き「内部告発」ではなく、外部からの目でみるという違いはともかくとして、『現代アメリカ知識人と中国』は先行研究とは違って、中国像の変容にではなく、社会成層や時代環境によって共有された価値体系やイメージを、アメリカ知識人の中国像という事例に照らして、一度は個人のレベルに還元、相対化し、それによって両者の関係と相互作用を明らかにするところに叙述の主眼を置いた。これが本書の新味であり、魅力でもある。いわば「思惟と状況」の関係を問う知識社会学的試みである。

アメリカでは、知識社会学の祖といえば、一般にシェーラーではなく、マンハイムであるといわれる。マンハイムの基本論点は、知識、思想その他の文化現象はすべて社会的、歴史的脈絡のなかで理解されなければならないというところにあった。思想が「状況に拘束されている」と表現し、認識と存在とのかかわりを強調した。

このマンハイムの理論は、「社会的思惟」の「歴史性」と「イデオロギー性」を指摘した丸山真男の説とともに著者の方法論と視座に深くかかわるものである。具体的には、著者はアメリカ知識人の中国像変容の軌跡をその「通時的拘束」と「共時的拘束」に即して検証していく。例えば、一九七〇年代初期に盛り上がった「革命中国」への共感の背後には、進歩信仰の崩壊や既成価値に対する若きラディカルの反逆といった、ベトナム戦争を経験したアメリカ社会の不安な状況が確認できる（第一章）。八〇年代に入って、「文革中国」の「実態」をあばき、偶像破壊へと転じた言説は、アメリカ国内における「新保守主義」の台頭というパブリック・ムードの変化に照応する（第二章）。さらに、八〇年代半ば以降、中国の「改革・開放」政策に寄せた熱っぽい期待と楽観主義は、アメリカ社会の「プラグマティズム」的な体質につながる（第三章）。

この一連の検討は知識社会学理論の援用であるが、次の一点だけはマンハイム体系との明確な違いを示している。すなわち「知識人」についての分析がそれである。マンハイムによれば、すべての階層が社会的、政治的国民生活において新しい位置に移動する場合、あるいは諸個人がある社会経済的脈絡から別のものへ移行する場合、必然的に新しい観点が古いイデオロギーの上に重ねられ、人人は相関的思考に慣れ親しむようになる。だが、例外的な集団が一つある。知識人がそれである。知識人は実に頻繁にさまざまな状況を経験し、特定な社会的脈絡に組み込まれない点では、特殊な集団であるという。フリッツ・K・リンガーによれば、マンハイムは知識人を世俗にまみれたイデオロギーの世界の上にもちあげることによって、実質的に彼らを知識社会学の適用から除外したのである（リンガー『読書人の没落』名古屋大学出版会、一九九一年参照）。

『現代アメリカ知識人と中国』は、その分析、検討の光をほかならぬ知識人にあてることによって、マンハイム体系のこの弱点を乗り越えたことになる。

政治的、経済的権力によって「疎外」されながらも、「権力」と「権威」にたえずかかわり、あるいはかかわることによってしか自らのアイデンティティを獲得できない、というのが現代を生きる知識人の宿命であるかもしれない。一方、知識人の社会的思惟と表白は彼らの生きる社会の政治的、経済的諸力と密接な相関関係にあると同時に、他者（他社会）に対する諸力の支配行為にも拘束される。著者の「知識人論」は、このようなキーポイントに沿って展開されているように見受けられる。

機械と大衆の登場の時代は知識人の失意の時代でもある。現実に対する不満、権力との距離からくる焦燥感は、彼らをユートピアに駆り立て、そこにもう一つの「現実」を見出させる。「情念の中国」はアメリカ知識人にとって、すなわち、こうしたもう一つのリアリティなのだ。中国をめぐる彼らの言説を検証し、中国を語る時、実は中国の現実そのものではなく、中国という「鏡」を通して自らのアメリカを「共時的」に語り、その「鏡のなかの自己像」にある時は〝自己陶酔〟し、またある時は〝自虐的〟になって一喜一憂するという、彼らの抗しがたい性癖を著者は指摘する。こうした分析に接すると、平川祐弘氏が「中国の農民であるよりは開拓期のアメリカ農民の心情を示しているような気がしてならない」と評した、パール・バック女史の『大地』が思い出される（平川祐弘著『小泉八雲とカミガミの世界』参照）。

「知と権力」に関する分析は本書のもっとも生彩を放つ部分である。例えば、著者はいう。現代知識人はつねに権力との曖昧な関係に置かれ、彼らの「疎外感」とその「ユートピア志向」とのあいだに、ある種の表裏一体とした関係が看取される。そうした関係のなかから導き出しうる仮説——多くの知識人が自国の社会について批判的になりながら、他国の社会について無知であるか、極度に寛容となりがちだ——も興味深い。この仮説をさらに敷衍すれば、現代知識人は「官僚化」と「大衆社会化」の高度に発達した状況のもとで深い「疎外感」と無力感に襲われつつ、自国の社会での反権力と他国の社会でのユートピアの実現とを直接的に結びつけることによって、自らの精神的挫折感の解消をはかりがちだということになる。このすぐれて「今日的状況」はアメリカ以外の社会にもあてはまる。実際、ここに剔出されたアメリカ知識人の問題性は、日本の知的世界にとってもアクチュアルな意味をもっているであろう。著者も「終章」で触れているように、「開かれた革命中国」への多大な共感と礼讃を示した知的状況は、日米の知識人に共通した現象であった。また、米中関係に考察の主眼を置いた本書は日米関係にもある程度、光をあてたといえる。なぜなら、アメリカ人の「心情主義」や「感傷」は中国のみでなく、日本にもむけられているからである（この点に関しては、長尾龍一著『〃アメリカの世紀〃の落日―「極東文明化」の夢と挫折』ＰＨＰ研究所、一九九二年、を併読していただきたい）。実際、「他の国との関係において、現実的で、そして本当に必要となっている成果を達成することよりも、むしろわれわれ自身についての自己満足的イメージを増幅させるために、他の国に対する政策を形成しようとする相変わらずの傾向」を指摘したアメリカの外交史家ジョージ・ケナンの言葉は、米中関係だけでなく、日米関係を理解するのにも、極めて示唆的だといわねばなるまい。

ところが、このようにすぐれて知的刺激に富むこの書物にも問題点がないわけではない。筆者にいわせれば、「知識人」の共通性を強調するあまり、「アメリカ」の個性をおろそかにしたきらいがないとはいえない。著者は現代知識人の置かれた状況――「物象化された人間の疎外現象」「管理化された大衆社会」――を語る時、ほかならぬ二十世紀のアメリカ社会を念頭に置いている、また「終章」において中国観についての米日仏知識人の「共時的比較」を試みているが、「アメリカ知識人」の特質を浮き彫りにするためには、やはりその歴史体験に触れなければならないであろう。

知識人は特定な階級に属さず、政治的、経済的権力からも一定の「自律性」を保ちながら、知的生産に携わる特殊な人間集団として、さまざまな社会にあてはまる「普遍性」をもっている。しかし、同時に彼らはある民族群体を構成する有機的一部として、その民族の伝統、歴史体験に深くかかわり、それを共有している以上、彼らの性格にはそれぞれの体験による独自な烙印が刻まれていることは否定できない。中国の知識人は政治と精神との合体をはかる読書人的体質をひきずっているし、ドイツの教養市民層は陶冶を重んじ、文明と文化を峻別する人文主義理念に深く侵されている。フランスの知識人にとって、ユマニスムの伝統はやはり特別な重みをもっているに違いない。

アメリカ精神の源流について、日本におけるアメリカ研究の道を切り開いた高木八尺教授はピューリタニズムとフロンティア精神をとりあげた（本間長世著『アメリカ史像の探求』東京大学出版会、一九九一年参照）。アメリカ知識人の「中国像」に見られる道徳主義的傾向とセンチメンタリズムも、広い意味でともにピューリタニズムの遺産としてうけとめてよいのではないか。アメリカ知識人に対する「過去からの拘束」を十九世紀にのみ求めるのでなく、さらにアメリカ史の深層に求めれば、いっそう開かれたパースペクティブが現れてくるに違いない。（ミネルヴァ書房）

（日本文化会議『文化会議』一九九二年十二月）

朧ろなる風景

表現のメディアこそ違いますが、文学者の筆致、格調、まなざしなど画家のそれを連想させるようなことはしばしばあります。鴎外の景物描写をデューラーやファン・アイクの細密な銅版画になぞらえて、彼が文学者としていちじるしく視覚型の人間である、とかつて山崎正和氏はそう論じたことがあります。鴎外は生理的な視力に天性優れていたかどうかはともかくとして、微細をうかがった即物的描写力は、医学者という職業に幾分あずかっているようにも思われます。

荷風は若い頃、アルバイト感覚で一時銀行員をつとめたことがあり、外遊より帰った後、しばらくは大学の教職にもつきました。しかし、その生涯の大半は文筆に徹した「高等遊民」でした。荷風の観察は、ある特定の職業に色を染められてはいないものの、やはりどこかその生活のスタイルに依存しているように思います。

荷風は無性に散歩が好きな人でした。古寺を歩き、陋巷を歩き、下町を歩き、墓地を歩き、崖、河岸、水路、閑地……荷風はひたすら徜徉し、観察し、感傷にひたる。気のむくままに足を運び、意の尽きたところ立ち返る。散歩する荷風はいつの間にか景色のなかに没入しますが、その筆先におのずと風景が生まれます。

風景を表現の手段に取り入れる小説家はざらにいます。だが、風景そのものを表現しようとする書き手がいるでしょうか。おそらく、荷風ほど風景にこだわり、執拗にそれを追い求める作家はそう多くはいません。荷風の小説で、私の好きな作品に『すみだ川』があります。俳諧師の羅月が今戸で常磐津の師匠をしている妹を訪ねるところから、ものがたりは始まります。日盛りの暑さも和らいで秋立った夕方、羅月は小梅瓦町の家を後にテクテクと今戸をさして歩いていった。堀割りを通り、田圃を通り、行水をつかっている女房の姿を、よそ見をし、見事に咲き乱れた蓮の花を眺め、青々した稲の葉に夕風のそよぐ響きを聞きながら、羅月は古人の句を思い返す。吹きはらう河風に桜の病葉がはらはら散る土手へ上がると、暮色に隠れるすみだ川の風景が目の前に現われます。

……正面に待乳山《まっちやま》を見渡す隅田川《すみだがは》には夕風を孕《はら》んだ帆かけ船が頻《しき》りに動いて行く。水の面《おもて》の黄昏《たそが》れるにつれて鴎《かもめ》の羽の色が際立《きはだ》つて白く見える。宗匠は此の景色を見ると時候はちがふけれど酒なくて何の己れが桜かなと急に一杯傾けたくなつたのである。

昭和十年、小山書店版の『すみだ川』に寄せた序文に、この作品に描かれた人物および市街の光景は明治三十五六年の時代である、と荷風は言っています。河蒸気船や電車なども登場したところを見れば、作品の写実的バックグラウンドは荷風の言うとおりかも知れません。ところが、この一篇の眼目は、急激に変貌しつつあった明治三十年代の東京のおもかげを書きとめようとしたのではなく、むしろ、もう一つの幻想の空間をつくりあげるところにあるように感じられます。羅月の眺めたすみだ川の風景は、はるかな過去の、荷風の未生以前の、広重も北斎も彼がこよなく愛した蜀山人も杖を曳いて流連していた風景ではないでしょうか。

実は、大正二年に成った「第五版すみだ川之序」において、荷風は自ら創作意図を告白しています。隅田川の両岸のすでに廃滅に帰せんとしている昔の名所の名残ほど自分の情緒に対して一致調和を示すものはない、自分はわが目に映じたる荒廃の風景とわが心を傷むる感激の情とをもって何かを創作しようと企てた、これが小説すみだ川である、と。子供の頃に見覚えた朧ろなる過去の景色と、絶えず荒廃の美を追究しようとする作者のやみがたき主観的想像とが重なってあの伝説の美を呼び起こし、隅田川なる風景を再生して幻想の空間をつくりあげます。

この朧ろなる風景は、荷風の芸術的観察・表現の特質を端的に示しています。それは作者の魂を安住させる彼岸の風景、心の内なる風景です。絵になぞらえれば、観察された対象の隅々を再現させる細密な写実画ではなく、隅田川に象徴された、明治日本ですでに失われたあの調和の美を求めた作者が、それに接した刹那の感受をスケッチした、いわば写意画の類に入るでしょう。だからこそ、この小説中に現された幾多の叙景は、篇中の人物と同じく、いや、時としては人物より以上に重要なる分子として取り扱われている、と荷風は言うのです。

荷風の創作を考えるにあたって、『すみだ川』は、普遍的な意味をもっている一篇です。風景というのは、荷風が生活していた東京の現実空間の切りとられた一部であるとともに、つねに廃滅した江戸時代の歴史空間を映し出しています。同様に、荷風の市中散歩は、単なる肉体的運動にとどまらず、彼の身にとっては、生まれてからの過去の生涯に対する追憶の道を辿るという精神的活動にほかならないでしょう。したがって、風景はつねに風景以上のものでなければなりませんし、また極めて主情的で、朧ろなるがゆえに、作者の情緒の変遷によって変貌を余儀無くされます。昭和十一年に書かれた「放水路」には、次の一節があります。

四五年来《らい》、わたくしが郊外を散行するのは、曾て「日和下駄」の一書を著した時のやうに、市街河川の美観を論述するのでもなく、又寺社墳墓を尋ねるためでもない。自分から造出す果敢《はかな》い空想に身を打沈めたいためである。平生胸底に往来してゐる感想に能く調和する風景を求て、瞬間の慰藉《ゐしゃ》にしたいためである。その何が故に、又何がためであるかは、問詰められても答へたくない。唯をり〳〵寂莫を追求して止まない一種の慾情を禁じ得ないのだと云ふより外はない。

戸田橋あたりのあの荒涼たる放水路の風景は、そのまま戦争前夜の、索漠と沈寂にある荷風の心像ではないでしょうか。荷風は歩きつづけ、風景を求めつづけました。それはもとより無常悲哀の寂しい詩趣、詩情を味わおうとした審美的欲求に支えられたのですが、と同時に、彼の歴史観、文明批評の性格に深くかかわっていると思います。新帰朝者の荷風が、過ぎ去った江戸時代の文化を追懐し、その調和の美にあこがれ、その荒廃を惜しむ情を禁じ得ないのは、とりもなおさず明治日本の不調和を批判したためです。帰国途上の船中で出稼ぎに行くイギリスの労働者の歌う流行歌を聞いた時、荷風は思わず感慨をもらしました。「幸福な国民ではないか。イギリスの文明は下層の労働者にまで淋しい旅愁を託《たく》するに適すべき一種の音楽を与へた。明治の文明。それは吾々《われ〳〵》に限り知られぬ煩悶を誘《いざな》つたばかりで、それを訴ふべく託すべき何物をも与へなかつた」と。

帰朝後の荷風の目には、明治日本は自然も社会生活も索漠蕪雑な一色としか映りませんでした。貧相で厚みも重みもない物置小屋のような西洋建築、山から切り出してきたばかりの生々しい丸太を用いた電柱、その上にベタベタ貼ってある意匠の技術を無視したペンキ塗りの広告。こういった社会外観の不調和に嫌悪を示したのみでなく、国民生活の精神面の不調和にも批判の目を向けるのです。明治政府が懸命に西洋化政策を押し進めているにもかかわらず、日本人は依然としすべて「恋愛の至情はいふも更なり、異性に対する凡《すべ》ての性欲的感覚を以て社会的最大の罪悪となされたる法制を戴くものたり。泣く児《こ》と地頭《ぢとう》には勝つ可からざる事を教へられたる人間たり。物云へば唇《くちびる》寒きを知る国民たり」と荷風は嘆きます。『ふらんす物語』の一篇で、「新嘉坡の数時間」にある日本人夫婦の描写は、こういう内面の不調和に歪められた国民性に対する荷風の鋭い洞察を窺わせます。

荷風の日本近代化批判について、その耽美主義的性格を従来多くの論者に指摘されましたが、そればかりではなく、彼の批判が奥深い歴史感覚に根差しているものと認識しなければなりません。約一年間のフランス滞在で、文明の外観に眩惑されずに、文明を歴史伝統との連続性において捉えることの重要性を荷風が体得したと思います。「西洋と云ふ処は非常に昔臭い国だ。歴史臭い国だ」という言葉でもわかりますように、荷風のフランス体験は、調和の美感覚を身につけるとともに、歴史の発見の旅でした。

文明批判の思想とともに、荷風が文学の原風景も、遠い昔のフランス留学時代に見つけたのではないか、というような気がしてなりません。のちに廃滅していた時代の風景を思い描いた時も、自らの青春の息吹を残したフランスの面影をオーバーラップさせます。放水路や小名木川あたりの水門を見れば、荷風の目にはフランスの南部を流れるロオン河の急流に、古代の水道《アクワヂカ》の断礎の立っている風景を憶い起こさせ、父が上海より持ち帰った「来青花」を眺めると、橄欖樹の花と南欧海岸の風光やリラの花香とパリ庭園の美を連想したのです。『ふらんす物語』の「秋のちまた」は、すでに『すみだ川』や「雨瀟々」の幻景を先取りしているように思われます。

荷風の風景が朧ろなるがゆえに、人工的であるがゆえに、かえって時代を超える永劫性と思想性を獲得したのです。東京人が郷愁を覚えるあの過ぎた時代をまったく知らない、私のような異邦人も、その風景に引かれ、吸い込まれ、誘惑されます。荷風の「虫の声」を読んでいるうちに、北京の町で送っていた日々の薄らいだ記憶、子供の折に見覚えた朧ろなる過去の景色、窓の下の籠にキリギリ〳〵と鳴いていた蟋蟀《こおろぎ》の声が懐かしさとともに蘇ってきたような気がします。東京で暮らしていた頃、神田川沿いによく散歩していました。時折、あの「東京散策記」を思い出して、ひょっとしたら、日和下駄《ひよりげた》をはき蝙蝠傘《こうもりがさ》をもって歩いている荷風散人に出くわすかもしれないという錯覚を覚えたものでした。

（岩波書店『荷風全集』第十六巻月報、一九九四年五月）

雪に包まれた街

もう何年も前のことだ。記憶はさだかでないが、格子の引き戸の横に、赤い提灯がさがっていたことだけはよく覚えている。店のなかは柔らかい黄色い光に包まれ、中央奥の調理場のまわりに常連らしい数組の客が座っていた。年代の経った柱や梁（はり）などが黒っぽく光、使いこまれたみごとな木肌を見せる卓、調度がおのずと店の品格をものがたっている。

客たちは思い思いの話に興じているが、騒がしさを感じさせず、そこらの酒場と一味異なる情緒が漂っていた。「老舗《しにせ》ですね」と僕が話しかけると、「ここは古いですなあ」と僕を連れてきた同僚のS先生はいった。

「なにか珍しいものをとりましょう」暗赤色の炭火のうえに、風変わりな魚がのせられた。尖った口は武士の剣に見え、角ばっている体は鎧《よろい》を連想させる。ほのかな白い煙がたちのぼると、焼き魚の香りがあたりにたちこめて食欲を誘う。しばらくして、オーナーの中年の男が丹念に焼き上げた魚を皿にもりつけ、卓に出した。

「ハッカクですよ」美食家のS先生はこう教えてくれた。生来魚好きの僕は生まれてはじめての美味に思わず舌鼓をうった。驚いたことに、ハッカクの骨までが丁寧に料理されて出された。歯ごたえといい、味といい、極上の一品である。

S先生はもうすでに「亭主元気で」といわれる齢を過ぎて家では自由の身である。小学生時代は北京で過ごし、あの古都の風物人情にいまだに親しみを抱いている。しゃれた杯で酒を飲み、ハッカクの骨をかじりながら先生の懐旧譚に耳を傾けている僕は、一瞬のうちに作家老舎の描いた古きみやびた北京の茶館に身を置いている錯覚を覚えた……

その後、僕ひとりであの店を訪ねようとしたが、なかなか所在がわからなかった。思うにあの晩、酒がかなりまわっていたし、陶然とした僕は店の名はおろか、どう家に帰ったかも覚えていない。あれは夢かうつつか幻か、もしかすると桃源郷の酒家に紛れ込んだのではないか。もう二度とあの店に戻ることはできないという幻想は、僕を愉快にしてくれる。そうだ、あれは幻ではない。宝石をちりばめたような夜のススキノの街のどこかに、あの赤い提灯がきょうもともっているに違いない。

H君は僕の研究室の常連である。四年生の彼は、就職がまだ決まっていないが、信ずるところを一途につらぬく好青年。夢は旅行会社につとめ、中国に行くことだという。ある日、H君と雑談して、話が北の自然におよぶと、「先生、北海道で免許をとったほうがいいよ」、とH君はいった。僕が車の教習所に通いはじめたのは、その後まもなくのことである。

一年あまりのあいだ、二万キロ近く走った僕は、北の大地にすっかり魅了された。北国の風物で、もっとも印象的なのはポプラの木である。晴れわたった青空、遠い山の稜線《りょうせん》を背景に、「天にとどく祈りのように淋しく立っている」ポプラ並木はそこはかとなく僕の郷愁を誘う。故国にいたときはさほど意識しなかったものの、北京に生まれ、育った僕にとって、「ポプラのある街」はやはり記憶の深層にひそむ原風景のひとつであろう。

車の旅はすべて快適というわけではない。雪道に立ち往生したときの焦燥と恐怖は、実際に体験しなければわからないものである。それだけに、大雪の夜、車の脱出を助けてくれた青年のことは忘れられない。姓名を尋ねようと思ったが、のどにのぼりかけた言葉をのみこんだ。これはなにか報われることを期待しての行為では決してないのだ、と雪のなかに消えさった青年の車の尾灯を見送りながら僕はこう考えた。

雪の札幌は美しい。雪に包まれた札幌の街はどことなく人生のぬくもり、生命のいとおしさを感じさせる。それは名曲「雪の降る街を」の世界であり、三好達治の二行詩の世界である。

〝太郎を眠らせ、太郎の屋根に雪ふりつむ……〟

（コラム「日本で活躍する若き中国人博士たちの研究と交流の日々」
（『日本と中国』第一五四七号、一九九五年、原題は「我が町札幌」）

平川祐弘著『マッテオ・リッチ伝』を読む

ひとりの人間の歴史とは、その人の人格が時代にしるした刻印であり、そしてその刻印を解きあかす作業である。

ほとんどの人は歴史を持たないと言ってよい。かれらは、時の砂浜に虫の歩みにも似たかすかな跡をつけるにとどまる。しかしある者は、さらに深く岩盤をうがち、けずり、刻んで、永遠に消しがたい道を残す。

ブリュックベルジェの『キリスト伝』は、このように書き起こされている（『キリスト伝』別宮貞徳訳、筑摩書房、一九七四年）。著者自身のキリスト者としての長い思索と体験をふまえた言葉であるに違いない。一方、聖俗にかかわらず、真摯に生きる人々への箴言として評者には興味深い。

一五八三年、イタリア人イエズス会士マッテオ・リッチは、はじめて中国の広東に足を踏み入れた。本人がどこまで自覚していたかは知るよしもないが、彼はまさに世界を中国に結び、あるいは中国を世界へ結ぶ道に、永遠に消しがたい足跡を残すことになる。キリスト教東洋布教のパイオニアとして、二十七年も中国で余生を過ごしたリッチ神父は、言うまでもなく宣教史に名を留めるべき人物である。だが、深く岩盤をうがち、けずり、刻んだリッチ神父の人生記録は、宗教史の枠組におさめるのには、あまりにも多彩であり、波瀾に富んだものであった。そこには、文化の境界があいまいとなりつつある現代を生きるわれわれの興味をそそる多くのものが秘められているようである。その刻印の一つ、一つを掘り起こし、解きあかしたのが、昨年（一九九七）の暮れに遂に完結した平川祐弘氏の『マッテオ・リッチ伝』（全三巻、平凡社東洋文庫）である。

第一巻の刊行より数えれば、すでに三十年近くもの歳月が閲している。その間の著者の関心と問題意識が、続巻にも時には交錯して現われているように思われる。これだけ時の懸隔があるにもかかわらず、全三巻は一本の明晰なラインに貫かれている。すなわち比較文化史上の傑物、地球上に現われた最初の「世界人」、東西文化の葛藤を深く味わった「越境人」という視点によって、マッテオ・リッチの生と死のドラマを描き出している。中国語版に寄せた著者の序文には、こんな一節がある。

私のリッチへの関心は、彼が宣教師であることよりも、彼が東西の二つの文化を自己のものとした「二本足の人」であることに由来する。その意味ではリッチは私が理想とする人々の先駆者でもあるのだ。

この「理想とする人々」の系譜には、福沢諭吉、森鴎外、夏目漱石――著者が次々に研究のテーマにとりあげた人物――などが姿を現していることを思うと、『マッテオ・リッチ伝』に著者の学問研究の原点を見る思いがする。伝記というジャンルは、フィクションとは違う。一個の作品として自立し得るような場合でも、イマジネイションの空間は与えられた枠のなかに拘束されてしまう。評伝の魅力は作者の空想によって生み出されるものではない。史実に埋もれ、あらゆる憶測を拒否する対象。どこまで対象の表情、呼吸を読みとるか、と史料に肉迫する書き手。その両者の緊張関係のなかに於いてはじめて浮かび上がってくるものではないだろうか。アジアの各地で漂泊の旅をつづけたN・カメロン氏はかつて『野蛮人とマンダリン』のなかで、リッチのことに触れて印象的な一節をこう書き記している。

> リスボンから出帆して、リッチは生まれてはじめて、それもまた最後に、ヨーロッパに別れを告げた。彼が書き残した著述のなかには、片言の悔みや、欧州への郷愁も見あたらない。その余生において、この二つの情感を抱いていたかも知れなかったが、彼はそれを筆墨にすることはついになかった。(Nigel Cameron, *Barbarians and Mandarins:Thirteen Centuries of Western Travellers in China*, Oxford University Press,Hong Kong, 1989.)

遠く離れた異郷で、孤独な日々に耐えたリッチ神父はいかなる人間なのだろうか。『マッテオ・リッチ伝』は、知性のレベルで人物を把握し、分析するにとどまらず、人物の感受性の世界に深入りして、人間記録としての貴重な文字の数々を掘り起こしている。同じイタリア語による一次史料ではあるが、晩年にまとめた報告書とともに、あるいはそれ以上に、その公式報告書に優るとも劣らぬと言われるリッチの手紙を随所に引用していることは『マッテオ・リッチ伝』の一大特色である。なにしろ回顧して書かれた報告書に比べ、その都度書かれた手紙には、その時その場の印象が鮮明で、細部の肉付けまでが浮き彫りされて見えるから、人物の風貌、肌触りを生き生きと読者に伝える。瞿太素との出会い、南雄での体験などを記述した個所（第一巻、五五、五六、五七章）や、南昌で建安王との交友の経緯を記したくだり（第一巻、六七章）、それにリッチの死を描いたところ（第二巻、一一七章）などは、いずれも生彩に富む文章である。

　マッテオ・リッチは、東洋史の教科書や概説書にも、利瑪竇の漢名でしばしば登場する人物である。イタリア語で手紙や報告書などを書き残したほか、西洋人として初めて中国の古典学問を身につけ、多くの漢文著述を表わした。東西文化の葛藤を如実に伝えるこれら「越境人」の文業は、思想史研究にとっては重要な文献であるにもかかわらず、従来の学問分類の枠組に囚われて、全体にわたって充分な検討がされてこなかったのが実態であろう。この意味では、『交友論』、『天主実義』、『二十五言』、『畸人十篇』についての、著者の緻密なテクスト分析、解読は、今後の研究を切り開くのに大切な礎石を据えたのである。

　『交友論』以下の漢文著述は、十六世紀の中国で通用された書面語で書かれている。交際していた文人が文章の潤色にかかわっていたようだが、リッチ自身も最高の文体を心がけ、やたらに新語を造ったり、無理をしてこの言語の特性を傷つけるような表現を避けて、中国語文章の修辞作法に従った。しかし、これらの漢文を解読する際、作者の出自、その文化的背景を念頭に置かなければ、著述の文脈や作者の真意をなかなか把握しきれない。これらの文章の背後に、「利瑪竇」、「リッチ」の二人の作者がいる、という著者の指摘は興味深い。

　フランスの中国学者ジャック・ジェルネ教授は『中国とキリスト教――最初の対決』（鎌田博夫訳、法政大学出版局、一九九六年）において、リッチの中国語著述にふれ、その文体への配慮を分析する一方、「キリスト教とはまったく異なる中国の伝統と観念から生まれた語彙に頼るなら錯誤に陥ることもあった」と既成用語依存の危さを指摘した。その例として『天主実義』に出てくる「人欲」と「天理」をとりあげたのである。しかし、牽強附会や誤用などは見方によれば一種の方便、あるいは策略として読みとれないことはない。利瑪竇として「吾天主乃古経書所称上帝也」と主張したリッチは、イタリア語『報告書』で、天帝のことを、不定冠詞をつけた「一つの至高神」（un supremo nume）と称して、キリスト教のデウスと同一だとは言わなかった（第二巻、一二五章参照）。イタリア語文献と漢文著述との比較参照を通して、著者はリッチの心の襞にメスをいれ、陰翳に富む表情を伝えている。

『天主実義』に登場するアウグスティヌスの童子（一二七章）、ピタゴラス（一二八章）、聖フランチェスコの故事（一三四章）、聖ルッフィーノの故事（一三五章）などは、いずれもリッチが育ったヨーロッパの文化背景をものがたる好例であろう。テクストに即した分析、解読に、著者自身の体験を交えながら、さらに『妙貞問答』や、『西洋紀聞』へと話を繰り広げていく手際は鮮やかであり、比較文化論の妙味をぞんぶんに発揮している。

ルネサンスの洗礼を受けたリッチは、キリスト教とともに、西洋の論理的思考や、地理新発見をふまえた世界観、人文主義的人間観を明末の中国人に伝え、西学東漸の道を開拓した。それと同時に、彼は中国という西洋と異なる別の文明を発見し、その事実をヨーロッパへ伝えた。自ら中国語を学び、四書五経の学問を身につけたリッチは西洋における最初のシノロジストとなったのである。リッチ以下のイエズス会士の中国報道は、ヨーロッパ人の好奇心をかき立て、思想界にも広く波紋を呼び起こしたのである。第三巻の第十二部で、著者は十七、十八世紀ヨーロッパにおけるリッチの中国発見の思想史的余響を辿りながら、こうした「シナフィーバー」の現象をあくまで、西洋自身の知的条件と文脈において理解せねばならないと冷静に注意を促した。これから先も起こるであろう東西文化交流に伴う幻想の歴史の先例として、イエズス会士のシナ発見の思想史的意味を問うという著者の批評態度に、「史を鑑とする」古訓が思い起こされる。同時に二十世紀のナショナリズムの消長を経験した今日の読者は、ユートピアをめぐる見果てぬ夢の数々を脳裏に思い浮かべているに違いない。

　中国人は政治的な国民だとよく言われる。いわゆる「東洋的専制」を連想する人も多いだろうが、支配者の資質を重じる、いわゆる「徳治主義」の伝統が生み出した科挙制度は、中国政治文化の世界への一大貢献であると言える。十八世紀初頭のイギリスは、与野党のあいだに、激しい政争が交わされた時期であった。『スパルタ国王クレオメニスに与える手紙』（*letter to Cleomenes, King of Sparta*, 1731）は、在野の立場をとるバジル（Eustace Budgell）なる人物が発行した小冊子で、能力主義にもとづく官吏登用という中国の「準則」を引きあいに出し、与党政治を批判している（範存忠『中国文化在啓蒙時期的英国』参照、上海外語教育出版社、一九九一年）。イギリスだけではない、当時のヨーロッパにおいては、中国の制度——文官試験制度と御史諫議制度——が広く注目されていた。その情報源を辿ると、即ち、リッチの明末科挙についての報告であった。科挙の試験制度がヨーロッパ思想界にいかなる波紋を寄せたのか、またその知的刺戟によって、近代公務員試験制度がいかに定着したのか、さらに、科挙制度そのものがいかに西洋の制度に押しつぶされたのか。それを追跡し、記述した（第三巻、二二〇章——二二四章）著者の批評眼は、歴史の大きなうねりをみごとに捉えている。そして「西洋がいちはやく中国産の制度をとりいれた進取の気性は注目に値する」という著者の言葉は、中国人である評者には、実に意味深長である。

（丸善『學鐙』第四号、一九九八年）

榎本泰子著『楽人の都・上海』

八十年代後半のことだった。アメリカのウィスコンシン大学のリン・ユション教授の著書 *The Crisis of Chinese Consciousness* (The University of Wisconsin Press, 1979) は、『中国意識の危機』という題名で「伝統と変革叢書」の一冊として翻訳刊行されると、たちまち四万部を売り尽くし、中国知識人の間で大きな反響を呼び起こした。「永劫回帰」の煉獄を生き抜いた文革の世代は、歴史の円環を描いて再び出発点に立たされた時、自らの影と闘っていた愚劣を悟り、伝統は決して身外のものではなく、自分たちの意識の深層に沈殿し、浸透し、その血肉の一部と化しているということを痛感したに違いない。だからこそ、五・四期インテリゲンチャの反伝統主義の性質を鋭く分析し、自らが背負っている伝統に無自覚なまま伝統を否定することの不毛さを指摘したリン教授の批評をずっしりと受け止めたのであろう。「序章」のなかに、こんな一節もあった。

> 五四の時期にあれほど支配的であった「文化革命」の呼び声が、人民共和国の歴史のなかでも叫ばれつづけ、一九六六——六九年の「プロレタリア文化大革命」で最もドラマティックに叫ばれたのは、決して偶然のことではない。この二つのいずれの場合も、「文化革命」の要求は、伝統的な思想や価値観に対する敵意に満ちた伝統破壊の姿勢がその特色をなしている。（日本語訳『中国の思想的危機』による。丸山松幸他訳、研文出版）

リン著書のテクスト批判の根底に、明らかに、過去との連続性において捉える二十世紀中国思想史への観照があった。「伝統批判」あるいは「文化革命」は確かに五四時代と文革に共通したテーマであったが、両者の性格は果たして一様のものだろうか。二十世紀初頭、伝統の崩壊に直面し、文化の転型を迫られた五四時代の知識人は、急進的な伝統批判に走ったものの、決して文革期のように、「文化ニヒリズム」に陥ることはなかった。伝統の豊かな土壌に孕まれた彼らの多くは、幾多の模索のすえ、伝統への回帰を躊躇わなかった。同様に行く先の判らぬカオス状況ではあったが、文革期の砂漠の如き荒蕪と対照的に、五四時代は、豊饒な可能性を秘めた混沌であった。

西洋文化をどう受け止めるのか、という問題もそうであった。文革期の中国は、五四時代のナショナリズムをことの極致へ押しつけた一方、そのコスモポリタニズムを片隅に捨ててしまった。近代中国における西洋音楽受容の道筋を克明に描いた榎本泰子さんの『楽人の都・上海』（研文出版、一九九八年）を読んで、「八つの模範劇」を聞かされ、略譜しか教わらなかった世代の一人として、ひとしお感慨深い。

阿片戦争以降の中国の近代は、西欧の力への抵抗であると共に、自らの文明のすべてに対する再検討の過程でもあった。抵抗が無惨な失敗に終わった時、中国の知識人は、否応なしに一つの「文化の敗北」を認めざるを得なかった。「徳先生」（デモクラシー）と「賽先生」（サイエンス）を迎え、「孔家店」打倒が叫ばれた五四時代は、儒教をはじめとする古典的世界観が、全面的に問い直される時期であった。まさにこの時にこそ、西洋の技術、制度、宗教と共に、西洋音楽の移入も可能だったのである。蔡元培の美育思想は、五四期の空気を如実に反映しているし、それに音楽の社会的役割を重んじる彼の儒教的言説は、現代中国における音楽教育の行方を予言していたようにも聞こえた。

蔡元培の準備した理論的な枠組みに沿って、実際に音楽教育を展開していく役割を担っていたのが蕭友梅である。中国初の音楽学校、国立音楽院の創立者である蕭は中国における西洋音楽受容の過程を象徴している人物である。その蕭友梅及び音楽院をめぐる人々の活動を通して、辛亥革命から五四期、そして動乱の三〇年代へと大きく揺れ動いた中国で、西洋音楽がどのように受けとめられたのか、その受容の軌跡を文化史的に描いたのが『楽人の都・

上海』である。中国においても、近代音楽史の研究がかなり遅れており、利用できる資料も限られている。それにもかかわらず、幅広く史料文献を蒐集し、最新の成果を取り入れたのみでなく、関係者のインタヴューまで試みた著者の努力はみごとに実を結び、新しい分野を開拓した意味が大きい。

　蕭友梅は魯迅、周作人とほぼ同じ時期に日本に留学し、東京音楽学校でピアノと声楽を学んだという。それは西学東漸の流れに近代日本の占めた位置を物語るもう一つのエピソードであった。後にドイツへ留学し、理論作曲を学んだ蕭は西洋音楽移入のパイオニアとなる。彼が最初に注目したのは、欧州の楽器、記譜法と和声であって、いわば「器」のレベルで西洋音楽を理解していたように思われるが、西洋の技術を以て、中国音楽の改良を試みる構想は、西欧の学問の方法論で「国故の整理」をしようと主張した胡適の立場を思わせる。

　西洋音楽伝来の発端や新文化運動との関わりを概観した後、第三章「楽人の都・上海」、第四章「国楽はどこへ」は、いわば本書の圧巻である。西洋音楽という特殊な媒体の移植と育成は、上海租界という特異な文化空間をぬきにしては、なかなか考えられない。そこには、ヨーロッパの文化が肌で感じられる実体として息吹いている。著者は租界の音楽文化や国立音楽院の誕生のドラマを躍動感のある筆致で描き出し、なかでも中西音楽家の交流、例えば工部局交響楽団の指揮者パーチに宛てた青主の公開書簡、現代西洋音楽の技法と中国素材との融合を試みたアヴシャローモフの創作などの紹介はとても印象的である。

　異文化のインパクトに対する中国人の反響として、青主の書簡と傅雷の音楽評は注目に値する。音楽を「愛」が代表する人間の情動の所産、「魂の言葉」と見る青主の考えと、民族の精神を表現する音楽を如何に創造すべきか、という傅雷の見解に、清末以来、西学を受け入れ、それと格闘し、「国粋」と「欧化」の間に揺れ動いた中国知識人の思考の痕跡を読みとることができる。厳復、康有為、章炳麟の世代から、魯迅、胡適、周作人の世代に至るまで、西学の洗礼を受けながら、西洋の近代に抵抗し、古き文化の復興への模索がつづく。音楽の分野においても、こうした思想史の構図が見えて興味深い。

本書の叙迹の中心は、上海租界に深く根ざした国立音楽院の活動であるため、著者自身も認めているように、当時の全中国の音楽教育状況を代表しているとは言えない。中国における西洋音楽受容の文化史的描出にしては、やや偏狭の憾みがなしとしない。著者が指摘したように、上海音楽界の発展は、ロシア革命による亡命者・難民の流入という特殊な条件を背景にしていた。九十年代に入ってから、中国のロシア人社会についての研究が進んでおり、特にハルピンでの音楽活動に関する書物もいくつか公刊されている。なお国楽の側の反応について、本書もその一部に触れてはいるが、もっと掘り下げて書いて欲しかった。こうした側面も視野に入れていれば、と著者今後の研究に期待したい。

国立音楽院は、一九二七年の上海に誕生した。これは中国現代政治史上記憶に留めるべき時間と空間である。すなわち蒋介石の反共粛清、あの血なまぐさい殺戮の舞台がその時の上海だった。音楽院の成立は小さなできごとに過ぎないが、近代中国の文化状況を物語る象徴的な一齣である。それにつづくあの三十年代の豊饒——思想学術、文学、演劇、音楽、美術などの収穫は、平静で統制のとれている時代にではなく、政治的混乱・分裂、外敵侵入の脅威のもとに達成できたことは、実に寂しい皮肉である。先人たちの努力をないがしろにすることは、歴史に対する冒涜である。三十年代の豊饒と混沌は、これから先も、われわれに一つのネバーエンディングストーリーを語り続けるであろう。（研文出版、一九九八年）

（日本比較文学会『比較文学』第四十一巻、一九九八年）

張偉雄著『文人外交官の明治日本』―中国初代駐日公使団の異文化体験

アヘン戦争以降、外部世界とのかかわりを余儀なくされた中国は、欧米の諸列強に一連の不平等条約を押しつけられる一方で、外部の「夷狄」を差別する、いわば天朝大国の意識を依然として根強くもっていた。それ故、一八七一年に調印された「中日修好条規」は実に画期的なものだった。いわゆる「万国公法」の準則をふまえて、中国がはじめて日本と対等の外交関係を結んだからである。これは、対外政策に強い影響力をもつ李鴻章の実務路線と、日本側の思惑とがそれぞれにはたらいた結果であろうが、条規の成立は清朝の対外交渉の一つの転換点と見てさしつかえなかろう。

中国の初代駐日公使団が東京に派遣されたのは、「修好条規」の調印より数年遅れて一八七七年のことだった。本書はこの清国外交使節の日本体験を考察した著作である。ただ、すでに序文でも断わってあるように、著者の問題関心や資料の制約もあって、本書は公使団の群像全体を描くのではなく、初代公使の何如璋と書記官の黄遵憲に叙述の重点を置いている。なかでもとくに、公使団の中心的存在だった黄遵憲の方により多くの紙幅がわりあてられた。したがって読者は、本書を一種ユニークな黄遵憲研究として読むこともできる。

第一部「公使団の派遣」は、使節派遣の経緯を述べ、公使・何如璋の『使東述略』『使東雑詠』、副使・張斯桂の『使東詩録』などをとりあげ、中国の伝統知識人のメンタリティーや、異質文化に触れた時の動揺と反発を分析する。

第二部「公使団員の文人気質」は、徳川の逸民、漢学者らとの詩文唱和、筆談を通して、公使団メンバーの日常の細部を再現する。とくに「風流逸話」の一章は、従来の研究ではたいてい疎かにされてきた女色談義をとりあげ、好色と好徳へ議論を展開する。人物の内面に迫る著者の筆触は生々しい。

だが、全巻の圧巻は、琉球交渉や朝鮮策略を論じた第三部、および黄遵憲の日本研究を考察した第四部であろう。著者は外交史研究を目指しているのではない、と断わるものの、公使館員と「興亜会」との関係を探った一節などは、従来の研究と異なる独自の見解を示している。それは、文献を細心に読むことによって導かれた結論だけに説得力がある。何如璋、黄遵憲らの詩文、外交活動、日本研究を通して彼らの異文化理解を問う本書は、比較文化論の好著であり、評者にも多くの示唆を与えてくれた。次に感じたことの二、三を記して、書評の責を塞ぐことにする。

黄遵憲は外交官の才能に恵まれていたのみならず、すぐれた詩人でもあった。その本領はもちろん、彼の『人境廬詩草』に見られるが、本書にもしばしば引用されている『日本雑事詩』は彼の思想と見識を示すものとして実に興味深い。梁啓超は『飲氷室詩話』において、黄遵憲を近世詩人の三傑の一人に数え、その特色を「新理想を鋳て、以て旧風格に入れる」と評している。『日本雑事詩』はこの特色を十二分に発揮している。試みに「新聞紙」の一首を録す。

一紙新聞出帝城　一紙の新聞帝城に出で
伝来令甲更文明　令甲を伝来して更に文明
曝簷父老私相語　簷に曝せる父老私に相語り
未敢雌黄信口評　未だ敢えて雌黄口に信せて評せず

周作人はこの詩を「定本」のそれと比較してこう語る。「詩として議論すれば、いうまでもなく原本のほうが良い。微かに諷諫の意味をもち、言論不自由の時代において、あるいは更に読者の共鳴を呼ぶものであろう」（「『日本雑事詩』」『逸経』三期、一九三六年四月）。文中の「言論不自由」云々は、原本の注にある「さらに政治を誹謗したり、個人の過ちを非難する者に対する法律をもうけて、その放縦になるのを防いでいる」の一節に触発された言葉ではあるが、実は言論不自由の時代に身を置いている周作人自身が「感有りて発した」ものでもあろう。原本の注を細心に読めば、黄遵憲の真意がわかる。法律と放縦の関係、この西洋市民社会における自由の本質に注目した黄遵憲の眼差しは、後年のアメリカ議会や選挙に関する彼の観察とも一脈通じるものがある。その詩を読み、その文章――例えば梁啓超に宛てた書簡――を読むと、時には「五・四」の諸賢より、清末の黄遵憲のほうが、いっそうわれわれの身近にいる、という錯覚すら覚える。これは果たして評者一人の所感だろうか。

黄遵憲の日本研究の集大成は、四十巻の『日本国志』」である。その刊行に先立って発表された『日本雑事詩』は、いわばその詩歌版であろう。読み通していくと、ちょっとした百科全書の感がある。そして読者は、黄遵憲より四年先に日本を訪れたチェンバレンの『日本事物誌』を思い起こすことであろう。『日本事物誌』の初版は一八九〇年であり、雑事詩の原刊本（一八七九年）にかなり遅れているが、定本の出版（一八九八年）よりは九年早いので、両書はほぼ同時代の産物と見てよかろう。それらを読み比べて、任意に同じ項目の一部を並べてみると、以下のとおりである（斜線／の前が『日本雑事詩』、後が『日本事物誌』の項目。両者共通の場合は斜線で区切らない）。

歴史：神代の巻／歴史と神話
文学：和歌、日本の漢詩／詩歌
自然：地震、富士、桜花
宗教：四教、神道

社会階層：華族／貴族、武士
風俗：結納、婚礼／結婚
　神葬、仏葬／火葬、葬式
娯楽：囲碁、将棋、茶道、芸者、落語、寄席
産業：商業、貿易、新聞、通貨、人力車
物産：絹、茶、紙
工芸：彫刻、漆器、絵画、七宝焼、扇

もちろん同じ事柄を論じていても、詳略の異同があるし、視点の相違がある。概していえば、『雑事詩』はスケッチ風の筆致が冴えており、『事物誌』は学問的叙述に長けている。黄遵憲の即物的観察は鋭いが、チェンバレンの行文にみなぎる理論化への意欲はそこには見られない。文人と学者という資質の違い、あるいはそれぞれを育んだ人文的風土の違いによるものだろうか。『日本雑事詩』のこうした性格は、後に成立した『日本国志』の中にもある程度受け継がれて、その後の中国人の日本研究に大きな影響を与えた。

『朝鮮策略』も、黄遵憲が執筆した重要文献である。というのは、まず李鴻章ら当時の清朝首脳部の朝鮮政策を察知するうえで、また黄遵憲自身の外交思想を知るうえで貴重だからである。この著述提出の経緯については、本書の第三部第四章「朝鮮論の提出」で詳述されている。つまり『朝鮮策略』は、黄が公使・何如璋の朝鮮論の真髄をより具体的に解釈し、「何如璋の指示のもとで、何如璋の外交思想を説明するために書いたものである」（一六九頁、注25）という。たしかに著者が依拠している史料（『清季中日韓関係史料』）を読む限り、何が黄に命じて『朝鮮策略』を作らせたことになっている。しかしロシアを拒むため、「親中国、結日本、聯米国」という重要な方策を訴えた『朝鮮策略』が、「何如璋の外交思想を説明するために書」かれたものと論断するには、更なる検討

が必要であるように思われる。そもそも何と黄との関係については従来諸説があり、再考する余地が大いにあるようだ。

黄遵憲が情報の収集、政策の提言に関して公使の有力な助言者であるのみならず、多くの外交文書の起草者でもあったことは確実である。公使館随員・沈梅史の証言によれば、「この公使館では、文は黄君が起草して、陳訪仲、劉静臣、任謙斎の三人が清書します」（さねとう・けいしゅう編訳『大河内文書』平凡社東洋文庫、一九六四年、六四頁）という。そして銭仲聯『黄公度先生年譜』光緒四年の条には、「公使何如璋は智謀に富むが、考えがよく変わり、しかも決断力に欠けている。先生（黄遵憲）は物事の深層を洞見し、しっかりした見解をもっているから、故に公使館の事務の多くは先生の決断に仰いでいる」とある。もっとも黄遵憲の役割は、文献と状況とによって慎重に見極める必要があると思う。一部の黄遵憲研究者（呉天任『黄公度先生傳稿』香港中文大学、一九七二年や、鄭海麟『黄遵憲與近代中国』生活・読書・新知三聯書店、一九八八年）のように、琉球交渉の経過をすべて黄遵憲の主張、言動として論を立てるのも、偏ったものと言わざるを得ない。これに関する著者の反論（一五七頁、注３）はもっともである。しかしながら、黄遵憲自身の対外認識、とくにロシアの脅威を警戒し、それを拒むべきだという主張を考え合わせると、彼が対朝鮮政策という重大な提言について、それなりの見解をもたず、ただ『朝鮮策略』を代筆したに過ぎないとはとても思えない。少なくともそれは、何と黄とが綿密に打ち合わせてできた産物なのではなかろうか。

最後に文献の読み方について一言触れておきたい。本書は多数の漢詩を引用しているが、その日本語訳は、先行研究の読みにそのまま従っている場合が多い。評者には、それらを充分に検討する素養と学力がない。ただ疑問点を示し、著者や専門家の教示を乞いたい。

一八〇頁に引かれている黄遵憲の「留学」は次のとおりである。

化書奇器問新篇　化書奇器　新篇を問わんとして
航海遥尋鬼谷賢　海に航して遥かに尋ぬ　鬼谷の賢
学得黎韃帰善眩　黎韃に学び得て　善眩に帰し
逢人鼓掌快談天　人に逢えば掌を鼓って　快く天を談ず

この詩の読み下し文は、実藤恵秀・豊田穣訳『日本雑事詩』（平凡社東洋文庫、一九六八年）のそれに従っているが、第三句の「善眩に帰し」という読みの文意がよく判らない。前後の文脈を察するに、「帰りて眩を善くす」と読むべきだろう。なお同頁には三個所とも「韃」となっているが、「鞬」の誤りである。「黎鞬」は普通、「犛軒」あるいは「黎軒」とも書き、漢代の西域国の一つ、大秦国を指す。この詩では泰西のことを意味している。（柏書房、一九九九年）

（東京大学比較文学会編『比較文学研究』第七七号、二〇〇二年）

Hua Meng &Sukehiro Hirakawa (eds.) *Images of Westerners in Chinese and Japanes Literatur*

文学作品が、森羅万象の現実世界を映し出す鏡の機能を失わぬかぎり、書き手の文化的属性を超えた異質な要素が、作品に現れるのも、別に不思議なことではない。それにしても、「東アジア文学における西洋人像」という命題は、「書く側」と「書かれる側」の両方にとって、やはり特別な意味あいをもつものと思われる。なぜなら、十六世紀以降の東アジアの歴史進行の舞台に、西洋が並々ならぬ役を演じてきたからである。

宿命的な出会いだが、個人のかかわりかたは一様ではない。作家の人生経験、生活環境、教育素養などによって、受け止め方も違う。西洋を書き手の成長の物語の一部として受け容れる場合もあれば、憎悪の異物として排斥してしまう場合もある。崇拝、あるいは恐怖の対象として扱われる一方、ただ単に小道具や背景としてスケッチされるケースも見られる。例外的ではあるが、西洋人をあくまで対等の「他者」として見つめる視線も忘れてはならない。このように、東アジアと西洋との出会いの諸々の意味を、中国と日本の文学のテクストに現れた西洋人のイメージを分析することによって問い直すのが本書である。

本書は十六篇の英語論文を収録している。日中の学者が共同で編集し、刊行した英語論文集として、これは最初の試みであろう。まずこの点は注目に値する。この書物は、実は一九九七年八月ライデンで開かれた第十五回国際比較文学大会の生み出した成果の一つでもある。「文化記憶としての文学」というメインテーマのもとで、五十二カ国から六百余名の研究者が集まった。ロッテルダムの古版画を飾った表紙を眺め、ページをめくりながら、思わずあの古風で素朴な大学町、市場や橋と河を照らす盛夏の月を思い出す。

内容を読むと、扱っているテクストによって、「中国文学」と「日本文学」の二編に分けられる。寄稿者もチューリッヒ大学のR.D. Findeisen氏を除けば、全員中国と日本の学者である。たぶん便宜上の区分だろうが、かえって二編の特色を浮き彫りにしてしまう、という結果となった。編者の一人である北京大学の孟華教授が「序文」で触れたように、中国人学者はイメージが創られる歴史的、文化的文脈に重点をおくのに対して、日本人学者の論文はテクストの細部解読に専念する傾向があるという。さらに一言付け加えると、一様に「西洋人像」を語りながら、前者はその文化的属性に注目しているが、後者はその個人性により多くの関心を寄せているように思われる。そしてこの二点はまさに、われわれが「他者」（異文化）を理解する際に問わねばならぬキーコンセプトである。論文集を通読すればわかるように、これはまた多くの論者に一貫して通底している問題意識でもある。なにしろわれわれはそれぞれ「個人」でありながら、「言語上、従って文化的に限定されている」（平川祐弘論文、二一六頁）からである。

かなり共通する問題意識をもつ一方、論者のアプローチが実に多彩多様である。「紅毛番」「洋鬼子」の語源をめぐる歴史研究、「バイロンイズム」「オスカー・ワイルド受容」といった文芸思潮の追跡調査、また中国新文学にインパクトを与えた西洋人作家の自伝、書簡についての考察や、近代中国、日本におけるファン・ゴッホ神話の解読、それに老舎、朱自清、梁啓超、莫言、叶兆言、谷崎潤一郎、中里恒子、内村鑑三、永井荷風、正宗白鳥、竹山道雄などの中日作家の西洋人像の分析、いずれも示唆に富むユニークな視点を提示している。

例えば、梁啓超の『ロラン夫人伝』執筆の意味を語り、彼の急進の「革命」から穏健な「改良」への転換と結びつく視点が「天安門事件」以来、九十年代を通して「フランス大革命」を見直すという今日的文脈の中に浮かび上がったものであろう（夏暁虹論文、五五―五六頁）。近代中国の文学と芸術における「耽美主義」運動を、当時の社会的状況の中に置いて考察し、それが「作家たちの社会的関心」から一度も離脱したことがない、という指摘も文学史を再考する者にとって示唆的である（周小儀論文、一〇六―一一一頁）。中国の海外留学生文学に現れる外国人像の皮相と浅薄という批判に接して、国際化社会のあり方と「他者」理解の困難さを新たに思い知らされる（楊恒達・陳鵬論文、一四四―一四五頁）。谷崎晩年の伝統回帰が西洋崇拝と国家主義の両方を拒否する「バランス感覚」を作家にもたらし、結果的に立体的、血肉のある西洋人物像を創るのに成功した、という指摘と谷崎・中里恒子との対比もまた興味深い（鶴田欣也論文、一五二―一六一頁）。そのほかに、永井荷風の創作とその読書経験との関連をとりあげ、「仲介の機能」を論じた稲垣直樹論文（一七九―一八五頁）、西洋人を「向かい合った他者」として捉え、生身の温もりを感じさせる人間に描いた正宗白鳥の文学、その普遍的人間性への関心を語った大嶋仁論文（一九二―一九七頁）、文学作品におけるステレオタイプを分析し、その概念化の意味を問い直す一方、戦時中、ナチス批判を敢えて発表し、思想の自由を堅持した作家竹山道雄の『ビルマの竪琴』をケーススタディにとりあげた平川祐弘論文（二一四―二二二頁）は、みな思索の深みを湛え、読者を知的冒険に誘う論考である。舶来の思想がとかくもてはやされる風土と現実を思うと、東アジアからの、この英語による発信は国際化の本意を伝える貴重な試みであろう。

（丸善『學鐙』第七号、二〇〇一年）

伊原弘・小島毅編『知識人の諸相――中国宋代を基点として』

いまから十年ほど前に読んだ書物だが、ジュリアン・バンダの『知識人の裏切り』（宇京頼三訳、未来社、一九九〇年）とフリッツ・K・リンガーの『読書人の没落』（西村稔訳、名古屋大学出版会、一九九一年）は、長く私の記憶に残る二冊である。リンガーの著書は、十九世紀末からナチスの政権掌握までのドイツ知識人精神史の素描であり、その「読書人的知識人」の避けられぬ没落という悲劇の延長線上に、「普遍的かつ超越的価値」を放棄したとして、バンダの、あの激越な知識人告発が提起された。この近代西欧の物語を読みながら、私は一再ならず中国読書人の歴史と現実を思い出す。「天安門事件」直後の虚脱感に襲われているなかとはいえ、いやむしろそのためだろうか、スリリングな読書体験であった。時が流れ、趣味と関心も変わるが、ひさしぶりに、あの時の感触を蘇らせてくれたのがこの『知識人の諸相』である。

「中国宋代を基点として」という副題が示すように、本書は読書人・士大夫層の支配が確立された宋代、特に科挙官僚制を機軸に据えた知識人論である。「総論」のもとに、各分野にわたる二十四名の執筆者の論文とエッセイが収録されている。編者の説明によれば、本書成立のそもそものきっかけは、宋代史研究の成果を他分野の研究者と分かち合う一方、学際的な視点でその普遍的意味を捉え直そうとしたところにあった。全書を通読すればわかるように、この企画の意図が十分に達成された、と言ってよい。個々の論文に立ち入ってコメントをする余裕がないが、全体の特色として、「開かれた視野」と「理論化の欲求」の二点に触れてみたい。

まず視点の多様さ。士大夫階層を生み出した社会環境の考察、彼らの政治参与、及びそれを制度化した「科挙」の社会学的分析、その他の地域（日本・朝鮮・ベトナム・イスラム世界・西欧）との比較参照、伝統文化の各領域

（文学・儒学・喫茶・絵画）における読書人の活動形態の記述。執筆者がそれぞれの専門分野の知見を踏まえながら、互いに対話を求める姿勢は印象的である。「学問」がますます細分化され、「教養」――普遍的知とでも言おうか――がすでに先代の遺物として片隅に片づけられた今日においては、このような建設的な協同研究は今後も大いに行われるべきであろう。

長い歴史をもつ中国社会は、とかく過去との連続性において捉えられ、議論されがちであるが、つねに変動を孕んだ流れであった。マクロの視点で見ると、両宋が転換の時代だったことは間違いない。そして変動がすでに唐代の中頃から始まった、と見て差し支えなかろう。玄宗帝の治世が一つの境目であり、転換点だったことは、唐史を修める者にとっての常識だが、その盛世からの転落を考えるに、科挙士大夫階層の台頭がその要因の一つであった。それによって、支配集団の「文」と「武」とが分かれ、蕃将による割拠が根を張った、と歴史家陳寅格が見ている（『唐代政治史述論稿』生活・読書・新知三聯書店、一九五六年）。科挙試験によって選抜された読書人階層が政治支配の中枢を担う科挙官僚制が宋代に入ってほぼ確立された。「制度」（Institution）についての、英国の人類学者マリ・ダグラスの解釈、分析(How Institutions Think)を読めば、人々の思考様式・行為規範・価値判断・記憶選択が如何にそれによって拘束されているかがわかる。科挙官僚制もまさにこういう「制度」であった。それは単なる一つの政治支配形態の成立ではない。幾世代の中国人のメンタリティーに及ぼした影響を考えると、この「制度」の死がいまだに宣告されていないように思われる。知と権力との関係、職業としての政治、学問の功利と非功利性など現代中国に通底している問題が、科挙制研究のなかにすでに提起されている。

宋代を切り口に、知識人をめぐる世界像の提示を試みた本書は、実にアクチュアルな視点と問題意識に貫かれ、しかも理論化の意欲を示している。それはアプローチの手法、例えば「地域史研究」「政治過程論」「歴史社会学」「比較思想史」などの試みにも反映されているが、研究対象の「特殊」を世界に通用する普遍的言語で解読する姿勢がなにより大切である。「普遍なる中国学」あるいは「普遍なる日本学」、「普遍なるイスラム学」、言うならば「民族経験の理論化」がこれからの時代の要請ではないだろうか。

「人間の理性」という超越的価値を信仰するルネサンス期のユマニストたちに、西欧知識人の原型を求めたバンダにしてみれば、中国の士大夫たちはおそらく「知識人」の名に値しない存在であろう。しかし「彼岸」ではなく、現世への彼らの関心、非専門家の姿勢などは、これからの「知識人」のあるべき姿について、少なからず啓示を提供してくれると思う。それは学問である前に、まずわれわれ個々の生き方の問題でもある。（勉誠出版）

（大修館書店『しにか』九月号、二〇〇一年）

読書札記　異邦人の肖像

神保町の古本屋で掘り出したものに、ヘンリー・チャルス・サール著『中国と中国人』（Henry Charles Sirr: *China and the Chinese: Their Religion, Character, Customs, and Manufactures*, London,1849.）二巻がある。黒い表紙にくっきりと浮き上がるように見える、あの金色の軽業師は実に表情豊かだが、それより口絵の油絵もなかなか印象的である。清朝役人宅の室内風景を描いたこの絵は、写実的な手法で、木彫りの紫檀の椅子、円卓や吊り灯籠の調度品、独楽遊びの子供、飼い犬の毛色までリアルに再現している。

作者のサール（一八〇七――一八七二）は、ロンドン法学会館の弁護士で、香港の副領事やセイロン南部巡回裁判区の弁護士を歴任した人物。不名誉で邪悪なアヘン取引の真相を暴き、警鐘を鳴らす目的でこの書物を執筆したらしい。いわばイギリス人の良識派である。仕事はすでに一八四六年に始められ、最初の数章が『ダブリン大学マガジン』（*Dublin University Magazine*）に発表されていたという。内容は、その長いサブタイトルが示しているように、中国の宗教、国民性、習俗、工芸、及びアヘン売買による悪癖の発生、また宗教、道徳、政治、商業においての英中関係の考察、実に幅広い分野に渉っている。

拾い読みをしていると、例えば、広東に滞在した頃（第六章）、中国人画家ラムクワー（Lam-qua, 本名は關作霖）のアトリエを訪ねた時の様子や画家の「美人論」に触れたくだりは、「偏見」に囚われているが故に面白い。

ラムクワーはヨーロッパ人によって、中国のトマス・ローレンスと呼ばれている。彼はこの誇らしい栄誉に十分に値する人物だ。なにしろこの芸術家の油絵の着色技法は実にうまい。もっとも彼の女性美についての考えがわれわれのと感覚的には異なるのだが。雑談をしている時、当時広東に住むあるイギリス美人について、彼の感想を聞いてみたところ、その答えは完全に中国人独特な美女観そのものであった。つまり彼がいうには、彼女の顔はあまりにもまん丸く、頬の色がきつく、目があまりにも青く、また大きすぎる。背も高すぎて、太りすぎている。顔が「異様」を語っている（表情に富んだ顔つきを意味している）。それに彼女は何と自分の足で歩けるほど大きい足をもっている。ラムクワーのアトリエでわれわれはヨーロッパ人と中国人の肖像画を数多く見かけた。多くのものが生き生きと描かれている。光と陰影の処理において多少物足りないけれど、描き方は名人芸を見せている。しかしラムクワーの肖像画の大きな欠点は、生命感と表情に欠けているということである。ある美しい女性の顔が、われわれの注目を集めた。丸くふくよかな輪郭、目があるいは小さすぎるかもしれないが、中国美人の肖像である。芸術家に誰なのか、と聞いてみたが、彼が答えるには、「誰でもないさ。イギリス人のために描いた想像の絵なのだ。中国人が考えている美女ではない。あれこそ中国美人だ」、と彼は一枚の船乗り婦人の肖像を指さしていた。この絵はわれわれの考えている女性美にまったくといっていいほどそぐわぬものであった。なにしろその顔は無表情で、痩せこけていて、青白く血色がなかったのだ。

イギリスの肖像画家トマス・ローレンス（一七六九―一八三〇）になぞらえられたほどだから、ラムクワーは確かに油絵の技法に堪能だった。現にあの口絵は彼の作品であるらしい。そういえば、よくよく絵を見ると、壁の掛け軸に書かれた文字が実に妙な形をしているのに気がつく。イギリス人の嗜好に合わせて想像の美女を描いたように、あれは異邦人の視点で捉えた「象形文字」に違いない。どこかエキゾチックな雰囲気を漂わせ、東洋人の手によるオリエンタリズムとでもいおうか。それにしても、女性の美しさを論じる時、ラムクワーはあくまで中国人の価値観を固守した。それを「偏見」と片づけてしまえばそれまでだが、思えばわれわれは誰もが「偏見」のなかに暮らしている。人々は人種、宗教、言語に限定されているかぎり、「偏見」は外部認識の「常態」であろう。

おそらく明代からだろうか、中国人は西洋人のことを「蕃鬼」「紅毛」と呼んでいた。「蕃」とは「夷」や「蛮」の如く、「野蛮人」を意味している。いずれも生理的嫌悪感を呼び起こす呼称である。ヨーロッパ人は、広東より輸入された陶磁器などに焼き付けられた絵を見て、中国人の容貌体格を勝手に空想していたようだが、それと違って「紅毛」の類は直接体験によるリアルな命名である。そう考えると、ラムクワーの「美人論」は素直な反応というべきであり、とりわけ意地悪いものでもなさそうだ。

西洋人を「怪物」視している呼称ないし感覚は、なにも中国人だけのものではない。日本、朝鮮半島を含め、東アジア地域に広く共通しているように思われる。それに「鬼」「畜」などの呼び名には、肉体的恐怖、不快のみでなく、東アジア地域に植民主義を押しつけてきた西洋の侵略、それに伴うさまざまな恐怖と不快の記憶が封印されているのである。従って、「蕃鬼」とは個人の肉体的特徴を踏まえながら、基本的にその「文化的属性」に着目したものである。

十六世紀以降の東アジアの歴史進行の舞台に、西洋が並々ならぬ役を演じてきた。もちろん「敵役」ばかりではない。西洋は「黒船」「アヘン」であるとともに、「科学」であり、「進歩」であり、「文明」であった。接触が頻繁になり、認識が深入りするにつれて、西洋人がただ単に「機智の民」たるのみならず、「徳義の民」、「風雅の民」たることも知らされた。西洋人のイメージの変遷は、それを記録する側の精神史の反映でもある。この頃アムステルダムで出版された『中日文学における西洋人像』（*Images of Westerners in Chinese and Japanese Literature*, Meng Hua &Sukehiro Hirakawa eds.Amsterdam,2000.）は、こうした視点で「異邦人の肖像」の意味を問い直す画期的な一冊である。日本、中国の学者が協同作業で刊行したこの論文集は、実は一九九七年八月ライデンで開かれた第十五回国際比較文学大会の生み出した成果の一つである。ページをめくりながら、あの暑い夏の熱い議論が思い出される。内容の詳細については、筆者の書評（『學鐙』七月号、二〇〇一年）に譲るが、ここに通読した後の所感の二三を記したい。

執筆者の多くは、ステレオタイプの描写を退け、西洋人を完全に対等の「他者」として、温もりのある「人間」として描くことの意味を説いた。そもそも文学作品の場合、人物の「個性」が命なので、西洋人を描く時ももちろん例外ではない。作品の成敗は作家の生活歴、観察力、想像力とそれを伝達する表現力にかかっている。しかし知識論の次元で考えると、ステレオタイプ（概念化）は、まさに「直覚の知」から「論理の知」への通路である。この両者の往復運動を通して、外部世界を認知している以上、ステレオタイプの思考がある意味で避けられない。問題が生活歴や観察力の貧弱により両者の循環往復を断ち切るところに起こる。結果として、血の通う生身の「人間」

の代わりに、紋切型の「人形」が登場するのである。

同じ言語ゲーム（共同体）に帰属している対象を描く時に比べて、「異邦人の肖像」は確かに手こずるものである。それは異質文化への観察が「直覚の知」ではなく、しばしば「論理の知」により多く依存しているからであろう。谷崎潤一郎は晩年に古典世界に立ち戻ることによって、西洋を相対化する視点を手に入れた。それは同時に国家主義の亢奮を拒む心の拠り所にもなった。『細雪』に描かれている蒔岡家の日常、建物、食器、土地の言葉の抑揚、着物の趣味、女たちの表情や動作の優美さなどすべて手に感触が伝わるほど真実であるように、あのシュトルツ一家、キリレンコ一家も真実である理由がそこにある。言い換えると、彼らの文化的属性を捨象したからこそ、血肉のある「人間」像を創るのに成功したのであろう。中国作家莫言の小説『豊乳肥臀』に登場したマロア（馬洛亜）、訛の強い土地の方言をしゃべり、衣食やふるまいなど土地の農夫とほとんど区別がつかない、あのスウェーデン人宣教師もそれに近い人物といえよう。正宗白鳥のエッセイ「他所の恋」にスケッチされた、あの旁若無人に酒を飲み、頻りに夫の愚痴をこぼす西洋女がリアリティを持ち得たのも、その普遍的人間性にスポットをあてられたからであろう。

思い浮かんだまま、こう綴っていると、ふとラムクワーのあの想像の「美人画」を気になってならない。失われていなければ拝見したいものだ。中国美女と勘違いされているから、無意識のうち、誰か知り合いの女性をモデルにしたのかも知れない。画家にも作家にも共通していると思うが、問われるのは人間への洞察である。そしてこの種の生活歴と観察が常に創作家の想像力を限定してしまうのもまた言うまでもない。それを忘却してしまうほど自信がありあまると、得体が知れぬものを描くことになる。人にとがめられたら、ラムクワーのように、「あれは誰でもない、想像上の人物さ」と開き直れるだろうか。やっぱり「作家」もつらいものである。

（東方書店『東方』八月号、二〇〇一年）

神田孝夫著『比較文学論考——鴎外・漢詩・西洋化』

本書は平成八年（一九九六）に亡くなられた神田孝夫先生の遺稿集である。精選された十六篇の学術論文を、その主題によって、「若き鴎外」「日本人の漢詩」「西洋化と日本の伝統」の三部に分け、巻末には「略年譜」と「著作年表」を付して、故人の学問の精華を伝えた一冊である。

優に五百ページを超えた大著を通読して、著者の見識と学問に深い感銘を覚えた。鴎外初期の文藝評論、美学批評を考察した早年の業績から、「亜墨竹枝」や「桟雲峡雨詩草」などの漢詩文を考証、注釈した晩年のお仕事まで、一冊にまとめた論文集なので、文体の変化や問題関心の遷移などが見られたのもむしろ当然かもしれない。快刀乱麻を断つ如き犀利な筆致は、いつの間にか、人情の委曲を洞見する情緒に溢れる文筆にかわるが、地道な考証に支えられたフィロロジーの批判精神が全巻に貫かれていることがとても印象的であった。

第一部の「若き鴎外」には六篇の論文が配置され、「大和会」での鴎外のドイツ語演説と「還東日乗」を論じた一篇を除けば、ほとんど著者早期の論文で、美学者としての森鴎外の批評活動に焦点をあてている。ゴットシャルの『詩学』、ハルトマンの『審美学』に依拠しつつ、自前の文学論と芸術観の構築を模索し、「ForschungノFruchtヲ教ユルノ期ハ去レリ。Forschungヲ教ユベシ」と意気込んだ若き鴎外の姿を文献批判の手法で浮かび上がらせている。鴎外唯一の美学上の著書といわれた『審美仮象論』について、それが鴎外自身の著作ではなく、何らかの書の精密な翻訳と感じた著者はその原典であるカール・グロースの『美学入門』を突き止めた。これは鴎外にとって決して不名誉なことではなく、むしろこの一事によって、鴎外を明治中期の最もすぐれた本格的な美学者の一人と見なす見解を一層強めたものである、と著者は主張する（五〇頁）。なぜなら、精緻な理論体系と緻密な分析を根幹とする西洋の美学に匹敵、尚かつそこに独自の見地を盛ったような美学の樹立を明治時代に望むことは、過大な要求であり、ほとんど酷であろう。学問の草創期において、正確な翻訳を世におくることは、ただそれだけでも大変な功績といわねばならない。こうした学問観は真偽弁別の批評尺度として著者自身の学問研究にも実践されていることはいうまでもない。

　本多利明は「忘れられた思想家」なのか、と鋭い疑問を投げた一篇（第三部「西洋化と日本の伝統」）は、上述の鴎外評に通底している信念を披瀝している。岩波書店の「日本思想大系」の一冊である『本多利明・海保青陵』の巻末解説を読んで、聊か腑に落ちかねるところがあった、と著者はうちあける。そしてその腑に落ちかねる所から発して、「今日の日本の知識社会の状況につき、聊か思うこと無きを得ぬものがあった」と厳しい批判の目を向けた（三九一頁。解説によれば、「永らく世間から忘れられた思想家」本多利明が先見具眼の士、狩野亨吉によって発見されたという。思想史研究の先達として、かつて埋もれた安藤昌益の思想の顕彰にも大きく貢献した狩野亨吉の功績を著者は決して否認しようとしているのではない。ただ本多利明の場合は、事情がよほど違ってくるのではないか、と著者は指摘する。確かに経世家としての利明は、昌益と同様に、はやくすでに世から隠され、永い間忘れられるという運命を辿りはしたが、しかし利明は、数学・天文・測地・航海の学者としては、江戸時代後期においては、むしろ名のある存在だった。狩野は四高教授時代、はやくも利明研究に着手したが、数学を専攻した理学士だった彼は専ら数学者・暦学者としての利明の仕事に関心をもっていたのではなかろうか、と著者は丹念に歴史的事実を掘り起こしながら論を進めた。

　実は、明治二十年代の初めに、利明の経世家としての代表作――『西域物語』と『経世秘策』を広く天下に紹介し、それらを公刊したのは福地源一郎と内藤耻叟であった。埋もれた経世家の本多利明の面目をはじめて世人に知らしめた、という意味においては、まさに「発見」と称してもよい功績であった、と著者は強調した。利明の経世思想を眼目に編集した岩波「大系」本の解説者は、その事実を充分承知しながら、「利明研究史をふりかえって」なる一章の中で福地、内藤両者の仕事を全く黙殺したのだ。それに対して、神田氏は強く異議を申し立てたのである。思えば、埋もれていた人物や書物の真価を見抜き、それを広く世間に紹介し、公刊したこと自体は一つのすぐれた学問的行為であり、それこそフィロロジーというべきものであろう。「大系」本の解説者にはこういうフィロロジーのセンスが欠如している、といわざるを得ない（四〇四頁）。

晩年に近づくにつれて、著者の趣味と関心が漢詩の伝統に傾けられているように見受けられる。第二部「日本人の漢詩」の諸作と、若き鴎外の漢詩文修行や漢文日記「還東日乗」を論じた二篇などはこの趣味と関心の所産である。名高いシノロジスト神田喜一郎教授の次男として生まれた故、家学の薫陶に培われた感受性と素養がこれらの研究の趣向に影響を及ぼしているとも考えられるし、また年をとるとともに懐古の情を覚えるのも人情であろうが、漢詩を論じたこれら諸作の根底には、連続性において伝統を捉えようとしている、著者の断固たる文学史観が一貫していることを見逃してはならない。

偶像破壊とも言うべき一篇「詩における伝統的なるもの」は、『新体詩抄』の詩史的位置を考察したものだが、本多利明の「発見」に思想の断絶を見いだしたように、『新体詩抄』を日本近代の「詩」の始まりとする、いわば「常識」と「定説」の中に、文学史の断絶を見たから、それに強く楯突くのである。「神話」を論破しようとした気持ちをあまり急がせたためか、『詩抄』の稚拙蕪雑を非難し、一顧の価値もないものとして一蹴し、日本近代の「詩」の生成とは「ほとんど無縁のものだった」（四二四頁）と決めつけたのも些か酷であろうし、公平に欠けるという感も無きにしも非ずだが、その認識の底には、江戸以来の漢詩の伝統が明治期に入っても猶生きており、近代の「詩」の生成を模索した段階において、漢詩がすぐれて明治知識人の表現の具となり得たと見ている著者の鋭敏な歴史観察がある。この見地で鴎外の訳詩菓『於母影』を、『新体詩抄』とは根本的に別種のものとして捉えた著者の批評は、実に新鮮な視野を開いてくれた。

日本人の漢詩を論じた作品の中で、著者晩年の作で、『桟雲峡雨詩草』を注釈した三篇（「略注抄」序章、その二、その三）は、質量ともに白眉であるといえよう。

『詩草』はもともと明治十二年（一八七九）三月、『桟雲峡雨日記』の上、下二巻と同時に東京の奎文堂から出版された詩集である。「日記」と「詩草」とはいわば一つのセットである故、巻頭の扉には「桟雲峡雨日記併詩草」と明記されている。著者は「詩草」のみを単独に取り上げるのは、「日記」についてすでに邦訳（昭和十九年、米内山庸夫訳注）があるという理由のほか、上述した如く、漢詩の意味を抹殺した世のいわゆる「明治文学史」的常識に、かねて「大いなる疑問を抱いているからである」（二九〇頁）。

『詩草』の作者は竹添進一郎、通常「井井」の号で知られていた明治時代の漢学者である。一八七五年に駐清公使森有礼の随員として、北京に赴いた井井は、蜀（四川省）の山水風土に憧れ、赴任した翌年の五月に公使に請うて、当時の日本人として初めての巴蜀への一大旅行を敢行した。「日記」と「詩草」とは、その日々の見聞と所感を仔細に書き留めたものである。

漢詩の注釈といっても、そもそも「日記」の文脈に組み込まれたものなので、それと切り離して論じるわけにはいかない。結局両者を交互に参照しながら注釈していくスタイルをとった。北京を出る時の留別の作に「差池たる帽影、燕京を出づ」とあるが、「日記」にあたると、「初め余の北京を発するや、満衣（満人の衣服）を衣《き》、満冠（満人の帽子）を冠《かむ》り、蒙古僧の行脚者の状《さま》を為し、以て人の指目《しもく》（指さして注目する）を避く」という条を見つけた。それで著者は「差池たる帽影」について、こう解釈する。「これは実は後ろ影ということで、ちぐはぐの帽子で彼方へと遠ざかっていく、井井・君亮（同行の公使館員、津田君亮のこと）の二人連れを、背後から見送っている人の視点で描き出したものであろう」（三〇〇頁）。しかし著者の解読はこれにとどまることはなかった。「差池」の一語から「『詩経』の「燕燕」の詩を連想し、「燕燕于飛。差池其羽。」の句に託されている離別の情に思いを馳せる。城外の野辺に立って、遥か彼方へ旅立っていく大事な人の後ろ影を見送りながら、目前を飛びかう燕の姿に悲痛の思いを託したという「燕燕」の歌より作者井井の心情を追体験するのである。「一種悽愴、悲愴の感を言外に示す詩句だったと言ってよいのではないであろうか」という（三〇二頁）。

思えば、詩を読むことは、一種のイメージの連想ゲームである。著者は真にその秘訣をわきまえて、エクスプリカシオン・ド・テクストの妙味を存分に味わわせてくれる。「渡易水」「尭母陵」「紀信城」「杜太后古里」「楚坑行」などの詠史作の注釈には、学問としての古典漢学ではなく、それこそ家学の慈陶で鍛えられた繊細な感受性と豊かな教養が遺憾なく発揮されている。「略注抄」は「詩草」全体の注釈ではなく、また未完に終わったことを残念に思うが、『桟雲峡雨日記併詩草』に関する先駆的な研究の一つであることは間違いない。二〇〇〇年二月、『桟雲峡雨日記』の新訳（岩城秀夫訳注）が東洋文庫の一冊として平凡社より出版された。大学の紀要に発表されたゆえ、人の目に触れることが少なかったせいか、訳注者は「略注抄」の仕事を全く参照しなかったことをやはり遺憾に感じる。だからこそこの度、この遺稿集の出版は、故人の学徳を後世に伝え、広く学界に資する上で誠に意味深い。

本書の編集刊行に多くの方々が関わり、献身的に尽力された。校正の労も並大抵なものではなかろう。微瑕あることはやむを得ないかもしれないが、それを指摘しないわけにはいかない。一八五頁の石黒の詩に「又雙親日倚門」とあるが、「又」の字の下に、「有」が脱けているであろう。また「桟雲峡雨詩草」の書名について、「目次」、「初出・解題」、「著作年表」のいずれにも、「峡」の字が「狭」になっている。「言葉」を「愛」するというフィロロジーの本意を考えれば、あってはならないミスである。自戒の意味をこめてここに記した次第である。（明治書院、二〇〇一年）

（日本比較文学会『比較文学』第四十五巻、二〇〇二年）

岡本さえ著『近世中国の比較思想』―異文化との邂逅

中国文化の変容、中国人の精神史の変遷を考察するにあたって、十六世紀後半の明末とそれにつづく清初の混沌期は興味深い。そこでは、一つの文化が成熟し、腐敗し、さらに何か異質なものが醸成されていく過程が異民族の侵入、殺戮により頓挫するが、既成の世界像は崩れ落ちかけて、混沌と不安のなかに新しい世界像が模索されていた。そのさい、伝統文化の変質を促し、新しい思考を導く、言わば触媒の役割を果たしたのが西学の伝来であった。本書はこの時期に制作された夥しい文献の解読、分析を通して近世中国とヨーロッパとの出会いの意味を考察した、比較思想史の力作である。

本書の刊行に先立って、岡本氏はすでに『清代禁書の研究』（東京大学出版会、一九九六年）を世に問うていた。これは内容煩雑で数量膨大な禁書作品群を横糸に、政治的立場や個人の境遇がそれぞれ異なる禁書作者を縦糸にして、それらの素材を丹念に分析し、吟味したうえで、政治権力に抹殺され、封印された中国文化史上ユニークな時間と空間の立体像をみごとに再現させた労作である。従来の禁書研究に比べて、同書がその内容構成の上で特色を示したのは西学関係の作品群である。明末清初に活動し、のちに禁書作者となった知識人の多くは、イエズス会士の伝えたヨーロッパの学問に好意を示していた。彼らの西学への関心は、言うまでもなく北方満州族の侵攻への危機感や、明末の学問の荒廃に対する反省と表裏一体のものだった。この時代精神は当然彼らの著述活動にも反映され、その西学研究を貫いていた。個別な事例ではあるが、明末の西学研究は伝統的な実用のレベル、例えば清末の洋務派のそれを遥かに超えて、新しい学問体系の構築につながる思考を育みつつあった、と言うことができる。徐光啓は論理的、抽象的思考能力を養うために、数学をそのトレーニングに導入し、しかもそれをすべての学問の根幹に据えるべきだ、と主張していた。ところが、これら活発な思考と知的活動は明末の動乱によって中断され、さらに清朝の厳しい文化統制のもとで姿をひそめ、枯れてしまったのである。清代禁書の構造的な解明を試みた前著のこうした問題意識は、本書にもそのまま受け継がれているように思われる。近世中国の西学受容、両者の対話に焦点を絞りながら、明末清初という中国史の内側に深く踏み込んだ著者の視点が印象的である。

第一部「文人の西学観」では、西洋人の学問と宗教に接した文人たちのさまざまな反応——理解、賛同、信頼、疑惑、排斥などの諸相を考察している。徐光啓は明末の士大夫のなかでも、外来の思想、学問に柔軟な姿勢を示した少数派の一人で、しかも宣教師たちに厚く信頼されていた。布教報告書のなかでしばしば「パウロ」（保禄）の名で記された徐について、一般的にその宗教信仰は疑問視されてこなかった。だが、岡本氏によれば、「徐光啓が書き残した文章の中には、受洗についての記事はもとより、キリスト教入信を示す言葉は何も出て来ない」（五一頁）。もちろん再考する余地もあろうが、重要な指摘である。意欲的に西学を受け入れる徐光啓の立場を、実用・実学・実験に徹した彼の一貫した思想脈絡を通して解明しようとしている氏の視角は示唆に富んだものである。

「南倭北虜」の時代に生まれた徐光啓は早くも北辺夷狄の動きに警戒し、有効な対策に苦心していた。西学への情熱は彼のこうした危機意識や、「国家民用」を常に念頭に置く実学重視の立場と切り離せないものだが、彼自身の学問素養、その知的バックグラウンドにも一因があるように思われる。若き頃王陽明の心学の影響を受けた彼は、自分のことを「啓、平生善く疑う」（「跋二十五言」）と言うが、ただその懐疑精神は、権威に盲従しない李卓吾のような激しい偶像破壊へと彼を向かわせる代りに、物事を冷静に捉える彼の緻密な思索に結実している。この点において、彼の後輩で『通雅』『物理小識』などの著書で知られ、独自の思想を構築した方以智に一脈通じているのである。「善く疑う」という彼の学問の態度には、外来思想を受け入れる下地がすでに用意されていたと評者は思う。『天主実義』も『幾何原本』も彼の手によって翻訳されたことは、決して偶然の選択ではなかった。

西学と西教（天主教）に関わった士人について言えば、そもそもその境遇、動機や思想的・政治的立場は各人で異なっていた。しかしながら、彼らを考察の対象にすえた従来の研究は、思想史、あるいは宗教史の枠内に限定されたものが多い。例えば、フランスのシノロジーの大家ジャック・ジェルネ教授の著書『中国とキリスト教——最初の対決』（鎌田博夫訳、法政大学出版局、一九九六年）は、近世中国人のキリスト教への反応を詳細に論じている。ジェルネは「宗教と政治」の一章を設けて、世俗権力の側面に注目しながら、その関心は主として儒教の学理とキリスト教の教義の弁別解析に向けられているように思われる。これらの先行論考に比較すると、明末士人の天主教受容を明・清の交替という政治史の文脈に置いた岡本氏の考察は実に興味深いもので、新鮮な視野が開かれる思いがする。江南の天主教支持者グループ、例えば福建泉州の張賡《こう》とその周りの人々は、天主に仕える「昭事」を人間の至福の必要条件と考え、世俗の利権を度外視していたからこそ、明朝の滅亡を予見していたのであろう。「天の命による生活を重視するなら、浮き世の政権交代にすべてをかける儒学者のように忠臣である必要はない」（七〇頁）らしい。

この態度は、浙江の若いキリスト教支持派の文人たちにも共通していた。岡本氏によれば、寧波グループの文人たちは、清初の不安定な情勢に動揺した様子もなく、その初期から新政府の側に立ったように見える。天主教に好意的だった満州族の高官佟(とう)国器の庇護を彼らが受けたのは事実だが、彼らの現実認識と政治姿勢の背後に、宗教信仰に基づく価値観の転換が行われていたことを見落としてはならない。寧波の朱宗元の「華夷の弁」は、従来の偏狭な中華中心論を痛烈に批判したもので、保守的な硬直した中華志向こそが、反天主教の強固な基盤になった一方、明朝の滅亡を招いたのだと見ている。華夷の変という政治の混乱によって信仰が固められ、そして信仰がまた政治の混迷に深く関わっていく事例であろう。

この江南天主教信者たちの生き方に接するとき、岡本氏の「弐臣論」が思い出される。氏が「乾隆禁書」を論じる際、明の高官で後に清に降伏した、いわゆる「弐臣」を記述した部分はもっとも生彩溢れる一章である。乾隆帝の治世になると、清朝の支配はすでに安泰となり、「忠」と「孝」を重んずる儒教が国家イデオロギーに採用される。すると清は、今度は清朝樹立のために犬馬の労を果たした漢人官僚に、「弐臣」という屈辱の烙印を押したのであった。「弐臣」は言わば明清思想史における陰画的存在であり、彼らの思想脈絡に光をあてた点において、岡本氏の「弐臣論」は中国思想史研究にとっても重要な意味をもつものと信じる。氏は「弐臣」たちを実務・実学派士人の系譜に位置づけ、政治的立場を超えて思想の継承関係を模索した。清に抵抗した王船山は「物則」と「天心」の命題を提出し、客観法則に基づいて歴史が動くと認識し、漢人王朝の滅亡もまた悠々たる天下の流れと受け止めていた。生に限りある人が憤るよりも、天心が与えてくれた「才」を充分に尽くすことが大切である。この考え方が、明朝に見切りをつけてテクノクラートとして清朝に仕えた弐臣たちの行動規範をも支えていた、と氏は分析する。こうした議論は明末の遺民論にも波紋を及ぼすもので、明末清初を生きた知識人の精神史の省察に、新たな地平が開かれることを期待したい。

　第二部「思想の伝播」では、まず宣教師と中国文人との対話を扱い、知的交流の現場を再現させる。対話の中心的存在は、イタリア人イエズス会士アレーニである。中国布教の先駆者マッテオ・リッチ亡き後、アレーニほど中国の文人層と広く交際し、しかも彼らに慕われて、数多くの著書を通じて近世中国人の思想に影響を与えた宣教師はほかにいなかった。岡本氏が検討した『三山論学記』と『口鐸日抄』は、いずれも明末江南の文人たちとの議論から生まれた対話集である。前者はアレーニと東林領袖・閣老もつとめた葉向高とが、宗教、哲学などを語り合ったものであり、後者は十一年の長期にわたって福建周辺の士人たちがアレーニと対話を続けた記録である。とくに『口鐸日抄』については、管見では従来その詳細を検討した研究はほとんどなく、自由な立場で交わされた生の会話であるだけに、近世中西文化交流の実態の解明にとって、まことに貴重な文献である。

思想の伝播を一方通行ではなく、対向の交流として把握しているのも本書の特色である。中国の思想、文化に接したヨーロッパの反応をさぐるものとして取り上げられたのは、フランス人思想家マルブランシュの『キリスト教哲学者と中国哲学者の対談』である。ここでは緻密な文献解読を通して、十七世紀後半から十八世紀にかけてのヨーロッパ人が、如何に異文化の把握や情報の収集に情熱を傾けたかが論じられる。そしてそれとは裏腹に、近世の中国文人たちが鋭敏な比較意識をもっていたにもかかわらず、十八世紀以降の中国内では足場を固めることができず、知的交流の先細りの現象があらわれ、ついに外部世界から遮断されてしまった点も指摘される。その理由——両者の情報の捉え方の違いをさぐるのが、第三部の「華夷の逆転」である。そこには前著『清代禁書の研究』の問題意識が受け継がれ、一貫して流れているように思われる。

漢籍と欧文の膨大な文献を読破して、臨場感に溢れる筆致で歴史の細部を再現させた著者の力量に深い感銘を受けた反面、漢文の翻訳について、若干の誤訳と意味の取り違えを指摘しておきたい。第二部の第一章「天主の不都合」の節で引用されている葉向高の言葉「既為人而生、必皆以資民用」について、「人として生まれたからには皆、民の役に立ち」（二一二頁）と訳されているが、正しくは「人の為に」と訳すべきであろう。後の「造物主為人而生万物」を見ればその文脈がさらにあきらかである。そして同じ節のアレーニの善人悪人の弁別の言には、「或居己於善名、而陥人於罪阱者」とあるが、著者は「人」に対しての「己《おのれ》」を「已」と取り違えたらしく「あるいはすでに善の名におりながら」（二一五頁）と訳している。原典を確認していないのだが、これは印刷の誤字によるものかもしれない。また第三部の「清代文人の比較意識」の節では、華僑程遜我の『ガロパ紀略・拾遺』に寄せた李晋亭の題字に「而貿易之徒率重利少文語」とあるが、ここでの「率」の意味は著者が訳した「率先して」（三八四頁）ではなく、「おおよそ」の意味であろう。これらのミスは、大きな文脈の理解には支障を来していないものの、やはり玉の瑕疵には違いはなく、文献の扱いの更なる慎重さを期したいものである。

紙幅の制限でこの五百頁を超える大著のすべてを語ることができないが、いままで見てきたように、本書は近世中国比較思想史の画期的著作であり、明・清史の研究にも重要な示唆をあたえるに違いないと評者は信ずる。この分野における著者の更なる開拓を楽しみにしている。（東京大学出版会、二〇〇一年）

（東京大学比較文学会編『比較文学研究』第八一号、二〇〇三年）

分析と実証―谷崎潤一郎の中国への眼差し

耽美派の旗手谷崎潤一郎は、生涯唯一の外遊として、大正期に二度ほど中国を訪れたことがある。大正七年（一九一八）の一回目の大陸漫遊と相前後して、彼はいわゆる「支那趣味」の小説や随筆類を精力的に制作した。最晩年にいたるまで創作の瑞々しさを保ち、長寿をまっとうしたこの作家の全生涯から見て、三十代頃に生み出したこの作品群をどう位置づけるべきだろうか。作家自身は過去の「支那趣味」についてほとんど語ろうとしない。批評の側から見ると、谷崎の大正期はどうやら「濫作時代」と目されているようだ（野口武彦『谷崎潤一郎論』）。ドナルド・キーンは、一回目の満州・中国旅行について、「むしろ漁色が主な目的だったように思われる」と突き放し、「数編の旅行記を生んだが、谷崎の文学に深い影響を与えるには至らなかった」という。

従来の谷崎論と一線を画し、大正期に制作された「支那趣味」の作品群をあえて正面からとりあげたのが西原大輔さんの『谷崎潤一郎とオリエンタリズム—大正日本の中国幻想』（中央公論新社、二〇〇三年）である。

著者はまず「支那趣味」という言葉の誕生から説き始める。「支那人の趣味」ではなく、江戸以来の漢学教養でもない、「支那」と「趣味」が結びついて「支那趣味」の一語が生まれたのは、生活の西洋化が進んだ大正時代のことだった（二四頁）。この新造語の登場は、中国文化に対する新しい接し方が日本人の間にひろがり、十八世紀のヨーロッパのシノワズリに通じるような視線が対象に注がれていることを意味する。近代ツーリズムの成立は、この異国趣味の流行にさらに拍車をかけ、程よい距離感はいっそう異国への幻想をかき立てる。谷崎潤一郎の一連の「支那趣味」の作品はこうした社会的、歴史的文脈の中で書かれたのである。

本書は谷崎潤一郎を中心に据えた作家論ではあるが、副題が示唆しているように、「支那趣味」をキーワードにしながら、大正期の社会生活、芸術生活も広い視野におさめるという点で（たとえば多くの画家や絵画への論及）、すぐれて「大正文化論」の側面をもっている。

呑気で、停滞した時間・空間に悠々と暮らしている民、夢幻の甘美にあふれ、官能の享楽に溺れる不可思議な世界。礼賛と偏見とを奇妙に織り交ぜた谷崎の「支那趣味」の作品に接すると、殖民地支配の権力と結びついた西洋の知を分析し、西洋による東洋の差別的表象を俎上に載せたエドワード・サイードのオリエンタリズム批判を想起させる。植民地およびこれに類する地域の文化に対して、エキゾティシズムの視線を向け、同時に差別的に表象するというオリエンタリズムの構図は、日本の「支那趣味」にもあてはまる、と著者は主張する（一四頁）。本書にも触れたように、谷崎潤一郎の作品にオリエンタリズムの言説が見られる点について、すでにいくつかの先行研究で明らかにされている。サイードのオリエンタリズム論を切れ味の鋭いパラダイムとして、谷崎作品の中国表象を斬る一方、深く掘り下げて論じてはいないものの、谷崎の創作モチーフの一つであるエキゾティシズムに注目し、「支那趣味」の延長線の上で作家の関西移住と「日本回帰」を捉えた点において、谷崎文学の研究に一つ意欲的な視点を導入したと言えよう。

本書は序章、終章のほか、全七章から成っている。前半の四章は作品や言説の分析に重点を置き、後半の三章は谷崎の二回の中国旅行にスポットをあてた。理論的思索を深めながらも、綿密な文献解読と地道な史実考証を怠らない著者の姿勢は印象的である。例えば第一章の「支那趣味」という新造語の考証、第二章の作家の中国体験の原点ともいうべき「偕楽園」への論及はそうだが、全書の圧巻はやはり第五章、第六章、つまり谷崎の二回の中国旅行をめぐる考察であろう。谷崎作品の中国表象、作家の中国認識を論ずる場合、二度の実地体験は極めて重要な意味をもっている。一回目の漫遊をきっかけに、多くの幻想的な「支那趣味」作品が生み出されたが、二度目の中国旅行（一九二六年）を境として、この系統の作品がぷっつりと途絶えていた。これまでに、実証研究が乏しかった、あるいはまったく検証が行われてこなかった谷崎の中国体験について、著者は日中双方の文献――関係者の証言、新聞記事、汽車の時刻表、ガイドブックなど――を広く捜し、新たに史料（文芸消寒会の『申報』記事）を掘り起こして丹念にそれを跡づけた。すぐれた実証論考として、作家の伝記研究にも新知見によって貢献している。

一九二六年一月、一回目の旅行から八年ぶりに谷崎は上海を訪れた。この旅について、後に谷崎は「上海見聞録」や「上海交遊記」の中に感触を書き留めている。そしてその後に「支那趣味」の作品をぱったりと書かなくなったのは興味深い。谷崎の中国観に大きな変更を迫り、幻想趣味の文学を放棄するに至らしめたものとは何か、一品香ホテルでの田漢、郭沫若との対話が、作家にとって一つの転機になったのではないか、と著者は推測している（二五〇頁）。意味深い指摘である。ただ、「上海交遊記」に記録されている対話を読むかぎり、田漢、郭沫若の語った中国社会の現状が谷崎の中国認識を改めさせるには迫力があったものの、作家のその後の創作にどういう影響を及ぼしたのかについては分からない点も多い。

谷崎潤一郎はオリエンタリズムの観念・表現をどのように取り入れたのか、その受容の経路を考える場合、永井荷風の存在は大きい。著者は第三章「オリエンタリズムの受容」において、荷風の影響を具体的に検証した。つまり西洋で形成されたオリエンタリズムは、フランスから永井荷風を経て、谷崎の「印度趣味」や「支那趣味」に移植されたのであるという（八七頁）。同じ耽美派の作家として、永井荷風と谷崎潤一郎との邂逅は明治・大正文学史における逸話の一つとして長く後世に語り継がれているが、野口武彦氏が評したとおり、その邂逅を頂点にして双曲線を描き、両作家はむしろ離反してゆくべく運命づけられたのである。二人の資質の違いはともかく、オリエンタリズムを共通項にして二人の関係を論ずる場合、その西洋認識の質の違いにまず注目せねばならない。五年にも及ぶアメリカ、フランスの外遊を通じて、荷風は十九世紀以降の近代の西洋に触れたのみでなく、長い文化伝統の重みを背負う「歴史臭い」西欧にも肌で感じていた。同時代の知識人の中で、荷風は西洋の近代、あるいは近代化に醒めた認識をもっている数少ない一人だったと思う。だからオリエンタリズムの表現を踏襲しても、あくまで荷風自身の視点で捉え、彼一流の文明批判を行間に滲ませている。「一度《ひとたび》米国に赴きいつも曇りがちな空と窮屈な清教徒《ピューリタン》の生活に対して云われぬ苦痛と反抗の念を感ずる」からこそ、「自分は仏蘭西《フランス》美術の一部に現れている東方派の美を思い、遣る瀬なき空想をば遠く北アフリカの海岸とバルカン半島の空とに走せしめたのである」（「ポートセット」）。そして同様に「かの懶《ものう》き舞蹈、かの疲れたる音楽と唱歌」――あの官能の甘美にあふれるオリエントの舞踊は、「吾等をしてあらゆる近代的の煩悶をわすれさせる」のである（同右）。

　廃滅した江戸文化への哀惜は、それを犠牲にし、西洋文明の外形のみを粗悪に模倣した明治日本の近代化への批判と表裏一体となっている。ところが、こういった文明批判の視点が、谷崎の場合はまったく欠落していると言える。伝統文化への認識、あるいは文化保守主義立場という点において、荷風は小泉八雲のそれに近い。ハーンも十九世紀浪漫派の流れを汲む作家の一人だが、シャトーブリアンやロティを読み、熱帯と東洋の不思議な世界に憧れていた。しかしハーンがオリエンタリズムの浅薄に陥らなかったのは、西洋の近代に冷静な批判の視点をもっていたからであろう。永井荷風の「オリエンタリズム」を分析する際も、作家の思想の内面により踏み込んだ視点が必要だったのではなかろうか。

作家の創作は複雑な過程である。作家に内在した審美感覚に訴えた時に、外界の刺激は結果を生む。谷崎作品の中国表象を分析する際、中国人女性をしばしば「人形」という言葉で形容したことに著者は注目した。そしてその先行の用例として、ピエール・ロティの『お菊さん』を引き合いに出した。しかし、谷崎文学の深層に潜むモチーフ、例えばその文学的想像力の基底で湛えているフェティシズムの原型、『アヴェ・マリア』の主人公が幼時に愛玩していた白塗りの人形への愛着に接すると、あるいは『蓼喰ふ虫』のお久の「人形ならぬほのじろい顔」という表現を読めば、「人形の如き女性」というタームを、西洋のオリエンタリズムの皮相な模倣と移入と見るよりも、むしろ作家の創作モチーフの内側にある感覚によるものと理解したほうが妥当であろう。

谷崎潤一郎の「支那趣味」の作品群は、作家の審美感覚、創作モチーフを理解するのにさまざまな示唆に富むものである。本書のすぐれた分析と実証は、谷崎文学の一側面をクローズアップするとともに、その全体像把握の一助にもなると信じる。思えば「支那趣味」はステレオタイプ（概念化）の産物である。晩年の谷崎は古典世界に戻り、日本的伝統の美を見いだした。『細雪』を書く際、彼は「概念」よりも自らの「直覚」を信用したからこそ、リアリティを獲得したのである。

（東方書店『東方』四月号二〇〇四年）

百年後の岡倉天心論―周辺の多彩な人物に照明

岡倉天心は通常の意味での著述家ではない。行動の思想家である。著述は彼の思想を伝える手段ではあるが、かつて竹内好が指摘したように、彼の活動が拘束された時期に、いわば一種の代償として行われたものと考えてよい。古美術保護に携わる美術行政官として、東京美術学校校長を務め、日本美術院を創設した教育家として、精力的に活動を続けた天心は、後にさらに行動範囲を中国、インド、欧米へと広げていく。「アジアは一つなり」とは行動の人ならではの発想であり、こうした体験から生まれた信念であろう。

天心のまわりには、つねに様々な人物がいた。彼の仕事を手伝い、ある方向へと導き、その活動を支え、見守り、さらに共に切磋琢磨に励んだ人々であった。天心の思想もある意味で、こういった人々との共振の中ではぐくまれ、模索されていたのではなかろうか。

あの暗中の模索からほぼ百年が経った。西欧の文明と異なる、もう一つの「文明」の見取図を描いた岡倉天心のアイディアは再び人々の関心を呼び起こしている。一九九七年から、ワタリウム美術館では、「岡倉天心・研究会」を発足し、二〇〇五年の一月まで五五回の講演会を重ねてきた。本書はすなわちその講演の一部をまとめ、再編集した、百年後の岡倉天心論である。

講演者は天心の孫、今は故人となった岡倉古志郎をはじめ、美術史、建築史、思想史、仏教学、比較文学、哲学、倫理学など幅広い分野にわたり、多彩多様な顔ぶれである。それは天心を語ること自体、「美術とか宗教とか政治とか、思想とか文明論までを一体的に語りますので、どれか一つのジャンルで捉えきれない」（佐藤道信、四八頁）からであろう。こうした広い視野とともに、本書の大きな特色の一つは、天心のまわりに活躍した多彩な人物にスポットをあてた点ではないかと思う。

一九〇一年の大晦日、岡倉天心は一回目のインドへの旅に出た。天心がなぜインド訪問を思い立ったのか、表向きには、公的あるいは私的な動機の幾つかがこれまで議論されてきたが、本書では、インドの宗教指導者ヴィヴェカーナンダの信奉者、アメリカ人のジョセフィン・マクラウド女史との接触が提示されている。マクラウドはヴィヴェカーナンダに天心を引き合わせ、天心のインド訪問のため実に熱心に動いた。そしてこの「インド旅行で出会ったヴィヴェカーナンダのアメリカの弟子たちが、後に天心がアメリカに行ったときの受けとめ手として大きな役割を果たす」（岡倉古志郎、七頁）ことになる。

インドの独立解放運動を宗教面から促進したスワミ・ヴィヴェカーナンダから「ニヴェディタ」、つまり「献身者」という意味の法名をもらった、アイルランド出身のマーガレット・サミュエル・ノーブル女史がいる。このニヴェディタは『東洋の理想』（一九〇三年）の出版に尽力し、その序文も書いている。岡倉天心は『茶の本』（一九〇六年）の中で、女史の著書『インド生活の仕組み』（*The Web of Indian Life*）を、ラフカディオ・ハーンの著作とともに、アジア人自身の感情の松明で東洋の暗黒を生き生きと照らしているまれな例として称賛している。天心のインド滞在中、ニヴェディタがマクラウドに手紙を書き送っていた。その中に、こんな一節がある。「天心と私はまるで、おままごとみたいなことをしているのです。駄々っこをして悪さばかりする子どもを演じているのが天心で、そのすばらしいお母さんを演じているのが、私なのです」（稲賀繁美、一三一頁）。天心の内面世界の一角を照らした、ほほえましいエピソードである。

一八八七年渡欧から帰国途中の天心は、彼のことを深く信頼し、美術学校校長に推してくれた男爵九鬼隆一に頼まれて、その妻の波津を日本へエスコートしていた。船の長旅で、天心と波津は恋に落ちた。帰国した後も二人の恋愛関係が続き、スキャンダルになる。実はその時、波津はすでに男の子、つまり後の九鬼周造を身ごもっていた。

この『「いき」の構造』の著者は、後年になって「岡倉覚三の思い出」というエッセイを書いた。それによると、岡倉氏は「どうだ伯父さんと刎頸の交をしようじゃないかと云って私の小さい腕をギュッと掴んだ」という。ヨーロッパに滞在していた頃、九鬼周造は岡倉天心の『茶の本』や『東洋の理想』を愛読し、西洋人への贈り物にもしていたらしい。少年時代のトラウマを克服した後に振り返ってみれば、「九鬼周造にとって、岡倉天心は、実の父の九鬼隆一以上に、精神上の父という意味をもっていた」（坂部恵、一八三頁）という指摘は頷かれるものであろう。

　抜群の英語力と行動力をもち、精力的に世界を駆けめぐった天心。彼の人生の伴走者、あるいは後継者として、つねにユニークな面々が動いていた。アメリカの知的エリートのボストン・ブラーミンズ、タゴール家の若き急進的な民族運動の活動家たち、法隆寺にギリシアの建築様式を見つけた伊東忠太、ロダンのような彫刻家をめざした荻原守衛や平櫛田中、仏像の精神史を思索した和辻哲郎、天心のインド行きに加わり、中国の維新派康有為にも逢って熱っぽく議論した堀至徳。それぞれのドラマがあるが、それを透してまた新たな天心像が見えてくる。

　岡倉天心は時代とともに生き続けている思想家である。時には「危険な放射能」をばらまくが、毒をもつが故に、生命力を失わず、新しい脱西欧近代型文明原理の模索が始まった現代にまた蘇ったのである。

（『図書新聞』第二七三一号、二〇〇五年六月二十五日）

讀史雜記

数年前のことだが、銭謙益《せんけんえき》（号は牧斎《ぼくさい》、一五八二―一六六四年）の『初學集』を拾い読みしたら、「東征二士録」の記述に惹きつけられた。万暦二十（一五九二）年に起きた秀吉の朝鮮出兵（文禄の役）の際、明の策士として活躍した馮仲纓《ふうちゅうえい》と金相の小伝である。仲纓は山陰（今の浙江紹興あたり）の出身で、『明史』外国列傳「朝鮮」の中にも名前が見えるが、僅か一行六字で、生涯の事績も生没年もよく判らない。ただ牧斎とは面識があり、この「東征」にまつわる逸話も本人からじかに聞いたものである。「倭亂」が起きた時、牧斎はちょうど十歳の少年だった。一九五〇年代後半生まれの私の世代が文化大革命（一九六六―七七年）の歴史を振り返る時の感覚で言えば、「東征」は牧斎にとって、いわば「現代史」である。

仲纓は背が低く、話術に長けてよく冗句をとばす。安邊で加藤清正を説得し、相手の心理をわきまえる弁舌は鋭い。辺境の會寧府まで進撃し、朝鮮の二王子を生け捕りにした清正軍の陣所に乗り込んだ仲纓を「清正は軍容を盛んにして迎えた」と言う。その矜持と驕慢をものともせず、仲纓はこう言った。

君たち諸首領は強さを恃んで、わが大明天朝の御法度を知らない。汝らの故主源道義は、天朝に臣礼をとること二百余年、汝らは代々その陪臣である。この度、わが天朝を軽侮してまさか故主のことを忘れたのか。

むろん日本側の史料を見ると、その記載内容はところどころ違う。ただ大明皇帝の勅使として、仲纓が初めからかなり威圧的な態度に臨んでいたことは事実のようだ。しかし、それを聞いた清正が「指を噛んで唯《はい》、唯《はい》」というあたりの描写は史家の筆というより、むしろ「小説家」の文飾と言ってよい。

「東征二士録」は触れていないが、小西行長が平壌で敗走したことに話が及ぶと、清正はこう気炎をあげた。かの小西なる者は、もともと堺の浦の町人で、対馬守宗氏の縁者という関係で道案内をしてもらったに過ぎない。日本太閤の武将とはかく申す清正である、と（『續群書類従』「清正記」）。牧斎の記述によれば、仲纓は講和交渉に行く前に、すでに清正と小西との不仲を察知し、それを利用して二人を揺さぶり、離間を図ろうとしたという。しかし、日本の内情について、当時の中国人が把握している情報量、認識の度合いを考えると、ちょっと眉唾物に聞こえるのも仕方がない。市井の徒である仲纓はともかく、博聞強記の牧斎も、実は海の向こうの状況をあまり判っていないらしい。現に尾張出身の加藤清正のことを「薩摩君の介弟」と記したのである。また仲纓が「故主源道義」（足利義満）を持ち出して、「關白の簒奪」をあばこうとしたところを見れば、室町幕府以降の日本武家社会の興亡消長を大して知らなかったようだ。

ところが、「奇士」である仲纓は、さすがに機転が利く男である。尊大に構える清正の放言から、小西行長との不和を嗅ぎつけ、その勢いに応じて間髪を入れずにこう話しかけた。

今王京を破ったのは行長である。そして（秀吉）冊封の一件を議するのも行長である。彼は媚びを売る一家臣のくせに、天朝の威を借りて尊大にかまえ、さながら冊封を主宰するがごとき顔をしている。汝は大軍を擁して牛後に甘んじるのか、この私も将軍のために、密かに恥ずかしく思う。ここで私と約束しよう。いち早く王子陪臣らを返し、撤兵して冊封の件を決めよう。その冊封の盛典を胡麻擦りの手に委ねるなかれ。これは千載の一時である。

現存の史料、たとえば部将への書状などを見れば、明の勅使が現れる前に、加藤清正はすでに石田三成らから撤退命令を受けていたことが判明するので、仲纓の説得は決定的要素ではなかった。しかし安邊での講和会談の直後に撤退したのは事実だったし、仲纓の側には確かな手応えがあったようである。清正は仲纓の情意に動かされたのか、あるいはその弁才に感心したのか、懇意のしるしに花模様の「戦袍」——戦に使われた僧服を仲纓に贈ったという。

「東征二士録」は当事者の実体験をふまえた、すぐれた人物素描である。後に成立した『明史』の記述に比べて、躍動感があり、人物の音容が眼前にあるが如く思われるのは、オーラル・ヒストリー（oral history）の強みであろう。

銭謙益は明末の詩文の大家ではあるが、歴史の考証にもすぐれて造詣が深い。とはいえ、いくら博聞強記と言っても、関係史料のすべてを把握することは至難の業で、ことが外国異域に及べばなおさらである。仲纓の小伝はその一例であろう。だが、それにしても、「狡而悍」の清正を「平秀吉」が内心で畏れていたという推断は、歴史家の感性による洞察であろう。今日でも坊間に流布されている稗史《はいし》小説の類は、ほとんど例外なしに豊臣氏への清正の忠義を説く。しかし関ヶ原以降の清正の処世を見れば、「關白に弐心あり」という明代人の観察は果たして妄断なのかと疑われてくる。

文学の鑑賞と解読は、それ自体歴史の研究・記述ではない。ところが、文学のテクスト、言い換えれば作品自身も、まぎれもなく「史料」であるという点においては、帳簿、族譜、料理書、契約文書、裁判記録などと本質的には変わらない。あるいは、ドミニク・ラカプラ氏の言葉で言えば、「史料」も「作品」もともに史料的な要素と作品的な要素との相互作用をともなうテクストなのであって、その相互作用は、批判的歴史記述の中で検討されなくてはならないものである（『思想史再考——テクスト、コンテクスト、言語』平凡社、一九九三年刊）。

この意味において、文学研究を試みる者は、まずすぐれた歴史家たることを志すべきである。テクストの流布・影響、文体の類似・相異、それに材源、名声の調査追跡などをとかく重んずる比較文学研究は、「作品」世界の解明に大きな役割を果たしてきたが、研究の原点を時にはおろそかにしたのも事実である。なにしろ、「作品」世界の背後に広がる人々の生存状態、彼らの喜怒哀楽、その生々しい人生のドラマへの好奇心、情熱と共感が伴われなければ、精緻極まるテクストの考証分析も所詮一種の文字遊戯に終わってしまう。

この頃、学際研究が進み、他の人文諸科学との交錯のうちに、比較文学の方法も多様化している。人間集団の考察から生まれた理論も範型も術語も、人間の意識や生存状態の分析、説明にある程度の有効性がある。しかしわれわれの興味はそういった華麗な「櫝《はこ》」にではなく、あくまでその中の「珠《たま》」にあるはずである。

比較文学に比べて、歴史学は起源も古く、かつ広大な領域をもっている。歴史家はあながち比較文学に指を染めることはない。しかしすぐれた歴史家をめざすならば、比較文学者に要求される諸種の素養——行間を読む力、繊細緻密なテクスト解釈、複眼でものを見る広い視野、複数の言語を操る語学力、なによりも人間の息吹に感ずる感性——はいずれも欠かせないものであろう。

十四世紀ピレネー山麓の小村モンタイユーを訪ねたジャック・フルニエ司祭は、異端であるカタリ派信仰の実態を調査し、後に膨大な審問記録を残した。それらの「史料的要素」と「作品的要素」とが織り紡ぐテクストを解読し、フランス・アナール学派の碩学エマニュエル・ル・ロワ・ラデュリは五百年前の、フランスの村で繰り広げられた生々しい人間ドラマを見事に再現した。その著書『モンタイユー——ピレネーの村　一二九四～一三二四』（井上幸治・波木居純一・渡邊昌美訳、刀水書房、一九九〇—九一年刊）は、読む者を過去の世界の深みへ誘ってくれる傑作である。

「東征二十録」は二千字そこそこの短文であるが、そのテクストの裏には、どんな凄まじいドラマが隠されていたのか、時々このような空想に耽るのも私の楽しみの一つである。

（東京大学比較文学会編『比較文学研究』第九一号「巻頭言」、二〇〇八年六月）

傷心啄木―北海道で見た夢

昨年の秋、年来の願いを果たして、私は『周作人伝―ある知日派文人の精神史』をミネルヴァ書房から公刊した。巻末の三十ページもつづく「人名・書名作品名索引」を捲っていると、半世紀以上に及ぶ知堂老人の日本文学との関わり、さまざまな「縁起」が思い起こされて、その渉猟の広さをあらためて思い知った。

相馬御風、戸川秋骨、木下杢太郎、中勘助、佐藤春夫など、周作人がかつて交際し、また愛読した明治・大正期の作家、文人で、拙著があまり立ち入って論じられぬ者も多く、心残りはないわけではないが、「石川啄木」の項を目にした時、この若くして世を去った詩人についてもう少し書けばよかった、とふと思ったことがある。晩年の周作人は日本、ギリシアの古典の翻訳にあけくれていたが、そんな中で手がけた唯一の日本近代文学の翻訳は『石川啄木詩歌集』であった。

石川啄木の年譜にあたると、一家離散した後、やむを得ず活路を求めて北海道に渡ったのは明治四十年（一九〇七）の五月だった。ちょうどその頃、周作人が兄魯迅の後を追って来日し、本郷区の下宿に落ち着いてから半年以上も経っていた。一方、啄木が衣食に奔走し函館、小樽、釧路を転々としたあげく、翌年（一九〇八）の四月再び上京し、友人金田一京助の厚意で本郷区菊坂町八十二番地赤心館に身を寄せ、念願の創作生活に入る。同じ四月に、魯迅、周作人兄弟ら留学生仲間の五人が本郷西片町十番地ろノ七号に、かつて夏目漱石が住んでいた家を見つけて引っ越してきたばかりだった。さほど遠く離れていない距離なので、夏の夕方、着物に下駄姿で散策に出かけた周作人は、もしかすると一歳年下の若き詩人、原稿を脇に抱えて家路を急ぐ啄木に会っていたのだろうか。

周作人が石川啄木の作品をはじめて翻訳したのはそれより十数年後の一九二〇年、啄木が死ぬ一年前の明治四十四年（一九一一）六月十五日に書いた長詩「はてしなき議論の後」である。中国語の訳詩は七月二日の「晨報副刊」に掲載された。原詩の第一段を次に引いておく。

われらの且つ読み、且つ議論を闘はすこと、／しかしてわれらの眼の輝けること、／五十年前の露西亜の青年に劣らず。／われらは何を為すべきかを議論す。／されど、誰一人、握りしめたる拳に卓をたたきて、／VNAROD!、と叫び出づるものなし。

「大逆事件」の衝撃を受けて後、啄木の思索の一端を示すもので、末尾のロシア語は「民衆の中へ」という意味である。ちょうどこの訳詩発表の前後、周作人は日本の新しき村――社会変革の議論を実践に移した異国の若者たちにエールを送り、その宣伝と鼓吹に空前の情熱を傾けていた。啄木の詩を読んで、私は思わず一九二二年三月三日、ロシアの盲詩人エロシェンコが北京女子高等師範学校で行った講演、あの中国知識階級への歯に衣着せぬ痛烈な批判と、十九世紀後半ロシア民粋派男女への賛辞を思い出す。その日盲詩人に付き添って通訳もつとめた周作人はもう一度啄木の詩を思い浮かべたであろうか。

思えば石川啄木の北海道放浪は詩人の芸術観、社会思想を熟成させたあまりにも過酷な旅だった。浪漫派詩人が社会思想家へと変貌していく中で、彼は多くの挫折、苦難、幻滅を経験したものの、あの見涯のつかぬ青空の下に広がる石狩平原、物静かで立木の多い、洋風な家が点在する北方の都に異郷の旅人を包容してくれる温もりも感じたに違いない。「はてしなき議論の後」を執筆した十日後、啄木は後に「呼子と口笛」に括られる長詩の一首「家」を書いた。西洋風の木造のさっぱりした構え、草の茂るに任せた広い庭、大樹の根もとに置かれる白塗りの木製の腰掛け……、啄木が思い描く我が家に、北の大地での詩人の見果てぬ夢を見る思いがした。

アカシヤの街樾《なみき》にポプラに／秋の風／吹くがかなしと日記に残れり

札幌を詠んだこの歌を目にして、その土地で過ごした日々の記憶が甦った。

（「北海道新聞」夕刊　二〇一二年八月三日）

初出一覧

第一部　私の比較文学修行

1　「沈黙の塔」前後の森鴎外

国文学研究資料館『国際日本文学研究集会会議録』第十六回　一九九二年

2　豊饒な黄昏—周作人とヨーロッパの世紀末

中央公論社『異文化を生きた人々』所収、一九九三年

3　作家魯迅の誕生—芥川龍之介、菊池寛に関わる一仮説

東京大学比較文学会編『比較文学研究』第六八号、一九九六年

4　漱石の社会意識—『野分』の世界を中心として

至文堂『国文学解釈と鑑賞』第六二巻六号　一九九七年

5　一茶を読む

ぺりかん社『江戸の文事』所収、二〇〇〇年

6　神戸クロニクル時代のラフカディオ・ハーン—その日清戦争時評を読む

新曜社『ハーンの人と周辺』（講座・小泉八雲１）所収、二〇〇九年

7　子供の詩

岩波書店『文学』七・八月号、二〇〇九年

8　周作人の文体と漢文訓読

東京大学比較文学会編『比較文学研究』第九六号、二〇一一年

第二部　歴史の探索

9　「同文」の国から見た日本

国際交流基金『国際交流』第四五号、一九八七年

10　李卓吾—狂に生きた明末の文人

ＴＢＳブリタニカ『アスティオン』No. 21　一九九一年夏季号

11　中国伝統文化における政治と精神

日本文化会議『文化会議』一九九二年四月

12　中国における翻訳と近代ヨーロッパ

国際交流基金『国際交流』第七三号、一九九六年、後に山川出版社『翻訳と日本文化』所収、二〇〇〇年

13　ドナルド・キーン著『日本文学史』近世篇を読む

第十回日本研究国際セミナー、福岡ユネスコ協会刊、第三六号、二〇〇〇年

14　張岱と袁枚—明、清文人の自伝を読む

東京工業大学外国語研究教育センター紀要『言語文化論叢』第六巻、二〇〇一年

15　個人主義時代の『宮本武蔵』

第十三回日本研究国際セミナー、福岡ユネスコ協会刊、第四〇号、二〇〇三年

16　講舎と書院

岩波書店『日本を問い続けて』所収、二〇〇四年

17　エクソフォニーの境地を問う—外国語で書くことの意味を考える

国際日本文化研究センター編『世界の日本研究—コミュニケーションを考える』二〇〇八年二月

18　新渡戸稲造と日本の文化外交
法政大学国際日本学研究センター編『中国人の日本研究』二〇〇九年五月

19　李卓吾は何故『水滸伝』を批評したのか
勉誠出版『水滸伝の衝撃』二〇一〇年三月

20　中日往還三十年
『富士ゼロックス小林節太郎記念基金リポート』二〇一二年十二月

第三部　書評と随想

21　市の声、町の音
東京都文化振興会『東京人』九・十月秋季号、一九八七年

22　刺激伝播—漱石と魯迅
平川祐弘著講談社学術文庫『夏目漱石』「解説」一九九一年

23　「巨象」を見る新たな視点
日本文化会議『文化会議』一九九三年十一月

24　「鏡」に映し出された知識人
日本文化会議『文化会議』一九九二年十二月

25　朧ろなる風景
岩波書店『荷風全集』月報二二、一九九四年

26　雪に包まれた街

『日本と中国』第一五四七号、一九九五年

27　平川祐弘著『マッテオ・リッチ伝』を読む
丸善『學鐙』第四号、一九九八年

28　榎本泰子著『楽人の都・上海』
日本比較文学会『比較文学』第四十一巻、一九九八年

29　張偉雄著『文人外交官の明治日本』
東京大学比較文学会編『比較文学研究』第七七号、二〇〇二年

30　***Images of Westerners in Chinese and Japanese Literature***
丸善『學鐙』第七号、二〇〇一年

31　伊原弘、小島毅編『知識人の諸相』
大修館書店『しにか』九月号、二〇〇一年

32　読書札記　異邦人の肖像
東方書店『東方』八月号、二〇〇一年

33　神田孝夫著『比較文学論考』
日本比較文学会『比較文学』第四十五巻、二〇〇二年

34　岡本さえ著『近世中国の比較思想』
東京大学比較文学会編『比較文学研究』第八一号、二〇〇三年

35　分析と実証―谷崎潤一郎の中国への眼差
東方書店『東方』四月号、二〇〇四年

36　百年後の岡倉天心論

『図書新聞』第二七三二号、二〇〇五年六月二十五日

37　讀史雑記

東京大学比較文学会編『比較文学研究』第九一号、二〇〇八年六月

38　傷心啄木―北海道で見た夢

『北海道新聞』夕刊　二〇一二年八月三日

庚子文集　あとがき

本書はここ三十年来、個別に発表した論文、講演稿、書評、エッセイの中から思い出のある数十篇を選んで一冊にまとめたものである。それは長い研究生活の総括であるとともに、個人生活の記録でもある。院生だった頃の習作を入れたのも、そのためである。

「私の比較文学修行」に収められた数篇は、「比較文学」研究に関わる論考で、かつて島田謹二先生がいう「若き美しい学問」についての心得を記したものである。修士論文「蒲松齢と上田秋成―孤憤説をめぐる考察」（『比較文学研究』第五三号）や、『江戸の思想』（高崎哲学堂、一九八九年）に収められた「俳人蕪村と詞」は、いわば「初山踏《ういやまぶ》み」だが、紙幅の関係で割愛した。

「歴史の探索」の数篇は、私の個人的嗜好を反映したもので、徳川時代の思想と文藝、同時代の中国明末清初の過酷な歴史、それを生きた文人たちの運命を論じた。その中の「ドナルド・キーン著『日本文学史』近世篇を読む」、

「個人主義時代の『宮本武蔵』」、「講舎と書院」の三篇は、いずれも福岡ユネスコ協会が主催した講演会で発表したもので、協会の前専務理事竹藤寛先生のご愛顧にあらためて感謝の念を表したい。

「書評と随想」の冒頭に録した「市の声、町の音」は、平川祐弘先生の推薦で、『東京人』の名編集長粕谷一希先生に声を掛けられ書いた習作だが、懐かしい東京留学生活の一断片を書き留めたもので、今読み返して「夢の如き」気分である。

最後に書名について、一言触れてみたい。二〇二〇年の干支は「庚子《かのえね》」なのでそう命名したと言えばそれまでだが、それにしても、この「庚子」年において、われわれは、個人にしても、社会全体にしても忘れえない体験を強いられたのである。新型コロナウィルスによる疫病は全世界を席捲し、今も止む気配はない。これによって無数に寸断された人生があるということを忘れてはならない。行く先が不透明で、「考える葦」——この人生のもろさを実感させる現代、政治権力が人々の生死を操るように、大新聞、主流メディア、ビックテックが、人々の声をも操ろうとしている昨今、この一個人の声を記録した文集を世に問えた、ささやかな「自由」を噛みしめたいものである。

旧作を再録した際、初出のままを保留し、誤記、誤植などの最低限の訂正に止め、書式の統一を図った。そして再録を快諾してくださった各出版社、関係機関の方々、本書の編集、出版にご尽力した白帝社の岸本詩子様に厚くお礼を申し上げます。

また本書の刊行にあたって、私が奉職している東京工業大学から「運営交付金」を頂いたことをここに特記して感謝を表したい。

二〇二〇年十二月三十一日

著者識

著 者

劉岸偉 (Liu Anwei)

1957 北京に生まれる。
1982 北京外国語大学卒業後、北京大学大学院東方言語文学系を経て来日。
1989 東京大学大学院総合文化研究科比較文学・比較文化博士課程修了。学術博士(東京大学)。札幌大学助教授を経て、2003 年より東京工業大学教授。
現在　東京工業大学リベラルアーツ研究教育院教授。
著書 『東洋人の悲哀—周作人と日本』(1992 年度サントリー学芸賞)河出書房新社 1991 年／『明末の文人李卓吾—中国にとって思想とは何か』中公新書 1994 年／『小泉八雲と近代中国』(第 4 回島田謹二記念学藝賞)岩波書店 2004 年／『周作人伝—ある知日派文人の精神史』(第 25 回和辻哲郎文化賞)ミネルヴァ書房 2011 年

Liu Anwei is Professor of the Tokyo Institute of Technology.

表紙地図：文京区立真砂中央図書館収蔵
「東京市本郷区全図 1:5000(明治 40 年)」

庚子文集——比較文学をめぐる研究と回想

2021 年 3 月 25 日　初版印刷
2021 年 3 月 30 日　初版発行

著 者　　劉 岸 偉
発行者　　佐藤 康夫
発行所　　白 帝 社
〒171-0014 東京都豊島区池袋 2-65-1
TEL 03-3986-3271／FAX 03-3986-3272
http://www.hakuteisha.co.jp

印刷・製本　大倉印刷(株)／装丁　アイ・ビーンズ

Printed in Japan6914　ISBN978-4-86398-433-2